KABALE UND LIEBE

Ein bürgerliches Trauerspiel in fünf Aufzügen

PERSONEN

Präsident von Walter, *am Hof eines deutschen Fürsten*
Ferdinand, *sein Sohn, Major*
Hofmarschall von Kalb
Lady Milford, *Favoritin des Fürsten*
Wurm, *Haussekretär des Präsidenten*
Miller, *Stadtmusikant oder, wie man sie an einigen Orten nennt, Kunstpfeifer*
Dessen Frau
Luise, *dessen Tochter*
Sophie, *Kammerjungfer der Lady*
Ein Kammerdiener des Fürsten
Verschiedene Nebenpersonen

ERSTER AKT

Erste Szene

Zimmer beim Musikus

Miller steht eben vom Sessel auf und stellt sein Violoncell auf die Seite. An einem Tisch sitzt Frau Millerin noch im Nachtgewand und trinkt ihren Kaffee

MILLER *(schnell auf und ab gehend)*. Einmal für allemal. Der Handel wird ernsthaft. Meine Tochter kommt mit dem Baron ins Geschrei. Mein Haus wird verrufen. Der Präsident bekommt Wind, und – kurz und gut, ich biete dem Junker aus.

FRAU. Du hast ihn nicht in dein Haus geschwatzt – hast ihm deine Tochter nicht nachgeworfen.

MILLER. Hab ihn nicht in mein Haus geschwatzt – hab ihms Mädel nicht nachgeworfen; wer nimmt Notiz davon? – Ich war Herr im Haus. Ich hätt meine Tochter mehr koram nehmen sollen. Ich hätt dem Major besser auftrumpfen sollen – oder hätt gleich alles Seiner Exzellenz dem Herrn Papa stecken sollen. Der junge Baron bringts mit einem Wischer hinaus, das muß ich wissen, und alles Wetter kommt über den Geiger.

FRAU *(schlürft eine Tasse aus)*. Possen! Geschwätz! Was kann über dich kommen? Wer kann dir was anhaben? Du gehst deiner Profession nach und raffst Scholaren zusammen, wo sie zu kriegen sind.

MILLER. Aber, sag mir doch, was wird bei dem ganzen Kommerz auch herauskommen? – Nehmen kann er das Mädel nicht – Vom Nehmen ist gar die Rede nicht, und zu einer daß Gott erbarm? – Guten Morgen! – Gelt, wenn so ein Musje *von* sich da und dort, und dort und hier schon herumbeholfen hat, wenn er, der Henker weiß was als? gelöst hat, schmeckts meinem guten Schlucker freilich, einmal auf süß Wasser zu graben. Gib du acht! gib du acht! und wenn du aus jedem Astloch ein Auge strecktest und vor jedem Blutstropfen Schildwache ständest, er wird sie, dir auf der Nase, beschwatzen, dem Mädel eins hinsetzen und führt sich ab, und das

DEUTSCHE KLASSIKER

Bibliothek
der literarischen
Meisterwerke

Friedrich Schiller
1759–1805
Ölporträt von
Ludovike Simanowiz
aus dem Jahr 1794

DEUTSCHE KLASSIKER

Friedrich Schiller

Kabale und Liebe

Don Carlos

Einmalige Sonderausgabe der
Manfred-Pawlak-Taschenbuch-VerlagsgesellschaftmbH,
Herrsching
nach dem Wortlaut des 1. Bandes der „Kabale und Liebe“
von Gerhard Fricke und Herbert G. Göpfert
herausgegebenen Ausgabe
Friedrich Schiller
SÄMTLICHE WERKE
5., durchgesehene Auflage 1973
„Don Carlos“ nach dem Wortlaut des 2. Bandes der
von Gerhard Fricke und Herbert G. Göpfert
herausgegebenen Ausgabe
Friedrich Schiller
SÄMTLICHE WERKE
4., durchgesehene Auflage 1965

Umschlaggestaltung: Bine Cordes
unter Verwendung eines Gemäldes
von Jacques-Louis David

Gesamtherstellung: Elsnerdruck GmbH, Berlin
Printed in Germany
ISBN: 3-8224-1174-4

Mädel ist verschimpfiert auf ihr Leben lang, bleibt sitzen, oder hats Handwerk verschmeckt, treibts fort. *(Die Faust vor die Stirn)* Jesus Christus!

FRAU. Gott behüt uns in Gnaden!

MILLER. Es hat sich zu behüten. Worauf kann so ein Windfuß wohl sonst sein Absehen richten? – Das Mädel ist schön – schlank – führt seinen netten Fuß. Unterm Dach mags aussehen, wies will. Darüber kuckt man bei euch Weibsleuten weg, wenns nur der liebe Gott parterre nicht hat fehlen lassen – Stöbert mein Springinsfeld erst noch dieses Kapitel aus – heh da! geht ihm ein Licht auf, wie meinem Rodney, wenn er die Witterung eines Franzosen kriegt, und nun müssen alle Segel dran, und drauflos, und – ich verdenks ihm gar nicht. Mensch ist Mensch. Das muß ich wissen.

FRAU. Solltest nur die wunderhübsche Billetter auch lesen, die der gnädige Herr an deine Tochter als schreiben tut. Guter Gott! Da sieht mans ja sonnenklar, wie es ihm pur um ihre schöne Seele zu tun ist.

MILLER. Das ist die rechte Höhe! Auf den Sack schlagt man; den Esel meint man. Wer einen Gruß an das liebe Fleisch zu bestellen hat, darf nur das gute Herz Boten gehen lassen. Wie hab ichs gemacht? Hat mans nur erst so weit im reinen, daß die Gemüter topp machen, wutsch! nehmen die Körper ein Exempel; das Gesind machts der Herrschaft nach und der silberne Mond ist am End nur der Kuppler gewesen.

FRAU. Sieh doch nur erst die prächtigen Bücher an, die der Herr Major ins Haus geschafft haben. Deine Tochter betet auch immer draus.

MILLER *(pfeift)*. Hui da! Betet! Du hast den Witz davon. Die rohe Kraftbrühen der Natur sind Ihro Gnaden zartem Makronenmagen noch zu hart. – Er muß sie erst in der höllischen Pestilenzküche der Bellatristen künstlich aufkochen lassen. Ins Feuer mit dem Quark. Da saugt mir das Mädel – weiß Gott was als für? – überhimmlische Alfanzereien ein, das läuft dann wie spanische Mucken ins Blut und wirft mir die Handvoll Christentum noch gar auseinander, die der Vater mit knapper Not so so noch zusammenhielt. Ins Feuer sag ich. Das Mädel setzt sich alles Teufelsgezeug in den Kopf; über all dem Herumschwänzen in der Schlaraffenwelt findets zuletzt seine

Heimat nicht mehr, vergißt, schämt sich, daß sein Vater Miller der Geiger ist, und verschlägt mir am End einen wackern ehrbaren Schwiegersohn, der sich so warm in meine Kundschaft hineingesetzt hätte – – Nein! Gott verdamm mich. *(Er springt auf, hitzig)* Gleich muß die Pastete auf den Herd, und dem Major – ja ja dem Major will ich weisen, wo Meister Zimmermann das Loch gemacht hat. *(Er will fort)*

FRAU. Sei artig, Miller. Wie manchen schönen Groschen haben uns nur die Präsenter – –

MILLER *(kommt zurück und bleibt vor ihr stehen)*. Das Blutgeld meiner Tochter? – Schier dich zum Satan, infame Kupplerin! – Eh will ich mit meiner Geig auf den Bettel herumziehen, und das Konzert um was Warmes geben – eh will ich mein Violonzello zerschlagen, und Mist im Sonanzboden führen, eh ich mirs schmecken laß von dem Geld, das mein einziges Kind mit Seel und Seligkeit abverdient. – Stell den vermaledeiten Kaffee ein, und das Tobakschnupfen, so brauchst du deiner Tochter Gesicht nicht zu Markt zu treiben. Ich hab mich satt gefressen, und immer ein gutes Hemd auf dem Leib gehabt, eh so ein vertrackter Tausendsasa in meine Stube geschmeckt hat.

FRAU. Nur nicht gleich mit der Tür ins Haus. Wie du doch den Augenblick in Feuer und Flammen stehst! Ich sprech ja nur, man müss den Herrn Major nicht disguschtüren, weil Sie des Präsidenten Sohn sind.

MILLER. Da liegt der Has im Pfeffer. Darum, just eben darum, muß die Sach noch heut auseinander. Der Präsident muß es mir Dank wissen, wenn er ein rechtschaffener Vater ist. Du wirst mir meinen roten plüschenen Rock ausbürsten, und ich werde mich bei Seiner Exzellenz anmelden lassen. Ich werde sprechen zu Seiner Exzellenz: Dero Herr Sohn haben ein Aug auf meine Tochter; meine Tochter ist zu schlecht zu Dero Herrn Sohnes Frau, aber zu Dero Herrn Sohnes Hure ist meine Tochter zu kostbar, und damit basta! – Ich heiße *Miller*.

Zweite Szene

Sekretär Wurm. Die Vorigen

FRAU. Ah guten Morgen, Herr Sekertare. Hat man auch einmal wieder das Vergnügen von Ihnen?

WURM. Meinerseits, meinerseits, Frau Base. Wo eine Kavaliersgnade einspricht, kommt mein bürgerliches Vergnügen in gar keine Rechnung.

FRAU. Was Sie nicht sagen, Herr Sekertare! Des Herrn Majors von Walter hohe Gnaden machen uns wohl je und je das Bläsier, doch verachten wir darum niemand.

MILLER *(verdrüßlich)*. Dem Herrn einen Sessel, Frau. Wollens ablegen, Herr Landsmann?

WURM *(legt Hut und Stock weg, setzt sich)*. Nun! Nun! und wie befindet sich denn meine Zukünftige – oder Gewesene? – Ich will doch nicht hoffen – kriegt man sie nicht zu sehen – Mamsell Luisen?

FRAU. Danken der Nachfrage, Herr Sekertare. Aber meine Tochter ist doch gar nicht hochmütig.

MILLER *(ärgerlich, stößt sie mit dem Ellnbogen)*. Weib!

FRAU. Bedauerns nur, daß sie die Ehre nicht haben kann vom Herrn Sekertare. Sie ist eben in die Mess, meine Tochter.

WURM. Das freut mich, freut mich. Ich werd einmal eine fromme christliche Frau an ihr haben.

FRAU *(lächelt dumm-vornehm)*. Ja – aber, Herr Sekertare –

MILLER *(in sichtbarer Verlegenheit kneipt sie in die Ohren)*. Weib!

FRAU. Wenn Ihnen unser Haus sonst irgendwo dienen kann – Mit allem Vergnügen, Herr Sekertare –

WURM *(macht falsche Augen)*. Sonst irgendwo! Schönen Dank! Schönen Dank – Hem! hem! hem!

FRAU. Aber – wie der Herr Sekertare selber die Einsicht werden haben –

MILLER *(voll Zorn seine Frau vor den Hintern stoßend)*. Weib!

FRAU. Gut ist gut, und besser ist besser, und einem einzigen Kind mag man doch auch nicht vor seinem Glück sein. *(Bäurisch-stolz)* Sie werden mich je doch wohl merken, Herr Sekertare?

WURM *(rückt unruhig im Sessel, kratzt hinter den Ohren und zupft an Man-*

schetten und Jabot). Merken? Nicht doch – O ja – Wie meinen Sie denn?

FRAU. Nu – nu – ich dächte nur – ich meine *(hustet)* weil eben halt der liebe Gott meine Tochter barrdu zur gnädigen Madam will haben –

WURM *(fährt vom Stuhl).* Was sagen Sie da? Was?

MILLER. Bleiben sitzen! Bleiben sitzen, Herr Sekretarius! Das Weib ist eine alberne Gans. Wo soll eine gnädige Madam herkommen? Was für ein Esel streckt sein Langohr aus diesem Geschwätze?

FRAU. Schmäl du, solang du willst. Was ich weiß, weiß ich – und was der Herr Major gesagt hat, das hat er gesagt.

MILLER *(aufgebracht, springt nach der Geige).* Willst du dein Maul halten? Willst das Violonzello am Hirnkasten wissen? – Was kannst du wissen? Was kann er gesagt haben? – Kehren sich an das Geklatsch nicht, Herr Vetter – Marsch du in deine Küche – Werden mich doch nicht für des Dummkopfs leiblichen Schwager halten, daß ich obenaus woll mit dem Mädel? Werden doch das nicht von mir denken, Herr Sekretarius?

WURM. Auch hab ich es nicht um Sie verdient, Herr Musikmeister. Sie haben mich jederzeit den Mann von Wort sehen lassen, und meine Ansprüche auf Ihre Tochter waren so gut als unterschrieben. Ich habe ein Amt, das seinen guten Haushälter nähren kann, der Präsident ist mir gewogen, an Empfehlungen kanns nicht fehlen, wenn ich mich höher poussieren will. Sie sehen, daß meine Absichten auf Mamsell Luisen ernsthaft sind, wenn sie vielleicht von einem adeligen Windbeutel herumgeholt – –

FRAU. Herr Sekertare Wurm! Mehr Respekt, wenn man bitten darf –

MILLER. Halt du dein Maul, sag ich – Lassen Sie es gut sein, Herr Vetter. Es bleibt beim alten. Was ich Ihnen verwichenen Herbst zum Bescheid gab, bring ich heut wieder. Ich zwinge meine Tochter nicht. Stehen Sie ihr an – wohl und gut, so mag sie zusehen, wie sie glücklich mit Ihnen wird. Schüttelt sie den Kopf – noch besser – – in Gottes Namen wollt ich sagen – – so stecken Sie den Korb ein, und trinken eine Bouteille mit dem Vater – Das Mädel muß mit Ihnen leben – ich nicht – warum soll ich ihr einen Mann, den sie nicht schmecken kann, aus purem klarem Eigensinn an den Hals werfen? – Daß mich der böse Feind in meinen eisgrauen Tagen noch wie sein Wildpret herumhetze – daß ichs in jedem Glas Wein zu saufen – in jeder Suppe zu fressen kriege: Du bist der Spitzbube, der sein Kind ruiniert hat!

FRAU. Und kurz und gut – ich geb meinen Konsens absolut nicht; meine Tochter ist zu was Hohem gemünzt, und ich lauf in die Gerichte, wenn mein Mann sich beschwatzen läßt.

MILLER. Willst du Arm und Bein entzwei haben, Wettermaul?

WURM *(zu Millern)*. Ein väterlicher Rat vermag bei der Tochter viel, und hoffentlich werden Sie mich kennen, Herr Miller?

MILLER. Daß dich alle Hagel! 's Mädel muß Sie kennen. Was ich alter Knasterbart an Ihnen abkucke, ist just kein Fressen fürs junge naschhafte Mädel. Ich will Ihnen aufs Haar hin sagen, ob Sie ein Mann fürs Orchester sind – aber eine Weiberseel ist auch für einen Kapellmeister zu spitzig. – Und dann von der Brust weg, Herr Vetter – ich bin halt ein plumper gerader teutscher Kerl – für meinen Rat würden Sie sich zuletzt wenig bedanken. Ich rate meiner Tochter zu keinem – aber Sie mißrat ich meiner Tochter, Herr Sekretarius. Lassen mich ausreden. Einem Liebhaber, der den Vater zu Hilfe ruft, trau ich – erlauben Sie, – keine hohle Haselnuß zu. Ist er was, so wird er sich schämen, seine Talente durch diesen altmodischen Kanal vor seine Liebste zu bringen – Hat er 's Courage nicht, so ist er ein Hasenfuß, und für den sind keine Luisen gewachsen – – Da! hinter dem Rücken des Vaters muß er sein Gewerb an die Tochter bestellen. Machen muß er, daß das Mädel lieber Vater und Mutter zum Teufel wünscht, als ihn fahren läßt – oder selber kommt, dem Vater zu Füßen sich wirft und sich um Gottes willen den schwarzen gelben Tod oder den Herzeinzigen ausbittet. – Das nenn ich einen Kerl! Das heißt lieben! – und wers bei dem Weibsvolk nicht so weit bringt, der soll – – auf seinem Gänsekiel reiten.

WURM *(greift nach Hut und Stock, und zum Zimmer hinaus)*. Obligation, Herr Miller.

MILLER *(geht ihm langsam nach)*. Für was? Für was? Haben Sie ja doch nichts genossen, Herr Sekretarius. *(Zurückkommend)* Nichts hört er und hin zieht er – – Ist mirs doch wie Gift und Operment, wenn ich den Federnfuchser zu Gesichte krieg. Ein konfiszierter widriger Kerl, als hätt ihn irgendein Schleichhändler in die Welt meines

Herrgotts hineingeschachert – Die kleinen tückischen Mausaugen – die Haare brandrot – das Kinn herausgequollen, gerade als wenn die Natur für purem Gift über das verhunzte Stück Arbeit meinen Schlingel da angefaßt, und in irgendeine Ecke geworfen hätte – Nein! Eh ich meine Tochter an so einen Schuft wegwerfe, lieber soll sie mir – Gott verzeih mirs –

FRAU *(spuckt aus, giftig)*. Der Hund! – Aber man wird dirs Maul sauber halten.

MILLER. Du aber auch mit deinem pestilenzialischen Junker – Hast mich vorhin auch so in Harnisch gebracht – Bist doch nie dummer, als wenn du um Gottes willen gescheit sein solltest. Was hat das Geträtsch von einer gnädigen Madam und deiner Tochter da vorstellen sollen? Das ist mir der Alte. Dem muß man so was an die Nase heften, wenns morgen am Marktbrunnen ausgeschellt sein soll. Das ist just so ein Musje, wie sie in der Leute Häusern herumriechen, über Keller und Koch räsonnieren, und springt einem ein nasenweises Wort übers Maul – Bumbs! habens Fürst und Matress und Präsident, und du hast das siedende Donnerwetter am Halse.

Dritte Szene

Luise Millerin kommt, ein Buch in der Hand. Vorige

LUISE *(legt das Buch nieder, geht zu Millern und drückt ihm die Hand)*. Guten Morgen, lieber Vater.

MILLER *(warm)*. Brav, meine Luise – Freut mich, daß du so fleißig an deinen Schöpfer denkst. Bleib immer so, und sein Arm wird dich halten.

LUISE. O ich bin eine schwere Sünderin, Vater – War er da, Mutter?

FRAU. Wer, mein Kind?

LUISE. Ah! ich vergaß, daß es noch außer ihm Menschen gibt – Mein Kopf ist so wüste – Er war nicht da? Walter?

MILLER *(traurig und ernsthaft)*. Ich dachte, meine Luise hätte den Namen in der Kirche gelassen?

LUISE *(nachdem sie ihn eine Zeitlang starr angesehen)*. Ich versteh Ihn, Vater – fühle das Messer, das Er in mein Gewissen stößt; aber es kommt zu spät. – Ich hab keine Andacht mehr, Vater – der Himmel und Ferdinand reißen an meiner blutenden Seele, und ich fürchte – ich fürchte – *(Nach einer Pause)* Doch nein, guter Vater. Wenn wir ihn über dem Gemälde vernachlässigen, findet sich ja der Künstler am feinsten gelobt. – Wenn meine Freude über sein Meisterstück mich ihn selbst übersehen macht, Vater, muß das Gott nicht ergötzen?

MILLER *(wirft sich unmutig in den Stuhl)*. Da haben wirs! Das ist die Frucht von dem gottlosen Lesen.

LUISE *(tritt unruhig an ein Fenster)*. Wo er wohl jetzt ist? – Die vornehmen Fräulein, die ihn sehen – ihn hören – – ich bin ein schlechtes vergessenes Mädchen. *(Erschrickt an dem Wort und stürzt ihrem Vater zu)* Doch nein! nein! verzeih Er mir. Ich beweine mein Schicksal nicht. Ich will ja nur wenig – – an ihn denken – das kostet ja nichts. Dies bißchen Leben – dürft ich es hinhauchen in ein leises schmeichelndes Lüftchen, sein Gesicht abzukühlen! – Dies Blümchen Jugend – wär es ein Veilchen, und *er* träte drauf, und es dürfte bescheiden unter ihm sterben! – Damit genügte mir, Vater. Wenn die Mücke in ihren Strahlen sich sonnt – kann sie das strafen, die stolze majestätische Sonne?

MILLER *(beugt sich gerührt an die Lehne des Stuhls und bedeckt das Gesicht)*. Höre, Luise – das bissel Bodensatz meiner Jahre, ich gäb es hin, hättest du den Major nie gesehen.

LUISE *(erschrocken)*. Was sagt Er da? Was? – Nein! er meint es anders, der gute Vater. Er wird nicht wissen, daß Ferdinand mein ist, mir geschaffen, mir zur Freude vom Vater der Liebenden. *(Sie steht nachdenkend)* Als ich ihn das erstemal sah – *(rascher)* und mir das Blut in die Wangen stieg, froher jagten alle Pulse, jede Wallung sprach, jeder Atem lispelte: Er ists, – und mein Herz den Immermangelnden erkannte, bekräftigte, Er ists, und wie das widerklang durch die ganze mitfreuende Welt. Damals – o damals ging in meiner Seele der erste Morgen auf. Tausend junge Gefühle schossen aus meinem Herzen, wie die Blumen aus dem Erdreich, wenns Frühling wird. Ich sah keine Welt mehr, und doch besinn ich mich, daß sie niemals so schön war. Ich wußte von keinem Gott mehr, und doch hatt ich ihn nie so geliebt.

MILLER *(eilt auf sie zu, drückt sie wider seine Brust)*. Luise – teures – herrliches Kind – Nimm meinen alten mürben Kopf – nimm alles – alles! – den Major – Gott ist mein Zeuge – ich kann dir ihn nimmer geben. *(Er geht ab)*

LUISE. Auch will ich ihn ja jetzt nicht, mein Vater. Dieser karge Tautropfe Zeit – schon ein Traum von Ferdinand trinkt ihn wollüstig auf. Ich entsag ihm für dieses Leben. Dann, Mutter – dann, wenn die Schranken des Unterschieds einstürzen – wenn von uns abspringen all die verhaßte Hülsen des Standes – Menschen nur Menschen sind – Ich bringe nichts mit mir als meine Unschuld, aber der Vater hat ja so oft gesagt, daß der Schmuck und die prächtigen Titel wohlfeil werden, wenn Gott kommt, und die Herzen im Preise steigen. Ich werde dann reich sein. Dort rechnet man Tränen für Triumphe, und schöne Gedanken für Ahnen an. Ich werde dann vornehm sein, Mutter – Was hätte er dann noch für seinem Mädchen voraus?

FRAU *(fährt in die Höhe)*. Luise! Der Major! Er springt über die Planke. Wo verberg ich mich doch?

LUISE *(fängt an zu zittern)*. Bleib Sie doch, Mutter.

FRAU. Mein Gott! Wie seh ich aus. Ich muß mich ja schämen. Ich darf mich nicht vor Seiner Gnaden so sehen lassen. *(Ab)*

Vierte Szene

Ferdinand von Walter. Luise

(Er fliegt auf sie zu – sie sinkt entfärbt und matt auf einen Sessel – er bleibt vor ihr stehn – sie sehen sich eine Zeitlang stillschweigend an. Pause)

FERDINAND. Du bist blaß, Luise?

LUISE *(steht auf und fällt ihm um den Hals)*. Es ist nichts. Nichts. Du bist ja da. Es ist vorüber.

FERDINAND *(ihre Hand nehmend und zum Munde führend)*. Und liebt mich meine Luise noch? Mein Herz ist das gestrige, ists auch das deine noch? Ich fliege nur her, will sehn, ob du heiter bist, und gehn und es auch sein – du bists nicht.

LUISE. Doch, doch, mein Geliebter.

FERDINAND. Rede mir Wahrheit. Du bists nicht. Ich schaue durch deine Seele wie durch das klare Wasser dieses Brillanten. *(Er zeigt auf seinen Ring)* Hier wirft sich kein Bläschen auf, das ich nicht merkte – kein Gedanke tritt in dies Angesicht, der mir entwischte. Was hast du? Geschwind! Weiß ich nur diesen Spiegel helle, so läuft keine Wolke über die Welt. Was bekümmert dich?

LUISE *(sieht ihn eine Weile stumm und bedeutend an, dann mit Wehmut)*. Ferdinand! Ferdinand! Daß du doch wüßtest, wie schön in dieser Sprache das bürgerliche Mädchen sich ausnimmt –

FERDINAND. Was ist das? *(Befremdet)* Mädchen! Höre! Wie kommst du auf das? – Du bist meine Luise! Wer sagt dir, daß du noch etwas sein solltest? Siehst du Falsche, auf welchem Kaltsinn ich dir begegnen muß. Wärest du ganz nur Liebe für mich, wann hättest du Zeit gehabt, eine Vergleichung zu machen? Wenn ich bei dir bin, zerschmilzt meine Vernunft in einen Blick – in einen Traum von dir, wenn ich weg bin, und du hast noch eine Klugheit neben deiner Liebe? – Schäme dich! Jeder Augenblick, den du an diesen Kummer verlorst, war deinem Jüngling gestohlen.

LUISE *(faßt seine Hand, indem sie den Kopf schüttelt)*. Du willst mich einschläfern, Ferdinand – willst meine Augen von diesem Abgrund hinweglocken, in den ich ganz gewiß stürzen muß. Ich seh in die Zukunft – die Stimme des Ruhms – deine Entwürfe – dein Vater – mein Nichts. *(Erschrickt und läßt plötzlich seine Hand fahren)* Ferdinand! ein Dolch über dir und mir! – Man trennt uns!

FERDINAND. Trennt uns! *(Er springt auf)* Woher bringst du diese Ahndung, Luise? Trennt uns? – Wer kann den Bund zwoer Herzen lösen, oder die Töne eines Akkords auseinanderreißen? – Ich bin ein Edelmann – Laß doch sehen, ob mein Adelbrief älter ist als der Riß zum unendlichen Weltall? oder mein Wappen gültiger als die Handschrift des Himmels in Luisens Augen: Dieses Weib ist für diesen Mann? – Ich bin des Präsidenten Sohn. Eben darum. Wer, als die Liebe, kann mir die Flüche versüßen, die mir der Landeswucher meines Vaters vermachen wird?

LUISE. O, wie sehr fürcht ich ihn – diesen Vater!

FERDINAND. Ich fürchte nichts – nichts – als die Grenzen deiner Liebe. Laß auch Hindernisse wie Gebürge zwischen uns treten, ich will sie für Treppen nehmen und drüber hin in Luisens Arme fliegen. Die Stürme des widrigen Schicksals sollen meine Empfindung emporblasen, *Gefahren* werden meine Luise nur reizender machen. – Also nichts mehr von Furcht, meine Liebe. Ich selbst – ich will über dir wachen wie der Zauberdrach über unterirdischem Golde – *Mir* vertraue dich. Du brauchst keinen Engel mehr – Ich will mich zwischen dich und das Schicksal werfen – empfangen für dich jede Wunde – auffassen für dich jeden Tropfen aus dem Becher der Freude – dir ihn bringen in der Schale der Liebe. *(Sie zärtlich umfassend)* An diesem Arm soll meine Luise durchs Leben hüpfen, schöner als er dich von sich ließ, soll der Himmel dich wieder haben und mit Verwunderung eingestehn, daß nur die Liebe die letzte Hand an die Seelen legte –

LUISE *(drückt ihn von sich, in großer Bewegung)*. Nichts mehr! Ich bitte dich, schweig! – Wüßtest du – Laß mich – du weißt nicht, daß deine Hoffnungen mein Herz wie Furien anfallen. *(Will fort)*

FERDINAND *(hält sie auf)*. Luise? Wie! Was! Welche Anwandlung?

LUISE. Ich hatte diese Träume *vergessen* und war glücklich – Jetzt! Jetzt! Von *heut* an – der Friede meines Lebens ist aus – Wilde Wünsche – ich weiß es – werden in meinem Busen rasen. – Geh – Gott vergebe dirs – Du hast den Feuerbrand in mein junges friedsames Herz geworfen, und er wird nimmer, nimmer gelöscht werden. *(Sie stürzt hinaus. Er folgt ihr sprachlos nach)*

Fünfte Szene

Saal beim Präsidenten

Der Präsident, ein Ordenskreuz um den Hals, einen Stern an der Seite, und Sekretär Wurm treten auf

PRÄSIDENT. Ein ernsthaftes Attachement! Mein Sohn? – Nein, Wurm, das macht Er mich nimmermehr glauben.

WURM. Ihro Exzellenz haben die Gnade, mir den Beweis zu befehlen.

PRÄSIDENT. Daß er der Bürgerkanaille den Hof macht – Flatterien sagt – auch meinetwegen Empfindungen vorplaudert – Das sind lauter Sachen, die ich möglich finde – verzeihlich finde – aber – und noch gar die Tochter eines Musikus, sagt Er?

WURM. Musikmeister Millers Tochter.

PRÄSIDENT. Hübsch? – Zwar das versteht sich.

WURM *(lebhaft)*. Das schönste Exemplar einer Blondine, die, nicht zuviel gesagt, neben den ersten Schönheiten des Hofes noch Figur machen würde.

PRÄSIDENT *(lacht)*. Er sagt mir, Wurm – Er habe ein Aug auf das Ding – das find ich. Aber sieht Er, mein lieber Wurm – daß mein Sohn Gefühl für das Frauenzimmer hat, macht mir Hoffnung, daß ihn die Damen nicht hassen werden. Er kann bei Hof etwas durchsetzen. Das Mädchen ist *schön*, sagt *Er*, das gefällt mir an meinem Sohn, daß er *Geschmack* hat. Spiegelt er der Närrin solide Absichten vor? Noch besser – so seh ich, daß er *Witz* genug hat, in seinen Beutel zu lügen. Er kann *Präsident* werden. Setzt er es noch dazu durch? Herrlich! das zeigt mir an, daß er *Glück* hat. – Schließt sich die Farce mit einem gesunden Enkel – Unvergleichlich! so trink ich auf die guten Aspekten meines Stammbaums ein Bouteille Malaga mehr, und bezahle die Skortationsstrafe für seine Dirne.

WURM. Alles, was ich wünsche, Ihr' Exzellenz, ist, daß Sie nicht nötig haben möchten, diese Bouteille zu Ihrer *Zerstreuung* zu trinken.

PRÄSIDENT *(ernsthaft)*. Wurm, besinn Er sich, daß ich, wenn ich einmal glaube, hartnäckig glaube, rase, wenn ich zürne – Ich will einen Spaß daraus machen, daß Er mich aufhetzen wollte. Daß Er sich seinen Nebenbuhler gern vom Hals geschafft hätte, glaub ich Ihm herzlich gern. Da Er meinen Sohn bei dem *Mädchen* auszustechen Mühe haben möchte, soll Ihm der *Vater* zur Fliegenklatsche dienen, das find ich wieder begreiflich – und daß Er einen so herrlichen Ansatz zum Schelmen hat, entzückt mich sogar – Nur, mein lieber Wurm, muß Er mich nicht mitprellen wollen. – Nur, versteht Er mich, muß Er den Pfiff nicht bis zum Einbruch in meine Grundsätze treiben.

WURM. Ihro Exzellenz verzeihen. Wenn auch wirklich – wie Sie argwohnen – die Eifersucht hier im Spiel sein sollte, so wäre sie es wenigstens nur mit den Augen und nicht mit der Zunge.

PRÄSIDENT. Und ich dächte, sie bliebe ganz weg. Dummer Teufel, was verschlägt es denn Ihm, ob Er die Karolin frisch aus der Münze oder vom Bankier bekommt. Tröst Er sich mit dem hiesigen Adel; – Wissentlich oder nicht – bei uns wird selten eine Mariage geschlossen, wo nicht wenigstens ein halb Dutzend der Gäste – oder der Aufwärter – das Paradies des Bräutigams geometrisch ermessen kann.

WURM *(verbeugt sich)*. Ich mache hier gern den Bürgersmann, gnädiger Herr.

PRÄSIDENT. Überdies kann Er mit nächstem die Freude haben, seinem Nebenbuhler den Spott auf die schönste Art heimzugeben. Eben jetzt liegt der Anschlag im Kabinett, daß, auf die Ankunft der neuen Herzogin, Lady Milford zum Schein den Abschied erhalten und, den Betrug vollkommen zu machen, eine Verbindung eingehen soll. Er weiß, Wurm, wie sehr sich mein Ansehen auf den Einfluß der Lady stützt – wie überhaupt meine mächtigsten Springfedern in die Wallungen des Fürsten hineinspielen. Der Herzog sucht eine Partie für die Milford. Ein anderer kann sich melden – den Kauf schließen, mit der Dame das Vertrauen des Fürsten anreißen, sich ihm unentbehrlich machen – Damit nun der Fürst im Netz meiner Familie bleibe, soll mein Ferdinand die Milford heuraten – – Ist Ihm das helle?

WURM. Daß mich die Augen beißen – – Wenigstens bewies der *Präsident* hier, daß der *Vater* nur ein *Anfänger* gegen ihn ist. Wenn der Major Ihnen ebenso den *gehorsamen Sohn* zeigt, als Sie ihm den *zärtlichen Vater*, so dörfte Ihre Anfoderung mit Protest zurückkommen.

PRÄSIDENT. Zum Glück war mir noch nie für die Ausführung eines Entwurfes bang, wo ich mich mit einem: *Es soll so sein*, einstellen konnte. – Aber seh Er nun, Wurm, das hat uns wieder auf den vorigen Punkt geleitet. Ich kündige meinem Sohn noch diesen Vormittag seine Vermählung an. Das Gesicht, das er mir zeigen wird, soll Seinen Argwohn entweder rechtfertigen oder ganz widerlegen.

WURM. Gnädiger Herr, ich bitte sehr um Vergebung. Das finstre Gesicht, das er Ihnen ganz zuverlässig zeigt, läßt sich ebensogut auf die Rechnung der Braut schreiben, die Sie ihm zuführen, als derjenigen, die Sie ihm nehmen. Ich ersuche Sie um eine schärfere Probe. Wählen Sie ihm die untadeligste Partie im Land, und sagt er ja, so lassen Sie den Sekretär Wurm drei Jahre Kugeln schleifen.

PRÄSIDENT *(beißt die Lippen)*. Teufel!

WURM. Es ist nicht anders. Die Mutter – die Dummheit selbst – hat mir in der Einfalt zuviel geplaudert.

PRÄSIDENT *(geht auf und nieder, preßt seinen Zorn zurück)*. Gut! Diesen Morgen noch.

WURM. Nur vergessen Euer Exzellenz nicht, daß der Major – der Sohn meines Herrn ist.

PRÄSIDENT. *Er* soll geschont werden, Wurm.

WURM. Und daß der Dienst, Ihnen von einer unwillkommenen Schwiegertochter zu helfen –

PRÄSIDENT. Den Gegendienst wert ist, Ihm zu einer Frau zu helfen? – Auch das, Wurm.

WURM *(bückt sich vergnügt)*. Ewig der Ihrige, gnädiger Herr. *(Er will gehen)*

PRÄSIDENT. Was ich Ihm vorhin vertraut habe, Wurm *(Drohend)* Wenn Er plaudert –

WURM *(lacht)*. So zeigen Ihr' Exzellenz meine falschen Handschriften auf. *(Er geht ab)*

PRÄSIDENT. Zwar du bist mir gewiß. Ich halte dich an deiner eigenen Schurkerei, wie den Schröter am Faden.

EIN KAMMERDIENER *(tritt herein)*. Hofmarschall von Kalb –

PRÄSIDENT. Kommt, wie gerufen. – Er soll mir angenehm sein. *(Kammerdiener geht)*

Sechste Szene

Hofmarschall von Kalb, in einem reichen, aber geschmacklosen Hofkleid, mit Kammerherrnschlüsseln, zwei Uhren und einem Degen, Chapeau-bas und frisiert à la Hérisson. Er fliegt mit großem Gekreisch auf den Präsidenten zu und breitet einen Bisamgeruch über das ganze Parterre. Präsident

HOFMARSCHALL *(ihn umarmend)*. Ah guten Morgen, mein Bester! Wie geruht? Wie geschlafen? – Sie verzeihen doch, daß ich so spät das Vergnügen habe – dringende Geschäfte – der Küchenzettel – Visitenbilletts – das Arrangement der Partien auf die heutige Schlittenfahrt – Ah – und denn mußt ich ja auch bei dem Lever zugegen sein, und Seiner Durchleucht das Wetter verkündigen.

PRÄSIDENT. Ja, Marschall. Da haben Sie freilich nicht abkommen können.

HOFMARSCHALL. Obendrein hat mich ein Schelm von Schneider noch sitzen lassen.

PRÄSIDENT. Und doch fix und fertig?

HOFMARSCHALL. Das ist noch nicht alles. – Ein Malheur jagt heut das andere. Hören Sie nur.

PRÄSIDENT *(zerstreut)*. Ist das möglich?

HOFMARSCHALL. Hören Sie nur. Ich steige kaum aus dem Wagen, so werden die Hengste scheu, stampfen und schlagen aus, daß mir – ich bitte Sie! – der Gassenkot über und über an die Beinkleider sprützt. Was anzufangen? Setzen Sie sich um Gottes willen in meine Lage, Baron. Da stand ich. Spät war es. Eine Tagreise ist es – und in dem Aufzug vor Seine Durchleucht! Gott der Gerechte! – Was fällt mir bei? Ich fingiere eine Ohnmacht. Man bringt mich über Hals und Kopf in die Kutsche. Ich in voller Karriere nach Haus – wechsle die Kleider – fahre zurück – Was sagen Sie? – und bin noch der erste in der Antichamber – Was denken Sie?

PRÄSIDENT. Ein herrliches Impromptu des menschlichen Witzes – Doch das beiseite, Kalb – Sie sprachen also schon mit dem Herzog?

HOFMARSCHALL *(wichtig)*. Zwanzig Minuten und eine halbe.

PRÄSIDENT. Das gesteh ich! – und wissen mir also ohne Zweifel eine wichtige Neuigkeit?

HOFMARSCHALL *(ernsthaft nach einigem Stillschweigen)*. Seine Durchleucht haben heute einen Merde d'Oye-Biber an.

PRÄSIDENT. Man denke – Nein, Marschall, so hab ich doch eine bessere Zeitung für Sie – daß Lady Milford Majorin von Walter wird, ist Ihnen gewiß etwas Neues?

HOFMARSCHALL. Denken Sie! – Und das ist schon richtig gemacht?

PRÄSIDENT. *Unterschrieben*, Marschall – und Sie verbinden mich, wenn Sie ohne Aufschub dahin gehen, die Lady auf seinen Besuch präparieren, und den Entschluß meines Ferdinands in der ganzen Residenz bekanntmachen.

HOFMARSCHALL *(entzückt)*. O mit tausend Freuden, mein Bester – Was kann mir erwünschter kommen? – Ich fliege sogleich – *(Umarmt ihn)* Leben Sie wohl – In dreiviertel Stunden weiß es die ganze Stadt. *(Hüpft hinaus)*

PRÄSIDENT *(lacht dem Marschall nach)*. Man sage noch, daß diese Geschöpfe in der Welt zu nichts taugen – – Nun *muß* ja mein Ferdinand wollen, oder die ganze Stadt hat gelogen. *(Klingelt. – Wurm kommt)* Mein Sohn soll hereinkommen. *(Wurm geht ab. Der Präsident auf und nieder, gedankenvoll)*

Siebente Szene

Ferdinand. Der Präsident. Wurm, welcher gleich abgeht

FERDINAND. Sie haben befohlen, gnädiger Herr Vater –

PRÄSIDENT. Leider muß ich das, wenn ich meines Sohns einmal froh werden will – Laß Er uns allein, Wurm. – Ferdinand, ich beobachte dich schon eine Zeit lang und finde die offene rasche Jugend nicht mehr, die mich sonst so entzückt hat. Ein seltsamer Gram brütet auf deinem Gesicht – Du fliehst mich – Du fliehst deine Zirkel – Pfui! – *Deinen* Jahren verzeiht man zehn Ausschweifungen vor einer einzigen Grille. Überlaß diese mir, lieber Sohn. Mich laß an deinem Glück arbeiten, und denke auf nichts, als in meine Entwürfe zu spielen. – Komm! Umarme mich, Ferdinand.

FERDINAND. Sie sind heute sehr gnädig, mein Vater.

PRÄSIDENT. Heute, du Schalk – und dieses Heute noch mit der herben Grimasse? *(Ernsthaft)* Ferdinand! – *Wem* zulieb hab ich die gefährliche Bahn zum Herzen des Fürsten betreten? *Wem* zulieb bin ich auf ewig mit meinem Gewissen und dem Himmel zerfallen? – Höre, Ferdinand – (Ich spreche mit meinem Sohn) – *Wem* hab ich durch die Hinwegräumung meines Vorgängers Platz gemacht – eine Geschichte, die desto blutiger in mein Inwendiges schneidet, je sorgfältiger ich das Messer der Welt verberge. Höre. Sage mir, Ferdinand: *Wem* tat ich dies alles?

FERDINAND *(tritt mit Schrecken zurück)*. Doch *mir* nicht, mein Vater? Doch auf *mich* soll der blutige Widerschein dieses Frevels nicht fallen? Beim allmächtigen Gott! Es ist besser, gar nicht geboren sein, als dieser Missetat zur Ausrede dienen.

PRÄSIDENT. Was war das? Was? Doch! ich will es dem Romanenkopfe zugut halten – Ferdinand – ich will mich nicht erhitzen, vorlauter Knabe – Lohnst du mir *also* für meine schlaflosen Nächte? *Also* für meine rastlose Sorge? *Also* für den ewigen Skorpion meines Gewissens? – Auf mich fällt die Last der Verantwortung – auf mich der Fluch, der Donner des Richters – Du empfängst dein Glück von der zweiten Hand – das Verbrechen klebt nicht am Erbe.

FERDINAND *(streckt die rechte Hand gen Himmel)*. Feierlich entsag ich hier einem Erbe, das mich nur an einen abscheulichen Vater erinnert.

PRÄSIDENT. Höre, junger Mensch, bringe mich nicht auf. – Wenn es nach deinem Kopfe ginge, du kröchest dein Leben lang im Staube.

FERDINAND. O, immer noch besser, Vater, als ich kröch um den Thron herum.

PRÄSIDENT *(verbeißt seinen Zorn)*. Hum! – Zwingen muß man dich, dein Glück zu erkennen. Wo zehn andre mit aller Anstrengung nicht hinaufklimmen, wirst du spielend, im Schlafe gehoben. Du bist im zwölften Jahre Fähndrich. Im zwanzigsten Major. Ich hab es durchgesetzt beim Fürsten. Du wirst die Uniform ausziehen, und in das Ministerium eintreten. Der Fürst sprach vom Geheimenrat – Gesandtschaften – außerordentlichen Gnaden. Eine herrliche Aussicht dehnt sich vor dir. – Die ebene Straße zunächst nach dem

Throne – zum Throne selbst, wenn anders die Gewalt soviel wert ist als ihre Zeichen – das begeistert dich nicht?

FERDINAND. Weil meine Begriffe von Größe und Glück nicht ganz die Ihrigen sind – *Ihre* Glückseligkeit macht sich nur selten anders als durch Verderben bekannt. Neid, Furcht, Verwünschung sind die traurigen Spiegel, worin sich die Hoheit eines Herrschers belächelt. – Tränen, Flüche, Verzweiflung die entsetzliche Mahlzeit, woran diese gepriesenen Glücklichen schwelgen, von der sie betrunken aufstehen, und so in die Ewigkeit vor den Thron Gottes taumeln – Mein Ideal von Glück zieht sich genügsamer in mich selbst zurück. In meinem *Herzen* liegen alle meine Wünsche begraben. –

PRÄSIDENT. Meisterhaft! Unverbesserlich! Herrlich! Nach dreißig Jahren die erste Vorlesung wieder! – Schade nur, daß mein fünfzigjähriger Kopf zu zäh für das Lernen ist! – Doch – dies seltne Talent nicht einrosten zu lassen, will ich dir jemand an die Seite geben, bei dem du dich in dieser buntscheckigen Tollheit nach Wunsch exerzieren kannst. – Du wirst dich entschließen – noch heute entschließen – eine Frau zu nehmen.

FERDINAND *(tritt bestürzt zurück)*. Mein Vater?

PRÄSIDENT. Ohne Komplimente – Ich habe der Lady Milford in *deinem* Namen eine Karte geschickt. Du wirst dich ohne Aufschub bequemen, dahin zu gehen und ihr zu sagen, daß du ihr Bräutigam bist.

FERDINAND. *Der Milford*, mein Vater?

PRÄSIDENT. Wenn sie dir bekannt ist –

FERDINAND *(außer Fassung)*. Welcher Schandsäule im Herzogtum ist sie das nicht! – Aber ich bin wohl lächerlich, lieber Vater, daß ich Ihre Laune für Ernst aufnehme? Würden Sie *Vater* zu dem *Schurken Sohne* sein wollen, der eine privilegierte Buhlerin heuratete?

PRÄSIDENT. Noch mehr. Ich würde selbst um sie werben, wenn sie einen Fünfziger möchte – Würdest du zu dem *Schurken Vater* nicht *Sohn* sein wollen?

FERDINAND. Nein! So wahr Gott lebt!

PRÄSIDENT. Eine Frechheit, bei meiner Ehre! die ich ihrer Seltenheit wegen vergebe –

FERDINAND. Ich bitte Sie, Vater! lassen Sie mich nicht länger in einer Vermutung, wo es mir unerträglich wird, mich Ihren Sohn zu nennen.

PRÄSIDENT. Junge, bist du toll? Welcher Mensch von Vernunft würde nicht nach der Distinktion geizen, mit seinem Landesherrn an einem dritten Orte zu wechseln?

FERDINAND. Sie werden mir zum Rätsel, mein Vater. *Distinktion* nennen Sie es – *Distinktion*, da mit dem Fürsten zu teilen, wo er auch unter den *Menschen* hinunterkriecht?

PRÄSIDENT *(schlägt ein Gelächter auf)*.

FERDINAND. Sie können lachen – und ich will über das hinweggehen, Vater. Mit welchem Gesicht soll ich vor den schlechtesten Handwerker treten, der mit seiner Frau wenigstens doch einen ganzen Körper zum Mitgift bekommt? Mit welchem Gesicht vor die Welt? Vor den Fürsten? Mit welchem vor die Buhlerin selbst, die den Brandflecken ihrer Ehre in meiner Schande auswaschen würde?

PRÄSIDENT. Wo in aller Welt bringst du das Maul her, Junge?

FERDINAND. Ich beschwöre Sie bei Himmel und Erde! Vater, Sie können durch diese Hinwerfung Ihres einzigen Sohnes so glücklich nicht werden, als Sie ihn unglücklich machen. Ich gebe Ihnen mein Leben, wenn das Sie steigen machen kann. Mein Leben hab ich von Ihnen, ich werde keinen Augenblick anstehen, es ganz Ihrer Größe zu opfern. – Meine *Ehre*, Vater – wenn Sie mir *diese* nehmen, so war es ein leichtfertiges Schelmenstück, mir das Leben zu geben, und ich muß den *Vater* wie den *Kuppler* verfluchen.

PRÄSIDENT *(freundlich, indem er ihn auf die Achsel klopft)*. Brav, lieber Sohn. Jetzt seh ich, daß du ein *ganzer* Kerl bist, und der besten Frau im Herzogtum würdig. – Sie soll dir werden – Noch diesen Mittag wirst du dich mit der Gräfin von Ostheim verloben.

FERDINAND *(aufs neue betreten)*. Ist diese Stunde bestimmt, mich ganz zu zerschmettern?

PRÄSIDENT *(einen laurenden Blick auf ihn werfend)*. Wo doch hoffentlich deine Ehre nichts einwenden wird?

FERDINAND. Nein, mein Vater. Friederike von Ostheim könnte jeden andern zum Glücklichsten machen. *(Vor sich, in höchster Ver-*

wirrung) Was seine *Bosheit* an meinem Herzen noch ganz ließ, zerreißt seine *Güte.*

PRÄSIDENT *(noch immer kein Aug von ihm wendend).* Ich warte auf deine Dankbarkeit, Ferdinand –

FERDINAND *(stürzt auf ihn zu und küßt ihm feurig die Hand).* Vater! Ihre Gnade entflammt meine ganze Empfindung – Vater! meinen heißesten Dank für Ihre herzliche Meinung – Ihre Wahl ist untadelhaft – aber – ich kann – ich darf – Bedauern Sie mich – Ich kann die Gräfin nicht lieben.

PRÄSIDENT *(tritt einen Schritt zurück).* Holla! Jetzt hab ich den jungen Herrn. Also in diese Falle ging er, der listige Heuchler – Also es war nicht die Ehre, die dir die Lady verbot? – Es war nicht die *Person*, sondern die *Heurat*, die du verabscheutest? –

FERDINAND *(steht zuerst wie versteinert, dann fährt er auf und will fortrennen).*

PRÄSIDENT. Wohin? Halt! Ist das der Respekt, den du mir schuldig bist? *(Der Major kehrt zurück)* Du bist bei der Lady gemeldet. Der Fürst hat mein Wort. Stadt und Hof wissen es richtig. – Wenn du mich zum Lügner machst, Junge – vor dem Fürsten – der Lady – der Stadt – dem Hof mich zum Lügner machst – Höre, Junge – oder wenn ich *hinter gewisse Historien komme*? – Halt! Holla! Was bläst so auf einmal das Feuer in deinen Wangen aus?

FERDINAND *(schneeblaß und zitternd).* Wie? Was? Es ist gewiß nichts, mein Vater!

PRÄSIDENT *(einen fürchterlichen Blick auf ihn heftend).* Und *wenn* es was ist – und wenn ich die Spur finden sollte, woher diese Widersetzlichkeit stammt? – – Ha, Junge! der bloße Verdacht schon bringt mich zum Rasen. Geh den Augenblick. Die Wachparade fängt an. Du wirst bei der Lady sein, sobald die Parole gegeben ist – Wenn ich auftrete, zittert ein Herzogtum. Laß doch sehen, ob mich ein Starrkopf von Sohn meistert. *(Er geht und kommt noch einmal wieder)* Junge, ich sage dir, du wirst dort sein, oder fliehe meinen Zorn. *(Er geht ab)*

FERDINAND *(erwacht aus einer dumpfen Betäubung).* Ist er weg? War das eines Vaters Stimme? – Ja! ich will zu ihr – will hin – will ihr Dinge sagen, will ihr einen Spiegel vorhalten – Nichtswürdige!

und wenn du auch noch *dann* meine Hand verlangst – Im Angesicht des versammelten Adels, des Militärs und des Volks – Umgürte dich mit dem ganzen Stolz deines Englands – Ich verwerfe dich – ein teutscher Jüngling! *(Er eilt hinaus)*

ZWEITER AKT

Ein Saal im Palais der Lady Milford; zur rechten Hand steht ein Sofa, zur linken ein Flügel

Erste Szene

Lady in einem freien, aber reizenden Negligé, die Haare noch unfrisiert, sitzt vor dem Flügel und phantasiert; Sophie, die Kammerjungfer, kommt von dem Fenster

SOPHIE. Die Offiziers gehen auseinander. Die Wachparade ist aus – aber ich sehe noch keinen Walter.

LADY *(sehr unruhig, indem sie aufsteht und einen Gang durch den Saal macht)*. Ich weiß nicht, wie ich mich heute finde, Sophie – Ich bin noch nie so gewesen – Also du sahst ihn gar nicht? – Freilich wohl – Es wird ihm nicht eilen – Wie ein Verbrechen liegt es auf meiner Brust – Geh, Sophie – Man soll mir den wildesten Renner herausführen, der im Marstall ist. Ich muß ins Freie – Menschen sehen und blauen Himmel, und mich leichter reiten ums Herz herum.

SOPHIE. Wenn Sie sich unpäßlich fühlen, Mylady – berufen Sie Assemblee hier zusammen. Lassen Sie den Herzog hier Tafel halten oder die l'Hombretische vor Ihren Sofa setzen. Mir sollte der Fürst und sein ganzer Hof zu Gebote stehn, und eine Grille im Kopfe surren?

LADY *(wirft sich in den Sofa)*. Ich bitte, verschone mich. Ich gebe dir einen Demant für jede Stunde, wo ich sie mir vom Hals schaffen kann. Soll ich meine Zimmer mit diesem Volk tapezieren? – Das sind schlechte, erbärmliche Menschen, die sich entsetzen, wenn mir ein warmes, herzliches Wort entwischt, Mund und Nasen aufreißen, als sähen sie einen Geist – Sklaven eines einzigen Marionettendrahts, den ich leichter als mein Filet regiere. – Was fang ich mit Leuten an, deren Seelen so gleich als ihre Sackuhren gehen? Kann ich eine Freude dran finden, sie was zu fragen, wenn ich voraus weiß, was sie mir antworten werden? Oder Worte mit ihnen wechseln, wenn sie das Herz nicht haben, andrer Meinung als ich zu sein? – Weg mit ihnen! Es ist verdrüßlich, ein Roß zu reiten, das nicht auch in den Zügel beißt. *(Sie tritt zum Fenster)*

SOPHIE. Aber den Fürsten werden Sie doch ausnehmen, Lady? Den schönsten Mann – den feurigsten Liebhaber – den witzigsten Kopf in seinem ganzen Lande!

LADY *(kommt zurück)*. Denn es ist *sein* Land – und nur ein Fürstentum, Sophie, kann meinem Geschmack zur erträglichen Ausrede dienen – Du sagst, man beneide mich. Armes Ding! Beklagen soll man mich vielmehr. Unter allen, die an den Brüsten der Majestät trinken, kommt die Favoritin am schlechtesten weg, weil sie allein dem großen und reichen Mann auf dem Bettelstabe begegnet. – Wahr ists, er kann mit dem Talisman seiner Größe jeden Gelust meines Herzens wie ein Feenschloß aus der Erde rufen. – Er setzt den Saft von zwei Indien auf die Tafel – ruft Paradiese aus Wildnissen – läßt die Quellen seines Landes in stolzen Bögen gen Himmel springen, oder das Mark seiner Untertanen in einem Feuerwerk hinpuffen – – Aber kann er auch seinem *Herzen* befehlen, gegen *ein großes, feuriges Herz groß* und *feurig* zu schlagen? Kann er sein darbendes Gehirn auf ein einziges schönes Gefühl exequieren? – Mein Herz hungert bei all dem Vollauf der Sinne, und was helfen mich tausend beßre Empfindungen, wo ich nur Wallungen löschen darf?

SOPHIE *(blickt sie verwundernd an)*. Wie lang ist es denn aber, daß ich Ihnen diene, Mylady?

LADY. Weil du erst *heute* mit mir bekannt wirst? – Es ist wahr, liebe Sophie – ich habe dem Fürsten meine Ehre verkauft, aber mein Herz habe ich frei behalten – ein Herz, meine Gute, das vielleicht eines Mannes noch wert ist – über welches der giftige Wind des Hofes nur wie der Hauch über den Spiegel ging – Trau es mir zu, meine Liebe, daß ich es längst gegen diesen armseligen Fürsten behauptet hätte, wenn ich es nur von meinem Ehrgeiz erhalten könnte, einer Dame am Hof den Rang vor mir einzuräumen.

SOPHIE. Und dieses Herz unterwarf sich dem Ehrgeiz so gern?

LADY *(lebhaft)*. Als wenn es sich nicht schon gerächt hätte? – Nicht jetzt noch sich rächte? – – Sophie *(Bedeutend, indem sie die Hand auf Sophiens Achsel fallen läßt)* Wir Frauenzimmer können nur zwischen *Herrschen* und *Dienen* wählen, aber die höchste Wonne der *Gewalt* ist doch nur ein elender Behelf, wenn uns die *größere* Wonne versagt wird, Sklavinnen eines Manns zu sein, den wir lieben.

SOPHIE. Eine Wahrheit, Mylady, die ich von Ihnen *zuletzt* hören wollte!

LADY. Und warum, meine Sophie? Sieht man es denn dieser kindischen Führung des *Zepters* nicht an, daß wir nur für das *Gängelband* taugen? Sahst du es denn diesem launischen Flattersinn nicht an – diesen wilden Ergötzungen nicht an, daß sie nur wildere Wünsche in meiner Brust überlärmen sollten?

SOPHIE *(tritt erstaunt zurück)*. Lady?

LADY *(lebhafter)*. Befriedige diese! Gib mir den Mann, den ich jetzt denke – den ich anbete – sterben, Sophie, oder *besitzen* muß. *(Schmelzend)* Laß mich aus seinem Mund es vernehmen, daß Tränen der Liebe schöner glänzen in unsern Augen als die Brillanten in unserm Haar, *(feurig)* und ich werfe dem Fürsten sein Herz und sein Fürstentum vor die Füße, fliehe mit diesem Mann, fliehe in die entlegenste Wüste der Welt – –

SOPHIE *(blickt sie erschrocken an)*. Himmel! was machen Sie? Wie wird Ihnen, Lady?

LADY *(bestürzt)*. Du entfärbst dich? – Hab ich vielleicht etwas zuviel gesagt? – O so laß mich deine Zunge mit meinem Zutrauen binden – höre noch mehr – höre alles –

SOPHIE *(schaut sich ängstlich um)*. Ich fürchte, Mylady – ich fürchte – ich brauch es nicht mehr zu hören.

LADY. Die Verbindung mit dem Major – Du und die Welt stehen im Wahn, sie sei eine *Hofkabale* – Sophie – erröte nicht – schäme dich meiner nicht – sie ist das Werk – *meiner Liebe.*

SOPHIE. Bei Gott! Was mir ahndete!

LADY. Sie ließen sich beschwatzen, Sophie – der schwache Fürst –

der hofschlaue Walter – der alberne Marschall – Jeder von ihnen wird darauf schwören, daß diese Heurat das unfehlbarste Mittel sei, mich dem Herzog zu retten, unser Band um so fester zu knüpfen. – – Ja! es auf ewig zu trennen! auf ewig diese schändliche Ketten zu brechen! – Belogene Lügner! Von einem schwachen Weib überlistet! – Ihr selbst führt mir jetzt meinen Geliebten zu. Das war es ja nur, was ich wollte – Hab ich ihn einmal – hab ich ihn – o dann auf *immer* gute Nacht, abscheuliche Herrlichkeit –

Zweite Szene

Ein alter Kammerdiener des Fürsten, der ein Schmuckkästchen trägt. Die Vorigen

KAMMERDIENER. Seine Durchlaucht der Herzog empfehlen sich Mylady zu Gnaden, und schicken Ihnen diese Brillanten zur Hochzeit. Sie kommen soeben erst aus Venedig.

LADY *(hat das Kästchen geöffnet und fährt erschrocken zurück)*. Mensch! was bezahlt dein Herzog für diese Steine?

KAMMERDIENER *(mit finsterm Gesicht)*. Sie kosten ihn keinen Heller.

LADY. Was? Bist du rasend? *Nichts?* – und *(indem sie einen Schritt von ihm wegtritt)* du wirfst mir ja einen Blick zu, als wenn du mich durchbohren wolltest – *Nichts* kosten ihn diese unermeßlich kostbaren Steine?

KAMMERDIENER. Gestern sind siebentausend Landskinder nach Amerika fort – Die zahlen alles.

LADY *(setzt den Schmuck plötzlich nieder und geht rasch durch den Saal, nach einer Pause zum Kammerdiener)*. Mann, was ist dir? Ich glaube, du weinst?

KAMMERDIENER *(wischt sich die Augen, mit schrecklicher Stimm, alle Glieder zitternd)*. Edelsteine wie *diese* da – Ich hab auch ein paar Söhne drunter.

LADY *(wendet sich bebend weg, seine Hand fassend)*. Doch keinen Gezwungenen?

KAMMERDIENER *(lacht fürchterlich)*. O Gott – Nein – lauter Freiwillige. Es traten wohl so etliche vorlaute Bursch vor die Front heraus und fragten den Obersten, wie teuer der Fürst das Joch Menschen verkaufe? – aber unser gnädigster Landesherr ließ alle Regimenter auf dem Paradeplatz aufmarschieren und die Maulaffen niederschießen. Wir hörten die Büchsen knallen, sahen ihr Gehirn auf das Pflaster sprützen, und die ganze Armee schrie: *Juchhe nach Amerika!* –

LADY *(fällt mit Entsetzen in den Sofa)*. Gott! Gott! – Und ich hörte nichts? Und ich merkte nichts?

KAMMERDIENER. Ja, gnädige Frau – warum mußtet Ihr denn mit unserm Herrn gerad auf die Bärenhatz reiten, als man den Lärmen zum Aufbruch schlug? – Die Herrlichkeit hättet Ihr doch nicht versäumen sollen, wie uns die gellenden Trommeln verkündigten, es ist Zeit, und heulende Waisen dort einen lebendigen Vater verfolgten, und hier eine wütende Mutter lief, ihr saugendes Kind an Bajonetten zu spießen, und wie man Bräutigam und Braut mit Säbelhieben auseinanderriß, und wir Graubärte verzweiflungsvoll dastanden und den Burschen auch zuletzt die Krücken noch nachwarfen in die neue Welt – Oh, und mitunter das polternde Wirbelschlagen, damit der Allwissende uns nicht sollte beten hören –

LADY *(steht auf, heftig bewegt)*. Weg mir diesen Steinen – sie blitzen Höllenflammen in mein Herz. *(Sanfter zum Kammerdiener)* Mäßige dich, armer alter Mann. Sie werden wiederkommen. Sie werden ihr Vaterland wiedersehen.

KAMMERDIENER *(warm und voll)*. Das weiß der Himmel! Das werden sie! – Noch am Stadttor drehten sie sich um und schrien: »Gott mit euch, Weib und Kinder! – Es leb unser Landesvater – am Jüngsten Gericht sind wir wieder da!« –

LADY *(mit starkem Schritt auf und niedergehend)*. Abscheulich! Fürchterlich! – *Mich* beredete man, ich habe sie alle getrocknet, die Tränen des Landes – Schrecklich, schrecklich gehen mir die Augen auf – Geh du – Sag deinem Herrn – Ich werd ihm persönlich danken. *(Kammerdiener will gehen, sie wirft ihm ihre Goldbörse in den Hut)* Und das nimm, weil du mir Wahrheit sagtest –

KAMMERDIENER *(wirft sie verächtlich auf den Tisch zurück)*. Legts zu dem übrigen. *(Er geht ab)*

LADY *(sieht ihm erstaunt nach)*. Sophie, spring ihm nach, frag ihn um seinen Namen. Er soll seine Söhne wiederhaben. *(Sophie ab. Lady nachdenkend auf und nieder. Pause. Zu Sophien, die wiederkommt)* Ging nicht jüngst ein Gerüchte, daß das Feuer eine Stadt an der Grenze verwüstet, und bei vierhundert Familien an den Bettelstab gebracht habe? *(Sie klingelt)*

SOPHIE. Wie kommen Sie auf das? Allerdings ist es so, und die mehresten dieser Unglücklichen dienen jetzt ihren Gläubigern als Sklaven, oder verderben in den Schachten der fürstlichen Silberbergwerke.

BEDIENTER *(kommt)*. Was befehlen Mylady?

LADY *(gibt ihm den Schmuck)*. Daß das ohne Verzug in die Landschaft gebracht werde! – Man soll es sogleich zu Geld machen, befehl ich, und den Gewinst davon unter die Vierhundert verteilen, die der Brand ruiniert hat.

SOPHIE. Mylady, bedenken Sie, daß Sie die höchste Ungnade wagen.

LADY *(mit Größe)*. Soll ich den Fluch seines Landes in meinen Haaren tragen? *(Sie winkt dem Bedienten, dieser geht)* Oder willst du, daß ich unter dem schrecklichen Geschirr solcher Tränen zu Boden sinke? – Geh, Sophie – Es ist besser, falsche Juwelen im Haar, und das Bewußtsein dieser Tat im Herzen zu haben.

SOPHIE. Aber Juwelen wie diese! Hätten Sie nicht Ihre schlechtern nehmen können? Nein, wahrlich, Mylady! Es ist Ihnen nicht zu vergeben.

LADY. Närrisches Mädchen! Dafür werden in *einem* Augenblick mehr Brillanten und Perlen für mich fallen, als zehen Könige in ihren Diademen getragen, und schönere –

BEDIENTER *(kommt zurück)*. Major von Walter –

SOPHIE *(springt auf die Lady zu)*. Gott! Sie verblassen –

LADY. Der erste Mann, der mir Schrecken macht – Sophie – Ich sei unpäßlich, Eduard – Halt – Ist er aufgeräumt? Lacht er? Was spricht er? O Sophie! Nicht wahr, ich sehe häßlich aus?

SOPHIE. Ich bitte Sie, Lady –

BEDIENTER. Befehlen Sie, daß ich ihn abweise?

LADY *(stotternd)*. Er soll mir willkommen sein. *(Bedienter hinaus)* Sprich, Sophie – Was sag ich ihm? Wie empfang ich ihn? – Ich werde stumm sein. – Er wird meiner Schwäche spotten – Er wird

– o was ahndet mir – Du verlässest mich, Sophie? – Bleib – Doch nein! Gehe! – So bleib doch. *(Der Major kommt durch das Vorzimmer)*

SOPHIE. Sammeln Sie sich. Er ist schon da.

Dritte Szene

Ferdinand von Walter. Die Vorigen

FERDINAND *(mit einer kurzen Verbeugung)*. Wenn ich Sie worin unterbreche, gnädige Frau –

LADY *(unter merkbarem Herzklopfen)*. In nichts, Herr Major, das mir wichtiger wäre.

FERDINAND. Ich komme auf Befehl meines Vaters.

LADY. Ich bin seine Schuldnerin.

FERDINAND. Und soll Ihnen *melden*, daß wir uns heuraten – Soweit der Auftrag meines Vaters.

LADY *(entfärbt sich und zittert)*. Nicht Ihres eigenen Herzens?

FERDINAND. Minister und Kuppler pflegen das niemals zu fragen.

LADY *(mit einer Beängstigung, daß ihr die Worte versagen)*. Und Sie selbst hätten sonst nichts beizusetzen?

FERDINAND *(mit einem Blick auf die Mamsell)*. Noch sehr viel, Mylady.

LADY *(gibt Sophien einen Wink, diese entfernt sich)*. Darf ich Ihnen diesen Sofa anbieten?

FERDINAND. Ich werde kurz sein, Mylady.

LADY. Nun?

FERDINAND. Ich bin ein Mann von Ehre.

LADY. Den ich zu schätzen weiß.

FERDINAND. Kavalier.

LADY. Kein beßrer im Herzogtum.

FERDINAND. Und Offizier.

LADY *(schmeichelhaft)*. Sie berühren hier Vorzüge, die auch andere mit Ihnen gemein haben. Warum verschweigen Sie größere, worin sie *einzig* sind?

FERDINAND *(frostig)*. Hier brauch ich sie nicht.

LADY *(mit immer steigender Angst)*. Aber für was muß ich diesen Vorbericht nehmen?

Ferdinand *(langsam und mit Nachdruck)*. Für den Einwurf der Ehre, wenn Sie Lust haben sollten, meine Hand zu erzwingen.

Lady *(auffahrend)*. Was ist das, Herr Major?

Ferdinand *(gelassen)*. Die Sprache meines Herzens – meines Wappens – und dieses Degens.

Lady. Diesen Degen gab Ihnen der Fürst.

Ferdinand. Der Staat gab mir ihn, durch die Hand des Fürsten – mein Herz Gott – mein Wappen ein halbes Jahrtausend.

Lady. Der Name des Herzogs –

Ferdinand *(hitzig)*. Kann der Herzog Gesetze der Menschheit verdrehen, oder Handlungen münzen wie seine Dreier? – Er selbst ist nicht über die Ehre erhaben, aber er kann ihren Mund mit seinem Golde verstopfen. Er kann den Hermelin über seine Schande herwerfen. Ich bitte mir aus, davon nichts mehr, Mylady – Es ist nicht mehr die Rede von weggeworfenen Aussichten und Ahnen – oder von dieser Degenquaste – oder von der Meinung der Welt. Ich bin bereit, dies alles mit Füßen zu treten, sobald Sie mich nur überzeugt haben werden, daß der *Preis* nicht *schlimmer* noch als das *Opfer* ist.

Lady *(schmerzhaft von ihm weggehend)*. Herr Major! *Das* hab ich nicht verdient.

Ferdinand *(ergreift ihre Hand)*. Vergeben Sie. Wir reden hier ohne Zeugen. Der Umstand, der Sie und mich – heute und nie mehr – zusammenführt, berechtigt mich, zwingt mich, Ihnen mein geheimstes Gefühl nicht zurückzuhalten. – – Es will mir nicht zu Kopfe, Mylady, daß eine Dame von so viel Schönheit und Geist – Eigenschaften, die ein Mann schätzen würde – sich an einen Fürsten sollte wegwerfen können, der nur das *Geschlecht* an ihr zu bewundern gelernt hat, wenn sich diese Dame nicht *schämte*, vor einem Mann mit ihrem *Herzen* zu treten.

Lady *(schaut ihm groß ins Gesicht)*. Reden Sie ganz aus.

Ferdinand. Sie nennen sich eine *Britin*. Erlauben Sie mir – ich kann es nicht glauben, daß *Sie* eine Britin sind. Die freigeborene Tochter des freiesten Volks unter dem Himmel – das auch zu stolz ist, *fremder Tugend* zu räuchern, – kann sich nimmermehr an *fremdes Laster* verdingen. Es ist nicht möglich, daß *Sie* eine Britin sind, –

oder das Herz dieser Britin muß um soviel *kleiner* sein, als größer und kühner Britanniens Adern schlagen.

LADY. Sind Sie zu Ende?

FERDINAND. Man könnte antworten, es ist weibliche Eitelkeit – Leidenschaft – Temperament – Hang zum Vergnügen. Schon öfters überlebte Tugend die Ehre. Schon manche, die mit Schande in diese Schranke trat, hat nachher die Welt durch edle Handlungen mit sich ausgesöhnt, und das häßliche Handwerk durch einen schönen Gebrauch geadelt – – Aber woher denn jetzt diese ungeheure Pressung des Landes, die vorher nie so gewesen? – Das war im Namen des Herzogtums. – Ich bin zu Ende.

LADY *(mit Sanftmut und Hoheit)*. Es ist das erstemal, Walter, daß solche Reden an mich gewagt werden, und Sie sind der einige Mensch, dem ich darauf antworte – Daß Sie meine Hand verwerfen, darum schätz ich Sie. Daß Sie mein Herz lästern, vergebe ich Ihnen. Daß es Ihr Ernst ist, glaube ich Ihnen nicht. Wer sich herausnimmt, Beleidigungen dieser Art einer Dame zu sagen, die nicht mehr als eine Nacht braucht, ihn ganz zu verderben, muß dieser Dame eine *große Seele* zutrauen oder – von Sinnen sein – Daß Sie den Ruin des Landes auf meine Brust wälzen, vergebe Ihnen Gott der Allmächtige, der Sie und mich und den Fürsten einst gegeneinanderstellt. – Aber Sie haben die Engländerin in mir aufgefodert, und auf Vorwürfe dieser Art muß mein Vaterland Antwort haben.

FERDINAND *(auf seinen Degen gestützt)*. Ich bin begierig.

LADY. Hören Sie also, was ich, außer Ihnen, noch niemand vertraute, noch jemals einem Menschen vertrauen will. – Ich bin nicht die Abenteurerin, Walter, für die Sie mich halten. Ich könnte großtun und sagen: Ich bin fürstlichen Geblüts – aus des unglücklichen Thomas Norfolks Geschlechte, der für die schottische Maria ein Opfer ward – Mein Vater, des Königs oberster Kämmerer, wurde bezüchtigt, in verräterischem Vernehmen mit Frankreich zu stehen, durch einen Spruch der Parlamente verdammt und enthauptet. – Alle unsre Güter fielen der Krone zu. Wir selbst wurden des Landes verwiesen. Meine Mutter starb am Tage der Hinrichtung. Ich – ein vierzehenjähriges Mädchen – flohe nach Teutschland mit meiner Wärterin – einem Kästchen Juwelen – und diesem Familienkreuz, das meine sterbende Mutter mit ihrem letzten Segen mir in den Busen steckte.

FERDINAND *(wird nachdenkend und heftet wärmere Blicke auf die Lady).*

LADY *(fährt fort mit immer zunehmender Rührung).* Krank – ohne Namen – ohne Schutz und Vermögen – eine ausländische Waise kam ich nach Hamburg. Ich hatte nichts gelernt als das bißchen Französisch – ein wenig Filet und den Flügel – desto besser verstund ich, auf Gold und Silber zu speisen, unter damastenen Decken zu schlafen, mit einem Wink zehen Bediente fliegen zu machen, und die Schmeicheleien der Großen Ihres Geschlechts aufzunehmen. – Sechs Jahre waren schon hingeweint. – Die letzte Schmucknadel flog dahin – Meine Wärterin starb – und jetzt führte mein Schicksal Ihren Herzog nach Hamburg. Ich spazierte damals an den Ufern der Elbe, sah in den Strom und fing eben an zu phantasieren, ob *dieses Wasser* oder *mein Leiden* das *tiefste* wäre? – Der Herzog sah mich, verfolgte mich, fand meinen Aufenthalt – lag zu meinen Füßen und schwur, daß er mich *liebe.* *(Sie hält in großen Bewegungen inne, dann fährt sie fort mit weinender Stimme)* Alle Bilder meiner glücklichen Kindheit wachten jetzt wieder mit verführendem Schimmer auf – Schwarz wie das Grab graute mich eine trostlose Zukunft an – Mein Herz brannte nach einem Herzen – Ich sank an das seinige. *(Von ihm wegstürzend)* Jetzt verdammen Sie mich!

FERDINAND *(sehr bewegt, eilt ihr nach und hält sie zurück).* Lady! o Himmel! Was hör ich! Was tat ich? – – Schrecklich enthüllt sich mein Frevel mir. Sie können mir nicht mehr vergeben.

LADY *(kommt zurück und hat sich zu sammeln gesucht).* Hören Sie weiter. Der Fürst überraschte zwar meine wehrlose Jugend – aber das Blut der Norfolk empörte sich in mir: Du, eine geborene Fürstin, Emilie, rief es, und jetzt eines Fürsten Konkubine? – Stolz und Schicksal kämpften in meiner Brust, als der Fürst mich hieher brachte, und auf einmal die schauderndste Szene vor meinen Augen stand. – Die Wollust der Großen dieser Welt ist die nimmersatte Hyäne, die sich mit Heißhunger Opfer sucht. – Fürchterlich hatte sie schon in diesem Lande gewütet – hatte Braut und Bräutigam zertrennt – hatte selbst der Ehen göttliches Band zerissen – – hier das stille Glück einer Familie geschleift – dort ein junges, unerfahrnes Herz der verheerenden Pest aufgeschlossen, und sterbende Schülerinnen schäumten den Namen ihres Lehrers unter Flüchen und Zuckungen aus – Ich stellte mich zwischen das Lamm und den Tiger; nahm einen fürstlichen Eid von ihm in einer Stunde der Leidenschaft, und diese abscheuliche Opferung mußte aufhören.

FERDINAND *(rennt in der heftigsten Unruhe durch den Saal)*. Nichts mehr, Mylady! Nicht weiter!

LADY. Diese traurige Periode hatte einer noch traurigern Platz gemacht. Hof und Serail wimmelten jetzt von Italiens Auswurf. Flatterhafte Pariserinnen tändelten mit dem furchtbaren Zepter, und das Volk blutete unter ihren Launen – Sie alle erlebten ihren Tag. *Ich* sah sie neben mir in den Staub sinken, denn ich war mehr Kokette als sie alle. Ich nahm dem Tyrannen den Zügel ab, der wollüstig in meiner Umarmung erschlappte – dein Vaterland, Walter, fühlte zum erstenmal eine Menschenhand, und sank vertrauend an meinen Busen. *(Pause, worin sie ihn schmelzend ansieht)* O daß der Mann, von dem ich allein nicht verkannt sein möchte, mich jetzt zwingen muß, groß zu prahlen, und meine stille Tugend am Licht der Bewunderung zu versengen! – Walter, ich habe Kerker gesprengt – habe Todesurteile zerrissen, und manche entsetzliche Ewigkeit auf Galeeren verkürzt. In unheilbare Wunden hab ich doch wenigstens stillenden Balsam gegossen – mächtige Frevler in Staub gelegt, und die *verlorne* Sache der Unschuld oft noch mit einer buhlerischen Träne gerettet – Ha, Jüngling! wie süß war mir das! Wie stolz konnte mein Herz jede Anklage meiner fürstlichen Geburt widerlegen! – Und jetzt kommt der Mann, der *allein* mir das alles belohnen sollte – der Mann, den mein erschöpftes Schicksal vielleicht zum Ersatz meiner vorigen Leiden schuf – der Mann, den ich mit brennender Sehnsucht im Traum schon umfasse –

FERDINAND *(fällt ihr ins Wort, durch und durch erschüttert)*. Zuviel! Zuviel! Das ist wider die Abrede, Lady. Sie sollten sich von Anklagen reinigen, und machen mich zu einem Verbrecher. Schonen Sie – ich beschwöre Sie – schonen Sie meines Herzens, das Beschämung und wütende Reue zerreißen –

LADY *(hält seine Hand fest)*. Jetzt oder nimmermehr. Lange genug hielt die Heldin stand – Das Gewicht dieser Tränen mußt du noch fühlen. *(Im zärtlichsten Ton)* Höre, Walter – wenn eine Unglückliche – unwiderstehlich allmächtig an dich gezogen – sich an dich preßt mit einem Busen voll glühender, unerschöpflicher Liebe, – Walter – und du jetzt noch das kalte Wort Ehre sprichst – Wenn diese Unglückliche – niedergedrückt vom Gefühl ihrer Schande – des Lasters überdrüssig – heldenmäßig empórgehoben vom Rufe der Tugend – sich *so* – in deine Arme wirft *(sie umfaßt ihn, beschwörend und feierlich)* – durch *dich gerettet* – durch *dich* dem Himmel wieder geschenkt sein will, oder *(das Gesicht von ihm abgewandt, mit hohler, bebender Stimme) deinem Bild zu entfliehen,* dem fürchterlichen Ruf der Verzweiflung gehorsam, in noch abscheulichere Tiefen des Lasters wieder hinuntertaumelt –

FERDINAND *(von ihr losreißend, in der schrecklichsten Bedrängnis).* Nein, beim großen Gott! Ich kann das nicht aushalten – Lady, ich muß – Himmel und Erde liegen auf mir – ich muß Ihnen ein Geständnis tun, Lady.

LADY *(von ihm wegfliehend).* Jetzt nicht! Jetzt nicht, bei allem, was heilig ist – In diesem entsetzlichen Augenblick nicht, wo mein zerrissenes Herz an tausend Dolchstichen blutet – Seis Tod oder Leben – ich darf es nicht – ich will es nicht hören.

FERDINAND. Doch, doch, beste Lady. Sie müssen es. Was ich Ihnen jetzt sagen werde, wird meine Strafbarkeit mindern, und eine warme Abbitte des Vergangenen sein – Ich habe mich in Ihnen betrogen, Mylady. Ich erwartete – ich wünschte, Sie meiner Verachtung würdig zu finden. Fest entschlossen, Sie zu beleidigen und Ihren Haß zu verdienen, kam ich her – Glücklich wir beide, wenn mein Vorsatz gelungen wäre! *(Er schweigt eine Weile, darauf leiser und schüchterner)* Ich *liebe,* Mylady – liebe ein *bürgerliches* Mädchen – Luisen Millerin, eines Musikus Tochter. *(Lady wendet sich bleich von ihm weg, er fährt lebhafter fort)* Ich weiß, worein ich mich stürze; aber wenn auch Klugheit die *Leidenschaft* schweigen heißt, so redet die *Pflicht* desto lauter – *Ich* bin der Schuldige. *Ich zuerst* zerriß ihrer Unschuld goldenen Frieden – wiegte ihr Herz mit vermessenen Hoffnungen, und gab es verräterisch der wilden Leidenschaft preis. – Sie werden mich an Stand – an Geburt – an die Grundsätze meines Vaters erinnern – aber ich liebe – Meine Hoffnung steigt um so höher, je tiefer die Natur mit Konvenienzen zerfallen ist. – Mein Entschluß und das Vorurteil! – Wir wollen sehen, ob die *Mode* oder die *Menschheit* auf dem Platz bleiben wird. *(Lady hat sich unterdes bis an das äußerste Ende des Zimmers zurückgezogen und hält das Gesicht mit beiden Händen bedeckt. Er folgt ihr dahin)* Sie wollten mir etwas sagen, Mylady?

LADY *(im Ausdruck des heftigsten Leidens)*. Nichts, Herr von Walter! Nichts, als das Sie *sich* und *mich* und *noch eine Dritte* zugrund richten.

FERDINAND. Noch eine Dritte?

LADY. Wir können miteinander *nicht* glücklich werden. Wir müssen doch der Voreiligkeit Ihres Vaters zum Opfer werden. Nimmermehr werd ich das Herz eines Mannes haben, der mir seine Hand nur gezwungen gab.

FERDINAND. Gezwungen, Lady? Gezwungen gab? und also doch gab? Können *Sie* eine Hand ohne Herz erzwingen? *Sie* einem Mädchen den Mann entwenden, der die ganze Welt dieses Mädchens ist? *Sie* einen Mann von dem Mädchen reißen, das die ganze Welt dieses Mannes ist? Sie, Mylady – vor einem Augenblick die *bewundernswürdige Britin*? – *Sie* können das?

LADY. Weil ich es *muß*. *(Mit Ernst und Stärke)* Meine Leidenschaft, Walter, weicht meiner Zärtlichkeit für Sie. Meine *Ehre* kanns nicht mehr – Unsre Verbindung ist das Gespräch des ganzen Landes. Alle Augen, alle Pfeile des Spotts sind auf mich gespannt. Die Beschimpfung ist unauslöschlich, wenn ein Untertan des Fürsten mich ausschlägt. Rechten Sie mit Ihrem Vater. Wehren Sie sich, so gut Sie können. – Ich laß alle Minen sprengen. *(Sie geht schnell ab. Der Major bleibt in sprachloser Erstarrung stehn. Pause. Dann stürzt er fort durch die Flügeltüre)*

Vierte Szene

Zimmer beim Musikanten.
Miller, Frau Millerin, Luise treten auf

MILLER *(hastig ins Zimmer)*. Ich habs ja zuvor gesagt!

LUISE *(sprengt ihn ängstlich an)*. Was, Vater, was?

MILLER *(rennt wie toll auf und nieder)*. Meinen Staatsrock her – hurtig – ich muß ihm zuvorkommen – und ein weißes Manschettenhemd! – Das hab ich mir gleich eingebildet!

LUISE. Um Gottes willen! Was?

MILLERIN. Was gibst denn? Was ists denn?

MILLER *(wirft seine Perücke ins Zimmer)*. Nur gleich zum Friseur das! – Was es gibt? *(Vor den Spiegel gesprungen)* Und mein Bart ist auch wieder fingerslang – Was es gibt? – Was wirds geben, du Rabenaas? – Der Teufel ist los, und dich soll das Wetter schlagen.

FRAU. Da sehe man! Über mich muß gleich alles kommen.

MILLER. Über dich? Ja, blaues Donnermaul, und über wen anders? Heute früh mit deinem diabolischen Junker – Hab ichs nicht im Moment gesagt? – Der Wurm hat geplaudert.

FRAU. Ah was! Wie kannst du das wissen?

MILLER. Wie kann ich das wissen? – Da! – unter der Haustüre spukt ein Kerl des Ministers und fragt nach dem Geiger.

LUISE. Ich bin des Todes.

MILLER. Du aber auch mit deinen Vergißmeinnichtsaugen! *(Lacht voll Bosheit)*. Das hat seine Richtigkeit, wem der Teufel ein Ei in die Wirtschaft gelegt hat, dem wird eine hübsche Tochter geboren – Jetzt hab ichs blank!

FRAU. Woher weißt du denn, daß es der Luise gilt? – Du kannst dem Herzog rekommendiert worden sein. Er kann dich ins Orchester verlangen.

MILLER *(springt nach seinem Rohr)*. Daß dich der Schwefelregen von Sodom! – Orchester! – Ja, wo du Kupplerin den Diskant wirst heulen, und mein blauer Hinterer den Konterbaß vorstellen. *(Wirft sich in seinen Stuhl)* Gott im Himmel!

LUISE *(setzt sich totenbleich nieder)*. Mutter! Vater! Warum wird mir auf einmal so bange?

MILLER *(springt wieder vom Stuhl auf).* Aber soll mir der Dintenkleckser einmal in den Schuß laufen! – Soll er mir laufen! – Es sei in dieser oder in jener Welt – Wenn ich ihm nicht Leib und Seele breiweich zusammendresche, alle zehen Gebote und alle sieben Bitten im Vaterunser und alle Bücher Mosis und der Propheten aufs Leder schreibe, daß man die blaue Flecken bei der Auferstehung der Toten noch sehen soll –

FRAU. Ja! fluch du und poltre du! Das wird jetzt den Teufel bannen. Hilf, heiliger Herregott! Wohinaus nun? Wie werden wir Rat schaffen? Was nun anfangen? Vater Miller, so rede doch! *(Sie läuft heulend durchs Zimmer)*

MILLER. Auf der Stell zum Minister will ich. Ich zuerst will mein Maul auftun – Ich selbst will es angeben. Du hast es vor mir gewußt. Du hättest mir einen Wink geben können. Das Mädel hätt sich noch weisen lassen. Es wäre noch Zeit gewesen – aber nein! – Da hat sich was makeln lassen; da hat sich was fischen lassen! Da hast du noch Holz obendrein zugetragen! – Jetzt sorg auch für deinen Kuppelpelz. Friß aus, was du einbrocktest. Ich nehme meine Tochter in Arm, und marsch mit ihr über die Grenze.

Fünfte Szene

Ferdinand von Walter stürzt erschrocken und außer Atem ins Zimmer. Die Vorigen

FERDINAND. War mein Vater da?

LUISE *(fährt mit Schrecken auf).* Sein Vater! Allmächtiger Gott!

FRAU *(schlägt die Hände zusammen).* Der Präsident! Es ist aus mit uns!

MILLER *(lacht voll Bosheit)* Gottlob! Gottlob! Da haben wir ja die Bescherung!

Alle zugleich

FERDINAND *(eilt auf Luisen zu und drückt sie stark in die Arme). Mein* bist du, und wärfen Höll und Himmel sich zwischen uns.

LUISE. Mein Tod ist gewiß – Rede weiter – Du sprachst einen schrecklichen Namen aus – dein Vater?

FERDINAND. Nichts. Nichts. Es ist überstanden. Ich hab dich ja wieder. Du hast mich ja wieder. O laß mich Atem schöpfen an dieser Brust. Es war eine schreckliche Stunde.

Luise. Welche? Du tötest mich!

Ferdinand *(tritt zurück und schaut sie bedeutend an)*. Eine Stunde, Luise, wo zwischen mein Herz und dich eine *fremde* Gestalt sich warf – wo meine Liebe vor meinem Gewissen erblaßte – wo meine Luise aufhörte, ihrem Ferdinand *alles* zu sein – –

Luise *(sinkt mit verhülltem Gesicht auf den Sessel nieder)*.

Ferdinand *(geht schnell auf sie zu, bleibt sprachlos mit starrem Blick vor ihr stehen, dann verläßt er sie plötzlich, in großer Bewegung)*. Nein! Nimmermehr! Unmöglich, Lady! *Zuviel* verlangt! Ich kann dir diese Unschuld nicht opfern – Nein, beim unendlichen Gott! ich kann meinen Eid nicht verletzen, der mich laut wie des Himmels Donner aus diesem brechenden Auge mahnt – Lady, blick *hieher – hieher*, du Rabenvater – Ich soll diesen Engel würgen? Die Hölle soll ich in diesen himmlischen Busen schütten? *(Mit Entschluß auf sie zueilend)* Ich will sie führen vor des Weltrichters Thron, und ob meine Liebe Verbrechen ist, soll der Ewige sagen. *(Er faßt sie bei der Hand und hebt sie vom Sessel)* Fasse Mut, meine Teuerste! – Du hast gewonnen. Als Sieger komm ich aus dem gefährlichsten Kampf zurück.

Luise. Nein! Nein! Verhehle mir nichts! Sprich es aus, das entsetzliche Urteil. Deinen *Vater* nanntest du? Du nanntest die *Lady?* – Schauer des Todes ergreifen mich – Man sagt, sie wird heiraten.

Ferdinand *(stürzt betäubt zu Luisens Füßen nieder)*. *Mich*, Unglückselige!

Luise *(nach einer Pause, mit stillem, bebendem Ton und schrecklicher Ruhe)*. Nun – was erschreck ich denn? – Der alte Mann dort hat mirs ja oft gesagt – ich hab es ihm nie glauben wollen. *(Pause. Dann wirft sie sich Millern laut weinend in den Arm)* Vater, hier ist deine Tochter wieder – Verzeihung, Vater – Dein Kind kann ja nicht dafür, daß dieser Traum so schön war, und – – so fürchterlich jetzt das Erwachen – –

Miller. Luise! Luise! – O Gott, sie ist von sich – Meine Tochter, mein armes Kind – Fluch über den Verführer! – Fluch über das Weib, das ihm kuppelte!

Frau *(wirft sich jammernd auf Luisen)*. Verdien ich diesen Fluch, meine

Tochter? Vergebs Ihnen Gott, Baron – Was hat dieses Lamm getan, daß Sie es würgen?

FERDINAND *(springt an ihr auf, voll Entschlossenheit)*. Aber ich will seine Kabalen durchbohren – durchreißen will ich alle diese eiserne Ketten des Vorurteils – Frei wie ein Mann will ich wählen, daß diese Insektenseelen am Riesenwerk meiner Liebe hinaufschwindeln. *(Er will fort)*

LUISE *(zittert vom Sessel auf, folgt ihm)*. Bleib! Bleib! Wohin willst du? – Vater – Mutter – in dieser bangen Stunde verläßt er uns?

FRAU *(eilt ihm nach, hängt sich an ihn)*. Der Präsident wird hieherkommen – Er wird unser Kind mißhandeln – Er wird *uns* mißhandeln – Herr von Walter, und Sie verlassen uns?

MILLER *(lacht wütend)*. Verläßt uns! Freilich! Warum nicht? – *Sie* gab ihm ja alles hin! *(Mit der einen Hand den Major, mit der andern Luisen fassend)* Geduld, Herr! der Weg aus meinem Hause geht nur über *diese* da – Erwarte erst deinen Vater, wenn du kein Bube bist – Erzähl es ihm, wie du dich in ihr Herz stahlst, Betrüger, oder bei Gott, *(ihm seine Tochter zuschleudernd, wild und heftig)* du sollst mir zuvor diesen wimmernden Wurm zertreten, den Liebe zu dir *so* zuschanden richtete.

FERDINAND *(kommt zurück und geht auf und ab in tiefen Gedanken)*. Zwar die Gewalt des Präsidenten ist groß – *Vaterrecht* ist ein weites Wort – der Frevel selbst kann sich in seinen Falten verstecken – er kann es weit damit treiben – Weit! – Doch aufs Äußerste treibts nur die *Liebe* – Hier, Luise! Deine Hand in die meinige *(Er faßt diese heftig)* So wahr mich Gott im letzten Hauch nicht verlassen soll! – Der Augenblick, der diese zwo Hände trennt, zerreißt auch den Faden zwischen *mir* und *der Schöpfung*.

LUISE. Mir wird bange! Blick weg! Deine Lippen beben. Dein Auge rollt fürchterlich –

FERDINAND. Nein, Luise. Zittre nicht. Es ist nicht Wahnsinn, was aus mir redet. Es ist das köstliche Geschenk des Himmels, *Entschluß* in dem geltenden Augenblick, wo die gepreßte Brust nur durch etwas Unerhörtes sich Luft macht – Ich liebe dich, Luise – Du sollst mir bleiben, Luise – Jetzt zu meinem Vater! *(Er eilt schnell fort und rennt – gegen den Präsidenten)*

Sechste Szene

Der Präsident mit einem Gefolge von Bedienten. Vorige

PRÄSIDENT *(im Hereintreten)*. Da ist er schon.

ALLE *(erschrocken)*.

FERDINAND *(weicht einige Schritte zurücke)*. Im Hause der Unschuld.

PRÄSIDENT. Wo der Sohn Gehorsam gegen den Vater lernt?

FERDINAND. Lassen Sie uns das – –

PRÄSIDENT *(unterbricht ihn, zu Millern)*. Er ist der Vater?

MILLER. Stadtmusikant Miller.

PRÄSIDENT *(zur Frau)*. Sie die Mutter?

FRAU. Ach ja! die Mutter.

FERDINAND *(zu Millern)*. Vater, bring Er die Tochter weg – Sie droht eine Ohnmacht.

PRÄSIDENT. Überflüssige Sorgfalt. Ich will sie anstreichen. *(Zu Luisen)* Wie lang kennt Sie den Sohn des Präsidenten?

LUISE. Diesem habe ich nie nachgefragt. Ferdinand von Walter besucht mich seit dem November.

FERDINAND. Betet sie an.

PRÄSIDENT. Erhielt Sie Versicherungen?

FERDINAND. Vor wenig Augenblicken die feierlichste im Angesicht Gottes.

PRÄSIDENT *(zornig zu seinem Sohn)*. Zur Beichte *deiner* Torheit wird man dir schon das Zeichen geben. *(Zu Luisen)* Ich warte auf Antwort.

LUISE. Er schwur mir Liebe.

FERDINAND. Und wird sie halten.

PRÄSIDENT. Muß ich befehlen, daß du schweigst? – Nahm *Sie* den Schwur an?

LUISE *(zärtlich)*. Ich erwiderte ihn.

FERDINAND *(mit fester Stimme)*. Der Bund ist geschlossen.

PRÄSIDENT. Ich werde das Echo hinauswerfen lassen. *(Boshaft zu Luisen)* Aber er bezahlte Sie doch jederzeit bar?

LUISE *(aufmerksam)*. Diese Frage verstehe ich nicht ganz.

PRÄSIDENT *(mit beißendem Lachen)*. Nicht? Nun! ich meine nur – Jedes Handwerk hat, wie man sagt, seinen goldenen Boden – auch

Sie, hoff ich, wird Ihre Gunst nicht verschenkt haben – oder wars Ihr vielleicht mit dem bloßen *Verschluß* gedient? Wie?

FERDINAND *(fährt wie rasend auf)*. Hölle! was war das?

LUISE *(zum Major mit Würde und Unwillen)*. Herr von Walter, jetzt sind Sie frei.

FERDINAND. Vater! *Ehrfurcht* befiehlt die Tugend auch im Bettlerkleid.

PRÄSIDENT *(lacht lauter)*. Eine lustige Zumutung! Der Vater soll die *Hure* des Sohns respektieren.

LUISE *(stürzt nieder)*. O Himmel und Erde!

FERDINAND *(mit Luisen zu gleicher Zeit, indem er den Degen nach dem Präsidenten zückt, den er aber schnell wieder sinken läßt)*. Vater! Sie hatten einmal ein Leben an mich zu fodern – Es ist bezahlt. *(Den Degen einsteckend)* Der Schuldbrief der kindlichen Pflicht liegt zerrissen da –

MILLER *(der bis jetzt furchtsam auf der Seite gestanden, tritt hervor in Bewegung, wechselsweis für Wut mit den Zähnen knirschend und für Angst damit klappernd)*. Euer Exzellenz – Das Kind ist des Vaters Arbeit – Halten zu Gnaden – Wer das Kind eine Mähre schilt, schlägt den Vater ans Ohr, und Ohrfeig um Ohrfeig – Das ist so Tax bei uns – Halten zu Gnaden.

FRAU. Hilf, Herr und Heiland! – Jetzt bricht auch der Alte los – über unserm Kopf wird das Wetter zusammenschlagen.

PRÄSIDENT *(der es nur halb gehört hat)*. Regt sich der Kuppler auch? – Wir sprechen uns gleich, Kuppler.

MILLER. Halten zu Gnaden. Ich heiße Miller, wenn Sie ein Adagio hören wollen – mit Buhlschaften dien ich nicht. Solang der Hof da noch Vorrat hat, kommt die Lieferung nicht an uns Bürgersleut. Halten zu Gnaden.

FRAU. Um des Himmels willen, Mann! Du bringst Weib und Kind um.

FERDINAND. Sie spielen hier eine Rolle, mein Vater, wobei Sie sich wenigstens die Zeugen hätten ersparen können.

MILLER *(kommt ihm näher, herzhafter)*. Teutsch und verständlich. Halten zu Gnaden. Euer Exzellenz schalten und walten im Land. *Das* ist meine Stube. Mein devotestes Kompliment, wenn ich dermaleins ein Promemoria bringe, aber den ungehobelten Gast werf ich zur Tür hinaus – Halten zu Gnaden.

PRÄSIDENT *(vor Wut blaß)*. Was? – Was ist das? *(Tritt ihm näher)*

MILLER *(zieht sich sachte zurück)*. Das war nur so meine Meinung, Herr – Halten zu Gnaden.

PRÄSIDENT *(in Flammen)*. Ha, Spitzbube! Ins Zuchthaus spricht dich deine vermessene Meinung – Fort! Man soll Gerichtsdiener holen. *(Einige vom Gefolg gehen ab; der Präsident rennt voll Wut durch das Zimmer)* Vater ins Zuchthaus – an den Pranger Mutter und Metze von Tochter! – Die Gerechtigkeit soll meiner Wut ihre Arme borgen. Für diesen Schimpf muß ich schreckliche Genugtuung haben – Ein solches Gesindel sollte meine Plane zerschlagen, und ungestraft Vater und Sohn aneinander hetzen? – Ha, Verfluchte! Ich will meinen Haß an eurem Untergang sättigen, die ganze Brut, Vater, Mutter und Tochter, will ich meiner brennenden Rache opfern.

FERDINAND *(tritt gelassen und standhaft unter sie hin)*. O nicht doch! Seid außer Furcht! *Ich* bin zugegen. *(Zum Präsidenten mit Unterwürfigkeit)* Keine Übereilung, mein Vater! Wenn Sie sich selbst lieben, keine Gewalttätigkeit – Es gibt eine Gegend in meinem Herzen, worin das Wort *Vater* noch nie gehört worden ist – Dringen Sie nicht bis in *diese*.

PRÄSIDENT. Nichtswürdiger! Schweig! Reize meinen Grimm nicht noch mehr.

MILLER *(kommt aus einer dumpfen Betäubung zu sich selbst)*. Schau du nach deinem Kinde, Frau. Ich laufe zum Herzog – Der Leibschneider – das hat mir Gott eingeblasen! – der Leibschneider lernt die Flöte bei mir. Es kann mir nicht fehlen beim Herzog. *(Er will gehen)*

PRÄSIDENT. Beim Herzog, sagst du? – Hast du vergessen, daß ich die Schwelle bin, worüber du springen oder den Hals brechen mußt? – Beim Herzog, du Dummkopf? – Versuch es, wenn du, lebendig tot, eine Turmhöhe tief unter dem Boden im Kerker liegst, wo die Nacht mit der Hölle liebäugelt, und Schall und Licht wieder umkehren, raßle dann mit deinen Ketten und wimmre: Mir ist zuviel geschehen!

Siebente Szene

Gerichtsdiener. Die Vorigen

FERDINAND *(eilt auf Luisen zu, die ihm halbtot in den Arm fällt)*. Luise! Hilfe! Rettung! Der Schrecken überwältigte sie.

MILLER *(ergreift sein spanisches Rohr, setzt den Hut auf und macht sich zum Angriff gefaßt)*.

FRAU *(wirft sich auf die Knie vor den Präsident)*.

PRÄSIDENT *(zu den Gerichtsdienern, seinen Orden entblößend)*. Legt Hand an im Namen des Herzogs – Weg von der Metze, Junge – Ohnmächtig oder nicht – Wenn sie nur erst das eiserne Halsband um hat, wird man sie schon mit Steinwürfen aufwecken.

FRAU. Erbarmung, Ihro Exzellenz! Erbarmung! Erbarmung!

MILLER *(reißt seine Frau in die Höhe)*. Knie vor Gott, alte Heulhure, und nicht vor – – Schelmen, weil ich ja doch schon ins Zuchthaus muß.

PRÄSIDENT *(beißt die Lippen)*. Du kannst dich verrechnen, Bube. Es stehen noch Galgen leer. *(Zu den Gerichtsdienern)* Muß ich es noch einmal sagen?

GERICHTSDIENER *(dringen auf Luisen ein)*.

FERDINAND *(springt an ihr auf und stellt sich vor sie, grimmig)*. Wer will was? *(Er zieht den Degen samt der Scheide und wehrt sich mit dem Gefäß)* Wag es, sie anzurühren, wer nicht auch die Hirnschale an die Gerichte vermietet hat. *(Zum Präsidenten)* Schonen Sie Ihrer selbst. Treiben Sie mich nicht weiter, mein Vater.

PRÄSIDENT *(drohend zu den Gerichtsdienern)*. Wenn euch euer Brot lieb ist, Memmen –

GERICHTSDIENER *(greifen Luisen wieder an)*.

FERDINAND. Tod und alle Teufel! Ich sage: Zurück – Noch einmal. Haben Sie Erbarmen mit sich selbst. Treiben Sie mich nicht aufs Äußerste, Vater.

PRÄSIDENT *(aufgebracht zu den Gerichtsdienern)*. Ist das euer Diensteifer, Schurken?

GERICHTSDIENER *(greifen hitziger an)*.

FERDINAND. Wenn es denn sein muß *(indem er den Degen zieht und einige von denselben verwundet)*, so verzeih mir, Gerechtigkeit!

PRÄSIDENT *(voll Zorn)*. Ich will doch sehen, ob auch ich diesen Degen fühle. *(Er faßt Luisen selbst, zerrt sie in die Höh und übergibt sie einem Gerichtsknecht)*

FERDINAND *(lacht erbittert)*. Vater, Vater, Sie machen hier ein beißendes Pasquill auf die Gottheit, die sich so übel auf ihre Leute verstund und aus *vollkommenen Henkersknechten schlechte Minister* machte.

PRÄSIDENT *(zu den übrigen)*. Fort mit ihr!

FERDINAND. Vater, sie soll an dem Pranger stehn, aber *mit* dem Major, des Präsidenten Sohn – Bestehen Sie noch darauf?

PRÄSIDENT. Desto possierlicher wird das Spektakel – Fort!

FERDINAND. Vater! ich werfe meinen Offiziersdegen auf das Mädchen – Bestehen Sie noch darauf?

PRÄSIDENT. Das Portepee ist an *deiner* Seite des Prangerstehens gewohnt worden – Fort! Fort! Ihr wißt meinen Willen.

FERDINAND *(drückt einen Gerichtsdiener weg, faßt Luisen mit einem Arm, mit dem andern zückt er den Degen auf sie)*. Vater! Eh Sie meine Gemahlin beschimpfen, durchstoß ich sie – Bestehen Sie noch darauf?

PRÄSIDENT. Tu es, wenn deine Klinge auch spitzig ist.

FERDINAND *(läßt Luisen fahren und blickt fürchterlich zum Himmel)*. Du, Allmächtiger, bist Zeuge! Kein *menschliches* Mittel ließ ich unversucht – ich muß zu einem *teuflischen* schreiten – Ihr führt sie zum Pranger fort, unterdessen *(zum Präsidenten ins Ohr rufend)* erzähl ich der Residenz eine Geschichte, *wie man Präsident wird. (Ab)*

PRÄSIDENT *(wie vom Blitz gerührt)*. Was ist das? – Ferdinand – Laßt sie ledig! *(Er eilt dem Major nach)*

DRITTER AKT

Erste Szene

Saal beim Präsidenten

Der Präsident und Sekretär Wurm kommen

PRÄSIDENT. Der Streich war verwünscht.

WURM. Wie ich befürchtete, gnädiger Herr. Zwang *erbittert* die Schwärmer immer, aber *bekehrt* sie nie.

PRÄSIDENT. Ich hatte mein bestes Vertrauen in diesen Anschlag gesetzt. Ich urteilte so: Wenn das Mädchen *beschimpft* wird, muß er, als Offizier, zurücktreten.

WURM. Ganz vortrefflich. Aber zum *Beschimpfen* hätt es auch kommen sollen.

PRÄSIDENT. Und doch – wenn ich es jetzt mit kaltem Blut überdenke – Ich hätte mich nicht sollen eintreiben lassen. Es war eine Drohung, woraus er wohl nimmermehr Ernst gemacht hätte.

WURM. Das denken Sie ja nicht. Der gereizten Leidenschaft ist keine Torheit zu bunt. Sie sagen mir, der Herr Major habe immer den Kopf zu Ihrer Regierung geschüttelt. Ich glaubs. Die Grundsätze, die er aus Akademien hieher brachte, wollten mir gleich nicht recht einleuchten. Was sollten auch die phantastischen Träumereien von Seelengröße und persönlichem Adel an einem Hof, wo die größte Weisheit diejenige ist, im rechten Tempo, auf eine geschickte Art, groß und klein zu sein. Er ist zu jung und zu feurig, um Geschmack am langsamen, krummen Gang der Kabale zu finden, und nichts wird seine Ambition in Bewegung setzen, als was groß ist und abenteuerlich.

PRÄSIDENT (*verdrüßlich*). Aber was wird diese wohlweise Anmerkung an unserm Handel verbessern?

WURM. Sie wird Euer Exzellenz auf die Wunde hinweisen und auch vielleicht auf den Verband. Einen solchen Charakter – erlauben Sie – hätte man entweder nie zum *Vertrauten*, oder niemals zum *Feind* machen sollen. Er verabscheut das Mittel, wodurch Sie gestiegen sind. Vielleicht war es bis jetzt nur der *Sohn*, der die Zunge des *Verräters* band. Geben Sie ihm Gelegenheit, jenen rechtmäßig abzuschütteln. Machen Sie ihn durch wiederholte Stürme auf seine Leidenschaft glauben, daß Sie der zärtliche *Vater* nicht sind, so dringen die Pflichten des Patrioten bei ihm vor. Ja, schon allein die seltsame Phantasie, der Gerechtigkeit ein so merkwürdiges Opfer zu bringen, könnte Reiz genug für ihn haben, selbst seinen Vater zu stürzen.

PRÄSIDENT. Wurm – Wurm – Er führt mich da vor einen entsetzlichen Abgrund.

WURM. Ich will Sie zurückführen, gnädiger Herr. Darf ich freimütig reden?

PRÄSIDENT *(indem er sich niedersetzt)*. Wie ein Verdammter zum Mitverdammten.

WURM. Also verzeihen Sie – Sie haben, dünkt mich, der biegsamen Hofkunst den ganzen *Präsidenten* zu danken, warum vertrauten Sie ihr nicht auch den *Vater* an? Ich besinne mich, mit welcher Offenheit Sie Ihren Vorgänger damals zu einer Partie Piquet beredeten, und bei ihm die halbe Nacht mit freundschaftlichem Burgunder hinwegschwemmten, und das war doch die nämliche Nacht, wo die große Mine losgehen und den guten Mann in die Luft blasen sollte – Warum zeigten Sie Ihrem Sohne den Feind? Nimmermehr hätte dieser erfahren sollen, daß ich um seine Liebesangelegenheit wisse. Sie hätten den Roman von Seiten des Mädchens unterhöhlt, und das Herz Ihres Sohnes behalten. Sie hätten den klugen General gespielt, der den Feind nicht am Kern seiner Truppen faßt, sondern Spaltungen unter den Gliedern stiftet.

PRÄSIDENT. Wie war das zu machen?

WURM. Auf die einfachste Art – und die Karten sind noch nicht ganz vergeben. Unterdrücken Sie eine Zeit lang, daß Sie Vater sind. Messen Sie sich mit einer Leidenschaft nicht, die jeder Widerstand nur mächtiger machte – Überlassen Sie es *mir*, an ihrem eigenen Feuer den Wurm auszubrüten, der sie zerfrißt.

PRÄSIDENT. Ich bin begierig.

WURM. Ich müßte mich schlecht auf den Barometer der Seele verstehen, oder der Herr Major ist in der Eifersucht schrecklich wie in der Liebe. Machen Sie ihm das Mädchen verdächtig – – Wahrscheinlich oder nicht. Ein *Gran* Hefe reicht hin, die ganze Masse in eine zerstörende Gärung zu jagen.

PRÄSIDENT. Aber woher diesen Gran nehmen?

WURM. Da sind wir auf dem Punkt – Vor allen Dingen, gnädiger Herr, erklären Sie sich mir, wieviel Sie bei der fernern Weigerung des Majors auf dem Spiel haben – in welchem Grade es Ihnen wichtig ist, den Roman mit dem Bürgermädchen zu endigen, und die Verbindung mit Lady Milford zustand zu bringen?

PRÄSIDENT. Kann Er noch fragen, Wurm? – Mein ganzer Einfluß

ist in Gefahr, wenn die Partie mit der Lady zurückgeht, und wenn ich den Major zwinge, mein Hals.

WURM *(munter)*. Jetzt haben Sie die Gnade und hören. – Den Herrn Major umspinnen wir mit List. Gegen das Mädchen nehmen wir Ihre ganze Gewalt zu Hilfe. *Wir diktieren ihr ein Billetdoux an eine dritte Person in die Feder, und spielen das mit guter Art dem Major in die Hände.*

PRÄSIDENT. Toller Einfall! Als ob sie sich so geschwind hin bequemen würde, ihr eigenes Todesurteil zu schreiben?

WURM. Sie *muß*, wenn Sie mir freie Hand lassen wollen. Ich kenne das gute Herz auf und nieder. Sie hat nicht mehr als zwo tödliche Seiten, durch welche wir ihr Gewissen bestürmen können – ihren Vater und den Major. Der letztere bleibt ganz und gar aus dem Spiel, desto freier können wir mit dem Musikanten umspringen.

PRÄSIDENT. Als zum Exempel?

WURM. Nach dem, was Euer Exzellenz mir von dem Auftritt in seinem Hause gesagt haben, wird nichts leichter sein, als den Vater mit einem Halsprozeß zu bedrohen. Die Person des Günstlings und Siegelbewahrers ist gewissermaßen der Schatten der Majestät – Beleidigungen gegen jenen sind Verletzungen dieser – Wenigstens will ich den armen Schächer mit diesem zusammengeflickten Kobold durch ein Nadelöhr jagen.

PRÄSIDENT. Doch – ernsthaft dürfte der Handel nicht werden.

WURM. Ganz und gar nicht – Nur insoweit als es nötig ist, die Familie in die Klemme zu treiben – Wir setzen also in aller Stille den Musikus fest – Die Not um so dringender zu machen, könnte man auch die Mutter mitnehmen, – sprechen von peinlicher Anklage, von Schafott, von ewiger Festung, und machen den *Brief der Tochter* zur einzigen Bedingnis seiner Befreiung.

PRÄSIDENT. Gut! Gut! Ich verstehe.

WURM. Sie liebt ihren Vater – bis zur Leidenschaft möcht ich sagen. Die Gefahr seines Lebens – seiner Freiheit zum mindesten – Die Vorwürfe ihres Gewissens, den Anlaß dazu gegeben zu haben – Die Unmöglichkeit, den Major zu besitzen – endlich die Betäubung ihres Kopfs, die ich auf *mich* nehme – Es kann nicht fehlen – Sie *muß* in die Falle gehn.

PRÄSIDENT. Aber mein Sohn? Wird der nicht auf der Stelle Wind davon haben? Wird er nicht wütender werden?

WURM. Das lassen Sie *meine* Sorge sein, gnädiger Herr – Vater und Mutter werden nicht eher freigelassen, bis die ganze Familie einen körperlichen Eid darauf abgelegt, den ganzen Vorgang geheimzuhalten und den Betrug zu bestätigen.

PRÄSIDENT. Einen Eid? Was wird ein Eid fruchten, Dummkopf?

WURM. Nichts bei *uns*, gnädiger Herr. Bei *dieser* Menschenart alles – Und sehen Sie nun, wie schön wir beide auf diese Manier zum Ziel kommen werden – Das Mädchen verliert die Liebe des Majors und den Ruf ihrer Tugend. Vater und Mutter ziehen gelindere Saiten auf, und durch und durch weich gemacht von Schicksalen dieser Art, erkennen sies noch zuletzt für Erbarmung, wenn ich der Tochter durch meine Hand ihre Reputation wiedergebe.

PRÄSIDENT *(lacht unter Kopfschütteln)*. Ja! ich gebe mich dir überwunden, Schurke. Das Geweb ist satanisch fein. Der Schüler übertrifft seinen Meister – – Nun ist die Frage, an *wen* das Billett muß gerichtet werden? Mit *wem* wir sie in Verdacht bringen müssen?

WURM. Notwendig mit jemand, der durch den Entschluß Ihres Sohnes alles gewinnen oder alles verlieren muß.

PRÄSIDENT *(nach einigem Nachdenken)*. Ich weiß nur den Hofmarschall.

WURM *(zuckt die Achseln)*. *Mein* Geschmack wär er nun freilich nicht, wenn ich Luise Millerin hieße.

PRÄSIDENT. Und warum nicht? Wunderlich! Eine blendende Garderobe – eine Atmosphäre von Eau de mille fleurs und Bisam – auf jedes alberne Wort eine Handvoll Dukaten – und alles das sollte die Delikatesse einer bürgerlichen Dirne nicht endlich bestechen können? – O guter Freund. So skrupulös ist die Eifersucht nicht. Ich schicke zum Marschall. *(Klingelt)*

WURM. Unterdessen, daß Euer Exzellenz dieses und die Gefangennehmung des Geigers besorgen, werd ich hingehen und den bewußten Liebesbrief aufsetzen.

PRÄSIDENT *(zum Schreibpult gehend)*. Den Er mir zum Durchlesen heraufbringt, sobald er zustand sein wird. *(Wurm geht ab. Der Präsident setzt sich zu schreiben; ein Kammerdiener kommt; er steht auf und gibt ihm ein Papier)* Dieser Verhaftsbefehl muß ohne Aufschub in die Gerichte – ein andrer von euch wird den Hofmarschall zu mir bitten.

KAMMERDIENER. Der gnädige Herr sind soeben hier angefahren.

PRÄSIDENT. Noch besser – Aber die Anstalten sollen mit Vorsicht getroffen werden, sagt Ihr, daß kein Aufstand erfolgt.

KAMMERDIENER. Sehr wohl, Ihr' Exzellenz!

PRÄSIDENT. Versteht Ihr? Ganz in der Stille.

KAMMERDIENER. Ganz gut, Ihr' Exzellenz. *(Ab)*

Zweite Szene

Der Präsident und der Hofmarschall

HOFMARSCHALL *(eilfertig)*. Nur en passant, mein Bester. – Wie leben Sie? Wie befinden Sie sich? – Heute abend ist große Opera Dido – das süperbeste Feuerwerk – eine ganze Stadt brennt zusammen – Sie sehen sie doch auch brennen? Was?

PRÄSIDENT. Ich habe Feuerwerks genug in meinem eigenen Hause, das meine ganze Herrlichkeit in die Luft nimmt – Sie kommen erwünscht, lieber Marschall, mir in einer Sache zu raten, tätig zu helfen, die uns beide poussiert oder völlig zugrund richtet. Setzen Sie sich.

HOFMARSCHALL. Machen Sie mir nicht angst, mein Süßer.

PRÄSIDENT. Wie gesagt – poussiert oder ganz zugrund richtet. Sie wissen mein Projekt mit dem Major und der Lady. Sie begreifen auch, wie unentbehrlich es war, unser beider Glück zu fixieren. Es kann alles zusammenfallen, Kalb. Mein Ferdinand will nicht.

HOFMARSCHALL. Will nicht – will nicht – ich habs ja in der ganzen Stadt schon herumgesagt. Die Mariage ist ja in jedermanns Munde.

PRÄSIDENT. Sie können vor der ganzen Stadt als Windmacher dastehen. Er liebt eine andere.

HOFMARSCHALL. Sie scherzen. Ist das auch wohl ein Hindernis?

PRÄSIDENT. Bei dem Trotzkopf das unüberwindlichste.

HOFMARSCHALL. Er sollte so wahnsinnig sein, und sein Fortune von sich stoßen? Was?

PRÄSIDENT. Fragen Sie ihn das und hören Sie, was er antwortet.

HOFMARSCHALL. Aber mon Dieu! Was kann er denn antworten?

PRÄSIDENT. Daß er der ganzen Welt das Verbrechen entdecken wolle, wodurch wir gestiegen sind – daß er unsere falschen Briefe und Quittungen angeben – daß er uns beide ans Messer liefern wolle – Das kann er antworten.

HOFMARSCHALL. Sind Sie von Sinnen?

PRÄSIDENT. Das hat er geantwortet. Das war er schon willens ins Werk zu richten – Davon hab ich ihn kaum noch durch meine höchste Erniedrigung abgebracht. Was wissen Sie hierauf zu sagen?

HOFMARSCHALL *(mit einem Schafsgesicht)*. Mein Verstand steht still.

PRÄSIDENT. Das könnte noch hingehen. Aber zugleich hinterbringen mir meine Spionen, daß der Oberschenk von Bock auf dem Sprunge sei, um die Lady zu werben.

HOFMARSCHALL. Sie machen mich rasend. *Wer* sagen Sie? Von Bock, sagen Sie? – Wissen Sie denn auch, daß wir Todfeinde zusammen sind? Wissen Sie auch, warum wir es sind?

PRÄSIDENT. Das erste Wort, das ich höre.

HOFMARSCHALL. Bester! Sie werden hören und aus der Haut werden Sie fahren – Wenn Sie sich noch des Hofballs entsinnen – – es geht jetzt ins einundzwanzigste Jahr – wissen Sie, worauf man den ersten Englischen tanzte, und dem Grafen von Meerschaum das heiße Wachs von einem Kronleuchter auf den Domino tröpfelte – Ach Gott! das müssen Sie freilich noch wissen!

PRÄSIDENT. Wer könnte so was vergessen?

HOFMARSCHALL. Sehen Sie! Da hatte Prinzessin Amalie in der Hitze des Tanzes ein Strumpfband verloren. – Alles kommt, wie begreiflich ist, in Alarm – von Bock und ich – Wir waren noch Kammerjunker – wir kriechen durch den ganzen Redoutensaal, das Strumpfband zu suchen – endlich erblick ichs – von Bock merkts – von Bock darauf zu – reißt es mir aus den Händen – ich bitte Sie! – bringts der Prinzessin und schnappt mir glücklich das Kompliment weg – Was denken Sie?

PRÄSIDENT. Impertinent!

HOFMARSCHALL. Schnappt mir das Kompliment weg – Ich meine in Ohnmacht zu sinken. Eine solche Malice ist gar nicht erlebt worden. – Endlich ermann ich mich, nähere mich Ihrer Durchlaucht und spreche: Gnädigste Frau! von Bock war so glücklich,

Höchstdenenselben das Strumpfband zu überreichen, aber wer das Strumpfband zuerst erblickte, belohnt sich in der Stille und schweigt.

PRÄSIDENT. Bravo, Marschall! Bravissimo!

HOFMARSCHALL. Und schweigt – Aber ich werds dem von Bock bis zum Jüngsten Gerichte noch nachtragen – der niederträchtige, kriechende Schmeichler! – und das war noch nicht genug – wie wir beide zugleich auf das Strumpfband zu Boden fallen, wischt mir von Bock an der rechten Frisur allen Puder weg, und ich bin ruiniert auf den ganzen Ball.

PRÄSIDENT. Das ist der Mann, der die Milford heuraten, und die erste Person am Hof werden wird.

HOFMARSCHALL. Sie stoßen mir ein Messer ins Herz. Wird? Wird? Warum wird er? Wo ist die Notwendigkeit?

PRÄSIDENT. Weil mein Ferdinand nicht will, und sonst keiner sich meldet.

HOFMARSCHALL. Aber wissen Sie denn gar kein einziges Mittel, den Major zum Entschluß zu bringen? – – Seis auch noch so bizarr! so verzweifelt! – Was in der Welt kann so widrig sein, das uns jetzt nicht willkommen wäre, den verhaßten von Bock auszustechen?

PRÄSIDENT. Ich weiß nur *eines*, und das bei Ihnen steht.

HOFMARSCHALL. Bei *mir* steht? Und das ist?

PRÄSIDENT. Den Major mit seiner Geliebten zu entzweien.

HOFMARSCHALL. Zu entzweien? Wie meinen Sie das? – und wie mach ich das?

PRÄSIDENT. Alles ist gewonnen, sobald wir ihm das Mädchen verdächtig machen.

HOFMARSCHALL. Daß sie *stehle*, meinen Sie?

PRÄSIDENT. Ach nein doch! Wie glaubte er das? – daß sie es noch mit einem andern habe.

HOFMARSCHALL. Dieser andre?

PRÄSIDENT. Müßten *Sie* sein, Baron.

HOFMARSCHALL. Ich sein? Ich? – Ist sie von Adel?

PRÄSIDENT. Wozu das? Welcher Einfall! – eines Musikanten Tochter.

HOFMARSCHALL. Bürgerlich also? Das wird nicht angehen. Was?

PRÄSIDENT. Was wird nicht angehen? Narrenspossen! Wem unter der Sonne wird es einfallen, ein paar runde Wangen nach dem Stammbaum zu fragen?

HOFMARSCHALL. Aber bedenken Sie doch, ein Ehmann! Und meine Reputation bei Hofe!

PRÄSIDENT. Das ist was anders. Verzeihen Sie. Ich hab das noch nicht gewußt, daß Ihnen der *Mann von unbescholtenen Sitten* mehr ist als *der von Einfluß*. Wollen wir abbrechen?

HOFMARSCHALL. Seien Sie klug, Baron. Es war ja nicht *so* verstanden.

PRÄSIDENT (*frostig*). Nein – nein! Sie haben vollkommen recht. Ich bin es auch müde. Ich lasse den Karren stehen. Dem von Bock wünsch ich Glück zum Premierminister. Die Welt ist noch anderswo. Ich fodre meine Entlassung vom Herzog.

HOFMARSCHALL. Und *ich?* – Sie haben gut schwatzen, Sie! Sie sind ein Stuttierter! Aber *ich* – Mon Dieu! was bin dann *ich*, wenn mich Seine Durchleucht entlassen?

PRÄSIDENT. Ein Bonmot von vorgestern. Die Mode vom vorigen Jahr.

HOFMARSCHALL. Ich beschwöre Sie, Teurer, Goldner! – Ersticken Sie diesen Gedanken! Ich will mir ja alles gefallen lassen.

PRÄSIDENT. *Wollen* Sie Ihren Namen zu einem Rendezvous hergeben, den Ihnen diese Millerin schriftlich vorschlagen soll?

HOFMARSCHALL. Im Namen Gottes! Ich will ihn hergeben.

PRÄSIDENT. Und den Brief irgendwo herausfallen lassen, wo er dem Major zu Gesicht kommen muß?

HOFMARSCHALL. Zum Exempel auf der Parade will ich ihn als von ohngefähr, mit dem Schnupftuch herausschleudern.

PRÄSIDENT. Und die Rolle ihres Liebhabers gegen den Major behaupten?

HOFMARSCHALL. Mort de ma vie! Ich will ihn schon waschen! Ich will dem Naseweis den Appetit nach *meinen* Amouren verleiden.

PRÄSIDENT. Nun gehts nach Wunsch. Der Brief muß noch heute geschrieben sein. Sie müssen vor Abend noch herkommen, ihn abzuholen und Ihre Rolle mit mir zu berichtigen.

HOFMARSCHALL. Sobald ich sechszehn Visiten werde gegeben haben, die von allerhöchster Importance sind. Verzeihen Sie also, wenn ich mich ohne Aufschub beurlaube. *(Geht)*

PRÄSIDENT *(klingelt)*. Ich zähle auf Ihre Verschlagenheit, Marschall.

HOFMARSCHALL *(ruft zurück)*. Ah, mon Dieu! Sie kennen mich ja.

Dritte Szene

Der Präsident und Wurm

WURM. Der Geiger und seine Frau sind glücklich und ohne alles Geräusch in Verhaft gebracht. Wollen Euer Exzellenz jetzt den Brief überlesen?

PRÄSIDENT *(nachdem er gelesen)*. Herrlich! Herrlich, Sekretär! Auch der Marschall hat angebissen! – Ein Gift wie das müßte die Gesundheit selbst in eiternden Aussatz verwandeln – Nun gleich mit den Vorschlägen zum Vater, und dann warm zu der Tochter. *(Gehn ab zu verschiedenen Seiten)*

Vierte Szene

Zimmer in Millers Wohnung
Luise und Ferdinand

LUISE. Ich bitte dich, höre auf. Ich glaube an keine glückliche Tage mehr. Alle meine Hoffnungen sind gesunken.

FERDINAND. So sind die meinigen gestiegen. Mein Vater ist aufgereizt. Mein Vater wird alle Geschütze gegen uns richten. Er wird mich zwingen, den unmenschlichen Sohn zu machen. Ich stehe nicht mehr für meine kindliche Pflicht. Wut und Verzweiflung werden mir das schwarze Geheimnis seiner Mordtat erpressen. Der Sohn wird den Vater in die Hände des Henkers liefern – Es ist die *höchste* Gefahr – – und die höchste Gefahr mußte da sein, wenn meine Liebe den Riesensprung wagen sollte. – – Höre, Luise – ein Gedanke, groß und vermessen wie meine Leidenschaft, drängt sich vor meine Seele – *Du*, Luise, und *ich* und die *Liebe!* – – Liegt nicht in diesem Zirkel der ganze Himmel? oder brauchst du noch etwas Viertes dazu?

LUISE. Brich ab. Nichts mehr. Ich erblasse über das, was du sagen willst.

FERDINAND. Haben wir an die Welt keine Foderung mehr, warum denn ihren Beifall erbetteln? Warum wagen, wo nichts gewonnen wird und alles verloren werden kann? – Wird dieses Aug nicht ebenso schmelzend funkeln, ob es im Rhein oder in der Elbe sich spiegelt oder im Baltischen Meer? Mein Vaterland ist, wo mich Luise liebt. Deine Fußtapfe in wilden, sandigten Wüsten mir interessanter als das Münster in meiner Heimat – Werden wir die Pracht der Städte vermissen? Wo wir sein mögen, Luise, geht eine Sonne auf, eine unter – Schauspiele, neben welchen der üppigste Schwung der Künste verblaßt. Werden wir Gott in keinem Tempel mehr dienen, so ziehet die Nacht mit begeisternden Schauern auf, der wechselnde Mond predigt uns Buße, und eine andächtige Kirche von Sternen betet mit uns. Werden wir uns in Gesprächen der Liebe erschöpfen? – Ein Lächeln meiner Luise ist Stoff für Jahrhunderte, und der Traum des Lebens ist aus, bis ich diese Träne ergründe.

LUISE. Und hättest du sonst keine Pflicht mehr als deine Liebe?

FERDINAND *(sie umarmend)*. Deine Ruhe ist meine heiligste.

LUISE *(sehr ernsthaft)*. So schweig und verlaß mich – Ich habe einen Vater, der kein Vermögen hat als diese einzige Tochter – der morgen sechzig alt wird – der der Rache des Präsidenten gewiß ist. –

FERDINAND *(fällt rasch ein)*. Der uns begleiten wird. Darum keinen Einwurf mehr, Liebe. Ich gehe, mache meine Kostbarkeiten zu Geld, erhebe Summen auf meinen Vater. Es ist erlaubt, einen Räuber zu plündern, und sind seine Schätze nicht Blutgeld des Vaterlands? – Schlag *ein* Uhr um Mitternacht wird ein Wagen hier anfahren. Ihr werft euch hinein. Wir fliehen.

LUISE. Und der Fluch deines Vaters uns nach? – ein Fluch, Unbesonnener, den auch Mörder nie ohne Erhörung aussprechen, den die Rache des Himmels auch dem Dieb auf dem Rade hält, der uns Flüchtlinge, unbarmherzig wie ein Gespenst, von Meer zu Meer jagen würde? – Nein, mein Geliebter! Wenn nur ein Frevel dich mir erhalten kann, so hab ich noch Stärke, dich zu verlieren.

FERDINAND *(steht still und murmelt düster)*. Wirklich?

LUISE. *Verlieren!* – O ohne Grenzen entsetzlich ist der Gedanke – Gräßlich genug, den unsterblichen Geist zu durchbohren, und die glühende Wange der Freude zu bleichen – Ferdinand! dich zu verlieren! – Doch! man verliert ja nur, was man besessen hat, und dein Herz gehört deinem Stande – Mein Anspruch war Kirchenraub, und schauernd geb ich ihn auf.

FERDINAND *(das Gesicht verzerrt und an der Unterlippe nagend)*. Gibst du ihn auf.

LUISE. Nein! Sieh mich an, lieber Walter. Nicht so bitter die Zähne geknirscht. Komm! Laß mich jetzt deinen sterbenden Mut durch mein Beispiel beleben. Laß *mich* die Heldin dieses Augenblicks sein – einem Vater den entflohenen Sohn wiederschenken – einem Bündnis entsagen, das die Fugen der Bürgerwelt auseinandertreiben, und die allgemeine ewige Ordnung zugrund stürzen würde – *Ich* bin die Verbrecherin – mit frechen, törichten Wünschen hat sich mein Busen getragen – mein Unglück ist meine *Strafe*, so laß mir doch jetzt die süße, schmeichelnde Täuschung, daß es mein *Opfer* war – Wirst du mir diese Wollust mißgönnen?

FERDINAND *(hat in der Zerstreuung und Wut eine Violine ergriffen und auf derselben zu spielen versucht – Jetzt zerreißt er die Saiten, zerschmettert das Instrument auf dem Boden und bricht in ein lautes Gelächter aus)*.

LUISE. Walter! Gott im Himmel! Was soll das? – Ermanne dich. Fassung verlangt diese Stunde – es ist eine *trennende*. Du hast ein Herz, lieber Walter. Ich *kenne* es. Warm wie das Leben ist deine Liebe und ohne Schranken wie's Unermeßliche – Schenke sie einer *Edeln* und Würdigern – sie wird die Glücklichsten ihres Geschlechts nicht beneiden – – *(Tränen unterdrückend) mich* sollst du nicht mehr sehn – Das eitle betrogene Mädchen verweine seinen Gram in einsamen Mauren, um seine Tränen wird sich niemand bekümmern – Leer und erstorben ist meine Zukunft – Doch werd ich noch je und je am verwelkten Strauß der Vergangenheit riechen. *(Indem sie ihm mit abgewandtem Gesicht ihre zitternde Hand gibt)* Leben Sie wohl, Herr von Walter.

FERDINAND *(springt aus seiner Betäubung auf)*. Ich entfliehe, Luise. Wirst du mir wirklich nicht folgen?

LUISE *(hat sich im Hintergrund des Zimmers niedergesetzt und hält das Gesicht mit beiden Händen bedeckt)*. Meine Pflicht heißt mich bleiben und dulden.

FERDINAND. Schlange, du lügst. Dich fesselt was anders hier.

LUISE *(im Ton des tiefsten inwendigen Leidens)*. Bleiben Sie bei dieser Vermutung – sie macht vielleicht weniger elend.

FERDINAND. Kalte Pflicht gegen feurige Liebe! – Und mich soll das Märchen blenden? – Ein Liebhaber fesselt dich, und Weh über dich und ihn, wenn mein Verdacht sich bestätigt. *(Geht schnell ab)*

Fünfte Szene

Luise allein

(Sie bleibt noch eine Zeitlang ohne Bewegung und stumm in dem Sessel liegen, endlich steht sie auf, kommt vorwärts und sieht furchtsam herum)

Wo meine Eltern bleiben? – Mein Vater versprach, in wenigen Minuten zurück zu sein, und schon sind fünf volle fürchterliche Stunden vorüber – Wenn ihm ein Unfall – Wie wird mir? – – Warum geht mein Odem so ängstlich?

(Jetzt tritt Wurm in das Zimmer und bleibt im Hintergrund stehen, ohne von ihr bemerkt zu werden)

Es ist nichts Wirkliches – Es ist nichts als das schaudernde Gaukelspiel des erhitzten Geblüts – Hat unsre Seele nur einmal Entsetzen genug in sich getrunken, so wird das Aug in jedem Winkel Gespenster sehn.

Sechste Szene

Luise und Sekretär Wurm

WURM *(kommt näher)*. Guten Abend, Jungfer.

LUISE. Gott! Wer spricht da? *(Sie dreht sich um, wird den Sekretär gewahr und tritt erschrocken zurück)* Schrecklich! Schrecklich! Meiner ängstlichen Ahndung eilt schon die unglückseligste Erfüllung nach!

(Zum Sekretär mit einem Blick voll Verachtung) Suchen Sie etwa den Präsidenten? Er ist nicht mehr da.

WURM. Jungfer, ich suche Sie.

LUISE. So muß ich mich wundern, daß Sie nicht nach dem Marktplatz gingen.

WURM. Warum eben *dahin?*

LUISE. Ihre Braut von der Schandbühne abzuholen.

WURM. Mamsell Millerin, Sie haben einen falschen Verdacht –

LUISE *(unterdrückt eine Antwort)*. Was steht Ihnen zu Diensten?

WURM. Ich komme, geschickt von Ihrem Vater.

LUISE *(bestürzt)*. Von meinem Vater? – Wo ist mein Vater?

WURM. Wo er nicht gern ist.

LUISE. Um Gottes willen! Geschwind! Mich befällt eine üble Ahndung – Wo ist mein Vater?

WURM. Im Turm, wenn Sie es ja wissen wollen.

LUISE *(mit einem Blick zum Himmel)*. Das noch! das auch noch! – – Im Turm? Und warum im Turm?

WURM. Auf Befehl des Herzogs.

LUISE. Des Herzogs?

WURM. Der die Verletzung der Majestät in der Person seines Stellvertreters –

LUISE. Was? Was? O ewige Allmacht!

WURM. Auffallend zu ahnden beschlossen hat.

LUISE. Das war noch übrig! Das! – freilich, freilich, mein Herz hatte noch außer dem Major etwas Teures – Das durfte nicht übergangen werden – Verletzung der Majestät – Himmlische Vorsicht! Rette, o, rette meinen sinkenden Glauben! – Und Ferdinand?

WURM. Wählt Lady Milford oder Fluch und Enterbung.

LUISE. Entsetzliche Freiheit! – und doch – doch ist er glücklicher. Er hat keinen Vater zu verlieren. Zwar keinen *haben* ist Verdammnis genug! – Mein Vater auf Verletzung der Majestät – mein Geliebter die Lady oder Fluch und Enterbung – Wahrlich bewundernswert! Eine vollkommene Büberei ist auch eine Vollkommenheit – Vollkommenheit? Nein! dazu fehlte noch etwas – – Wo ist meine Mutter?

WURM. Im Spinnhaus.

LUISE *(mit schmerzvollem Lächeln).* Jetzt ist es völlig! – völlig, und jetzt wär ich ja *frei* – Abgeschält von allen Pflichten – und Tränen – und Freuden. Abgeschält von der Vorsicht. Ich brauch sie ja nicht mehr – *(Schreckliches Stillschweigen)* Haben Sie vielleicht noch eine Zeitung? Reden Sie immerhin. Jetzt kann ich alles hören.

WURM. Was *geschehen* ist, wissen Sie.

LUISE. Also nicht, was noch *kommen* wird? *(Wiederum Pause, worin sie den Sekretär von oben bis unten ansieht)* Armer Mensch! Du treibst ein trauriges Handwerk, wobei du ohnmöglich selig werden kannst. Unglückliche *machen* ist schon schrecklich genug, aber *gräßlich* ists, es ihnen *verkündigen* – ihn vorzusingen, den Eulengesang, dabeizustehn, wenn das blutende Herz am eisernen Schaft der *Notwendigkeit* zittert, und Christen an Gott zweifeln. – Der Himmel bewahre mich! und würde dir jeder Angsttropfe, den du fallen siehst, mit einer Tonne Golds aufgewogen – ich möchte nicht *du* sein – – Was kann noch geschehen?

WURM. Ich weiß nicht.

LUISE. Sie *wollen* nicht wissen? – Diese lichtscheue Botschaft fürchtet das Geräusch der Worte, aber in der Grabstille Ihres Gesichts zeigt sich mir das Gespenst – Was ist noch übrig – Sie sagten vorhin, der Herzog wolle es *auffallend* ahnden? Was nennen Sie auffallend?

WURM. Fragen Sie nichts mehr.

LUISE. Höre, Mensch! Du gingst beim Henker zur Schule. Wie verstündest du sonst, das Eisen erst langsam-bedächtlich an den knirschenden Gelenken hinaufzuführen, und das zuckende Herz mit dem Streich der Erbarmung zu necken? – Welches Schicksal wartet auf meinen Vater? – Es ist Tod in dem, was du lachend sagst, wie mag das aussehen, was du an dich hältst? Sprich es aus. Laß mich sie auf einmal haben, die ganze zermalmende Ladung. Was wartet auf meinen Vater?

WURM. Ein Kriminalprozeß.

LUISE. Was ist aber das? – Ich bin ein unwissendes unschuldiges Ding, verstehe mich wenig auf eure fürchterliche lateinische Wörter. Was heißt Kriminalprozeß?

WURM. Gericht um Leben und Tod.

LUISE *(standhaft)*. So dank ich Ihnen! *(Sie eilt schnell in ein Seitenzimmer)*

WURM *(steht betroffen da)*. Wo will das hinaus? Sollte die Närrin etwa? – Teufel! sie wird doch nicht – Ich eile nach – ich muß für ihr Leben bürgen. *(Im Begriff, ihr zu folgen)*

LUISE *(kommt zurück, einen Mantel umgeworfen)*. Verzeihen Sie, Sekretär. Ich schließe das Zimmer.

WURM. Und wohin denn so eilig?

LUISE. Zum Herzog. *(Will fort)*

WURM. Was? *Wohin? (Er hält sie erschrocken zurück)*

LUISE. Zum Herzog. Hören Sie nicht? Zu eben dem Herzog, der meinen Vater auf Tod und Leben will richten lassen – Nein! Nicht *will* – *muß* richten lassen, weil einige Böswichter wollen; der zu dem ganzen Prozeß der beleidigten Majestät nichts hergibt als eine Majestät und seine fürstliche Handschrift.

WURM *(lacht überlaut)*. Zum Herzog!

LUISE. Ich weiß, worüber Sie lachen – aber ich will ja auch kein Erbarmen dort finden – Gott bewahre mich! nur Ekel – Ekel nur an meinem Geschrei. Man hat mir gesagt, daß die Großen der Welt noch nicht belehrt sind, was *Elend* ist – nicht wollen belehrt sein. Ich will ihm sagen, was Elend ist – will es ihm vormalen in allen Verzerrungen des Todes, was Elend ist – will es ihm vorheulen in Mark und Bein zermalmenden Tönen, was Elend ist – und wenn ihm jetzt über der Beschreibung die Haare zu Berge fliegen, will ich ihm noch zum Schluß in die Ohren schrein, daß in der Sterbestunde auch die Lungen der Erdengötter zu röcheln anfangen, und das Jüngste Gericht Majestäten und Bettler in dem nämlichen Siebe rüttle. *(Sie will gehen)*

WURM *(boshaft freundlich)*. Gehen Sie, o gehen Sie ja. Sie können wahrlich nichts Klügeres tun. Ich rate es Ihnen, gehen Sie, und ich gebe Ihnen mein Wort, daß der Herzog willfahren wird.

LUISE *(steht plötzlich still)*. Wie sagen Sie? – Sie raten mir selbst dazu? *(Kommt schnell zurück)* Hm! Was will ich denn? Etwas Abscheuliches muß es sein, weil dieser Mensch dazu ratet – Woher wissen Sie, daß der Fürst mir willfahren wird?

WURM. Weil er es nicht wird *umsonst* tun dürfen.

LUISE. Nicht umsonst? Welchen Preis kann er auf eine Menschlichkeit setzen?

WURM. Die schöne Supplikantin ist Preises genug.

LUISE *(bleibt erstarrt stehn, dann mit brechendem Laut)*. Allgerechter!

WURM. Und einen *Vater* werden Sie doch, will ich hoffen, um diese gnädige Taxe nicht überfodert finden?

LUISE *(auf und ab, außer Fassung)*. Ja! Ja! Es ist wahr. Sie sind verschanzt, eure Großen – verschanzt vor der Wahrheit hinter ihre eigene Laster, wie hinter Schwerter der Cherubim – Helfe dir der Allmächtige, Vater. Deine Tochter kann für dich sterben, aber nicht sündigen.

WURM. Das mag ihm wohl eine Neuigkeit sein, dem armen verlassenen Mann – »Meine Luise«, sagte er mir, »hat mich zu Boden geworfen. Meine Luise wird mich auch aufrichten.« – Ich eile, Mamsell, ihm die Antwort zu bringen. *(Stellt sich, als ob er ginge.)*

LUISE *(eilt ihm nach, hält ihn zurück)*. Bleiben Sie! Bleiben Sie! Geduld! – Wie flink dieser Satan ist, wenn es gilt, Menschen rasend zu machen! – *Ich* hab ihn niedergeworfen. *Ich* muß ihn aufrichten. Reden Sie! Raten Sie! Was kann ich! Was *muß* ich tun?

WURM. Es ist nur *ein* Mittel.

LUISE. Dieses einzige Mittel?

WURM. Auch Ihr Vater wünscht –

LUISE. Auch mein Vater? – Was ist das für ein Mittel?

WURM. Es ist Ihnen leicht.

LUISE. Ich kenne nichts Schwerers als die Schande.

WURM. Wenn Sie den Major wieder frei machen wollen?

LUISE. Von seiner Liebe? Spotten Sie meiner? – *Das* meiner Willkür zu überlassen, wozu ich gezwungen ward?

WURM. So ist es nicht gemeint, liebe Jungfer. Der Major muß zuerst und freiwillig zurücktreten.

LUISE. Er wird nicht.

WURM. So scheint es. Würde man denn wohl seine Zuflucht zu Ihnen nehmen, wenn nicht Sie allein dazu helfen könnten?

LUISE. Kann ich ihn zwingen, daß er mich hassen muß?

WURM. Wir wollen versuchen. Setzen Sie sich.

LUISE *(betreten)*. Mensch! Was brütest du?

WURM. Setzen Sie sich. Schreiben Sie! Hier ist Feder, Papier und Dinte.

LUISE *(setzt sich in höchster Beunruhigung)*. Was soll ich schreiben? An wen soll ich schreiben?

WURM. An den Henker Ihres Vaters.

LUISE. Ha! du verstehst dich darauf, Seelen auf die Folter zu schrauben. *(Ergreift eine Feder)*

WURM *(diktiert)*. »Gnädiger Herr« –

LUISE *(schreibt mit zitternder Hand)*.

WURM. »Schon drei unerträgliche Tage sind vorüber – – sind vorüber – und wir sahen uns nicht«

LUISE *(stutzt, legt die Feder weg)*. An wen ist der Brief?

WURM. An den Henker Ihres Vaters.

LUISE. O mein Gott!

WURM. »Halten Sie sich deswegen an den Major – an den Major – der mich den ganzen Tag wie ein Argus hütet« –

LUISE *(springt auf)*. Büberei, wie noch keine erhört worden! An wen ist der Brief?

WURM. An den Henker Ihres Vaters.

LUISE *(die Hände ringend auf und nieder)*. Nein! Nein! Nein! Das ist tyrannisch, o Himmel! Strafe Menschen menschlich, wenn sie dich reizen, aber warum mich zwischen zwei Schröcknisse pressen? Warum zwischen Tod und Schande mich hin und her wiegen? Warum diesen blutsaugenden Teufel mir auf den Nacken setzen? – Macht, was Ihr wollt! Ich schreibe das nimmermehr.

WURM *(greift nach dem Hut)*. Wie Sie wollen, Mademoiselle. Das steht ganz in Ihrem Belieben.

LUISE. *Belieben*, sagen Sie? In meinem Belieben? – Geh, Barbar! hänge einen Unglücklichen über dem Abgrund der Hölle aus, bitt ihn um etwas, und lästre Gott und frag ihn, obs ihm *beliebe?* – O du weißt allzu gut, daß unser Herz an natürlichen Trieben so fest als an Ketten liegt – Nunmehr ist alles gleich. Diktieren Sie weiter. Ich denke nichts mehr. Ich weiche der überlistenden Hölle. *(Sie setzt sich zum zweitenmal)*

WURM. »Den ganzen Tag wie ein Argus hütet« – Haben Sie das?

LUISE. Weiter! Weiter!

WURM. »Wir haben gestern den Präsidenten im Haus gehabt. Es war possierlich zu sehen, wie der gute Major um meine Ehre sich wehrte«

LUISE. O schön, schön! o herrlich! – Nur immer fort.

WURM. »Ich nahm meine Zuflucht zu einer Ohnmacht – zu einer Ohnmacht – daß ich nicht laut lachte.« –

LUISE. O Himmel!

WURM. »Aber bald wird mir meine Maske unerträglich – unerträglich – Wenn ich nur loskommen könnte« –

LUISE *(hält inne, steht auf, geht auf und nieder, den Kopf gesenkt, als suchte sie was auf dem Boden; dann setzt sie sich wiederum, schreibt weiter)*. »Loskommen könnte« –

WURM. »Morgen hat er den Dienst – Passen Sie ab, wenn er von mir geht, und kommen an den bewußten Ort« – Haben Sie »*bewußten*«?

LUISE. Ich habe alles.

WURM. »An den bewußten Ort zu Ihrer zärtlichen ... Luise.«

LUISE. Nun fehlt die Adresse noch.

WURM. »An Herrn Hofmarschall von Kalb.«

LUISE. Ewige Vorsicht! ein Name, so fremd meinen Ohren, als meinem Herzen diese schändlichen Zeilen. *(Sie steht auf und betrachtet eine große Pause lang mit starrem Blick das Geschriebene, endlich reicht sie es dem Sekretär, mit erschöpfter, hinsterbender Stimme)* Nehmen Sie, mein Herr. Es ist mein ehrlicher Name – es ist Ferdinand – ist die ganze Wonne meines Lebens, was ich jetzt in Ihre Hände gebe – Ich bin eine Bettlerin!

WURM. O nein doch! Verzagen Sie nicht, liebe Mademoiselle. Ich habe herzliches Mitleid mit Ihnen. Vielleicht – wer weiß? – Ich könnte mich noch wohl über gewisse Dinge hinwegsetzen – Wahrlich! Bei Gott! Ich habe Mitleid mit Ihnen.

LUISE *(blickt ihn starr und durchdringend an)*. Reden Sie nicht aus, mein Herr. Sie sind auf dem Wege, sich etwas Entsetzliches zu wünschen.

WURM *(im Begriff, ihre Hand zu küssen)*. Gesetzt, es wäre diese niedliche Hand – Wieso, liebe Jungfer?

LUISE *(groß und schrecklich)*. Weil ich dich in der Brautnacht erdrosselte, und mich dann mit Wollust aufs Rad flechten ließe. *(Sie will gehen, kommt aber schnell zurück)* Sind wir jetzt fertig, mein Herr? Darf die Taube nun fliegen?

WURM. Nur noch die Kleinigkeit, Jungfer. Sie müssen mit mir, und das Sakrament darauf nehmen, diesen Brief für einen freiwilligen zu erkennen.

LUISE. Gott! Gott! und du selbst mußt das Siegel geben, die Werke der Hölle zu verwahren? *(Wurm zieht sie fort)*

VIERTER AKT

Saal beim Präsidenten

Erste Szene

Ferdinand von Walter, einen offenen Brief in der Hand, kommt stürmisch durch eine Türe, durch eine andre ein Kammerdiener

FERDINAND. War kein Marschall da?

KAMMERDIENER. Herr Major, der Herr Präsident fragen nach Ihnen.

FERDINAND. Alle Donner! Ich frag, war kein Marschall da?

KAMMERDIENER. Der gnädige Herr sitzen oben am Pharotisch.

FERDINAND. Der gnädige Herr soll im Namen der ganzen Hölle daher kommen. *(Kammerdiener geht)*

Zweite Szene

Ferdinand allein, den Brief durchfliegend, bald erstarrend, bald wütend herumstürzend

Es ist nicht möglich. Nicht möglich. Diese himmlische Hülle versteckt kein so teuflisches Herz – – Und doch! doch! Wenn alle Engel herunterstiegen, für ihre Unschuld bürgten – wenn Himmel und Erde, wenn Schöpfung und Schöpfer zusammenträten, für ihre Unschuld bürgten – es ist ihre *Hand* – ein unerhörter, ungeheurer Betrug, wie die Menschheit noch keinen erlebte! – *Das* also wars, warum man sich so beharrlich der Flucht widersetzte! – *Darum* – o Gott! jetzt erwach ich, jetzt enthüllt sich mir alles! –

Darum gab man seinen Anspruch auf meine Liebe mit soviel Heldenmut auf, und bald, bald hätte selbst *mich* die himmlische Schminke betrogen!
(Er stürzt rascher durchs Zimmer, dann steht er wieder nachdenkend still)
Mich so ganz zu ergründen! – Jedes kühne Gefühl, jede leise, schüchterne Bebung zu erwidern, jede feurige Wallung – An der feinsten Unbeschreiblichkeit eines schwebenden Lauts meine Seele zu fassen – Mich zu berechnen in einer Träne – Auf jeden gähen Gipfel der Leidenschaft mich zu begleiten, mir zu begegnen vor jedem schwindelnden Absturz – Gott! Gott! und alles das nichts als *Grimasse?* – Grimasse? – O wenn die Lüge eine so haltbare Farbe hat, wie ging es zu, daß sich kein Teufel noch in das Himmelreich hineinlog?
Da ich ihr die Gefahr unsrer Liebe entdeckte, mit welch überzeugender Täuschung erblaßte die Falsche da! Mit welch siegender Würde schlug sie den frechen Hohn meines Vaters zu Boden, und in eben dem Augenblick fühlte das Weib sich doch schuldig – Was? hielt sie nicht selbst die Feuerprobe der Wahrheit aus – die Heuchlerin sinkt in Ohnmacht. Welche Sprache wirst du jetzt führen, Empfindung? Auch Koketten sinken in Ohnmacht. Womit wirst *du* dich rechtfertigen, Unschuld – Auch Metzen sinken in Ohnmacht.
Sie weiß, was sie aus mir gemacht hat. Sie hat meine ganze Seele gesehn. Mein Herz trat beim Erröten des ersten Kusses sichtbar in meine Augen – und sie empfand nichts? Empfand vielleicht nur den Triumph ihrer Kunst? – Da mein glücklicher Wahnsinn den ganzen Himmel in ihr zu umspannen wähnte? Meine wildesten Wünsche schwiegen? Vor meinem Gemüt stand kein Gedanke als die Ewigkeit und das Mädchen – Gott! da empfand sie nichts? Fühlte nichts, als ihren Anschlag gelungen? Nichts, als ihre Reize geschmeichelt? Tod und Rache! Nichts, als daß ich betrogen sei?

Dritte Szene

Der Hofmarschall und Ferdinand

HOFMARSCHALL *(ins Zimmer trippelnd)*. Sie haben den Wunsch blikken lassen, mein Bester –

FERDINAND *(vor sich hin murmelnd)*. Einem Schurken den Hals zu brechen. *(Laut)* Marschall, dieser Brief muß Ihnen bei der Parade aus der Tasche gefallen sein – und *ich (mit boshaftem Lachen)* war zum Glück noch der Finder.

HOFMARSCHALL. Sie?

FERDINAND. Durch den lustigsten Zufall. Machen Sies mit der Allmacht aus.

HOFMARSCHALL. Sie sehen, wie ich erschrecke, Baron.

FERDINAND. Lesen Sie! Lesen Sie! *(Von ihm weggehend)* Bin ich auch schon zum Liebhaber zu schlecht, vielleicht laß ich mich desto besser als Kuppler an. *(Während daß jener liest, tritt er zur Wand und nimmt zwei Pistolen herunter)*

HOFMARSCHALL *(wirft den Brief auf den Tisch und will sich davonmachen)*. Verflucht!

FERDINAND *(führt ihn am Arm zurück)*. Geduld, lieber Marschall. Die Zeitungen dünken mich angenehm. Ich will meinen Finderlohn haben. *(Hier zeigt er ihm die Pistolen)*

HOFMARSCHALL *(tritt bestürzt zurück)*. Sie werden vernünftig sein, Bester.

FERDINAND *(mit starker, schrecklicher Stimme)*. Mehr als zuviel, um einen Schelmen, wie du bist, in jene Welt zu schicken! *(Er dringt ihm die eine Pistole auf, zugleich zieht er sein Schnupftuch)* Nehmen Sie! dieses Schnupftuch da fassen Sie! – Ich habs von der Buhlerin.

HOFMARSCHALL. Über dem Schnupftuch? Rasen Sie? Wohin denken Sie?

FERDINAND. Faß dieses End an, sag ich. Sonst wirst du ja fehlschießen, Memme! – Wie sie zittert, die Memme! Du solltest Gott danken, Memme, daß du zum erstenmal etwas in deinen Hirnkasten kriegst. *(Hofmarschall macht sich auf die Beine)* Sachte! Dafür wird gebeten sein. *(Er überholt ihn und riegelt die Türe)*

HOFMARSCHALL. Auf dem Zimmer, Baron?

FERDINAND. Als ob sich mit dir ein Gang vor den Wall verlohnte? – Schatz, so knallts desto lauter, und das ist ja doch wohl das *erste* Geräusch, das du in der Welt machst – Schlag an!

HOFMARSCHALL (*wischt sich die Stirn*). Und Sie wollen Ihr kostbares Leben so aussetzen, junger hoffnungsvoller Mann?

FERDINAND. Schlag an, sag ich. Ich habe nichts mehr in dieser Welt zu tun.

HOFMARSCHALL. Aber *ich* desto mehr, mein Allervortrefflichster.

FERDINAND. *Du*, Bursche? Was *du*? – Der Notnagel zu sein, wo die *Menschen* sich rar machen? In *einem* Augenblick siebenmal kurz und siebenmal lang zu werden, wie der Schmetterling an der Nadel? Ein Register zu führen über die Stuhlgänge deines Herrn, und der Mietgaul seines Witzes zu sein? Ebenso gut. Ich führe dich wie irgendein seltenes Murmeltier mit mir. Wie ein zahmer Affe sollst du zum Geheul der Verdammten tanzen, apportieren und aufwarten, und mit deinen höfischen Künsten die ewige Verzweiflung belustigen.

HOFMARSCHALL. Was Sie befehlen, Herr, wie Sie belieben – Nur die Pistolen weg!

FERDINAND. Wie er dasteht, der Schmerzenssohn! – Dasteht, dem sechsten Schöpfungstag zum Schimpfe! Als wenn ihn ein Tübinger Buchhändler dem Allmächtigen nachgedruckt hätte! – Schande nur, ewig Schande für die Unze Gehirn, die so schlecht in diesem undankbaren Schädel wuchert. Diese einzige Unze hätte dem Pavian noch vollends zum Menschen geholfen, da sie jetzt nur einen Bruch von Vernunft macht – Und mit *diesem* ihr Herz zu teilen? – Ungeheuer! Unverantwortlich! – Einem Kerl, mehr gemacht, von Sünden zu entwöhnen als dazu anzureizen.

HOFMARSCHALL. O! Gott sei ewig Dank! Er wird witzig.

FERDINAND. Ich will ihn gelten lassen. Die Toleranz, die der Raupe schont, soll auch diesem zugute kommen. Man begegnet ihm, zuckt etwa die Achsel, bewundert vielleicht noch die kluge Wirtschaft des Himmels, der auch mit Trebern und Bodensatz noch Kreaturen speist; der dem Raben am Hochgericht und einem Höfling im Schlamme der Majestäten den Tisch deckt – Zuletzt erstaunt man noch über die große Polizei der Vorsicht, die auch in der Geisterwelt ihre Blindschleichen und Taranteln zur Ausfuhr des Gifts besoldet. – Aber *(indem seine Wut sich erneuert)* an meine Blume soll mir das Ungeziefer nicht kriechen, oder ich will es *(den Marschall fassend und unsanft herumschüttelnd)* so und so und wieder so durcheinanderquetschen.

HOFMARSCHALL *(für sich hin seufzend)*. O mein Gott! Wer hier weg wäre! Hundert Meilen von hier im Bicêtre zu Paris! nur bei diesem nicht!

FERDINAND. Bube! Wenn sie nicht *rein* mehr ist? Bube! Wenn du *genossest*, wo ich *anbetete*? *(Wütender) Schwelgtest*, wo ich einen *Gott* mich fühlte? *(Plötzlich schweigt er, darauf fürchterlich)* Dir wäre besser, Bube, du flöhest der Hölle zu, als daß dir mein Zorn im Himmel begegnete! – Wie weit kamst du mit dem Mädchen? Bekenne!

HOFMARSCHALL. Lassen Sie mich los. Ich will alles verraten.

FERDINAND. O! es muß reizender sein, mit diesem Mädchen zu *buhlen*, als mit andern noch so *himmlisch* zu *schwärmen* – Wollte sie ausschweifen, wollte sie, sie könnte den Wert der *Seele* herunterbringen, und die Tugend mit der Wollust verfälschen. *(Dem Marschall die Pistole aufs Herz drückend)* Wie weit kamst du mit ihr? Ich drücke ab, oder bekenne!

HOFMARSCHALL. Es ist nichts – ist ja alles nichts. Haben Sie nur eine Minute Geduld. Sie sind ja betrogen.

FERDINAND. Und daran mahnst du mich, Bösewicht? – Wie weit kamst du mit ihr? Du bist des Todes, oder bekenne!

HOFMARSCHALL. Mon Dieu! Meine Gott! Ich spreche ja – So hören Sie doch nur – Ihr Vater – Ihr eigener, leiblicher Vater –

FERDINAND *(grimmiger)*. Hat seine Tochter an dich verkuppelt? Und wie weit kamst du mit ihr? Ich ermorde dich, oder bekenne!

HOFMARSCHALL. Sie rasen. Sie hören nicht. Ich sah sie nie. Ich kenne sie nicht. Ich weiß gar nichts von ihr.

FERDINAND *(zurücktretend)*. Du sahst sie nie? Kennst sie nicht? Weißt gar nichts von ihr? – Die Millerin ist *verloren* um deinetwillen, du leugnest sie dreimal in *einem* Atem hinweg? – Fort, schlechter Kerl. *(Er gibt ihm mit der Pistole einen Streich und stößt ihn aus dem Zimmer)* Für deinesgleichen ist kein Pulver erfunden!

Vierte Szene

Ferdinand nach einem langen Stillschweigen, worin seine Züge einen schrecklichen Gedanken entwickeln

Verloren! Ja, Unglückselige! – *Ich* bin es. *Du* bist es auch. Ja, bei dem großen Gott! Wenn ich verloren bin, bist du es auch! – Richter der Welt! Fodre sie mir nicht ab. Das Mädchen ist mein. Ich trat dir deine ganze Welt für das Mädchen ab, habe Verzicht getan auf deine ganze herrliche Schöpfung. Laß mir das Mädchen. – Richter der Welt! Dort winseln Millionen Seelen nach dir – Dorthin kehre das Aug deines Erbarmens – Mich laß allein machen, Richter der Welt! *(Indem er schrecklich die Hände faltet)* Sollte der reiche, vermögende Schöpfer mit einer Seele geizen, die noch dazu die schlechteste seiner Schöpfung ist? – Das Mädchen ist mein! Ich einst ihr Gott, jetzt ihr Teufel! *(Die Augen graß in einen Winkel geworfen)*

Eine Ewigkeit mit ihr auf ein Rad der Verdammnis geflochten – Augen in Augen wurzelnd – Haare zu Berge stehend gegen Haare – Auch unser hohles Wimmern in *eins* geschmolzen – Und jetzt zu wiederholen meine Zärtlichkeiten, und jetzt ihr vorzusingen ihre Schwüre – Gott! Gott! Die Vermählung ist fürchterlich – aber ewig! *(Er will schnell hinaus. Der Präsident tritt herein)*

Fünfte Szene

Der Präsident und Ferdinand

FERDINAND *(zurücktretend)*. O! – Mein Vater!

PRÄSIDENT. Sehr gut, daß wir uns finden, mein Sohn. Ich komme, dir etwas Angenehmes zu verkündigen, und etwas, lieber Sohn, das dich ganz gewiß überraschen wird. Wollen wir uns setzen?

FERDINAND *(sieht ihn lange Zeit starr an)*. Mein Vater! *(Mit stärkerer Bewegung zu ihm gehend und seine Hand fassend)* Mein Vater! *(Seine Hand küssend, vor ihm niederfallend)* O mein Vater!

PRÄSIDENT. Was ist dir, mein Sohn? Steh auf. Deine Hand brennt und zittert.

FERDINAND *(mit wilder, feuriger Empfindung)*. Verzeihung für meinen Undank, mein Vater! Ich bin ein verworfener Mensch. Ich habe Ihre Güte mißkannt. Sie meinten es mit mir so väterlich – O! Sie hatten eine weissagende Seele – Jetzt ists zu spät – Verzeihung! Verzeihung! Ihren Segen, mein Vater!

PRÄSIDENT *(heuchelt eine schuldlose Miene)*. Steh auf, mein Sohn! Besinne dich, daß du mir Rätsel sprichst.

FERDINAND. Diese Millerin, mein Vater – O Sie kennen den Menschen – Ihre Wut war damals so gerecht, so edel, so väterlich warm – Nur verfehlte der warme Vatereifer des Weges – Diese Millerin!

PRÄSIDENT. Martre mich nicht, mein Sohn. Ich verfluche meine Härte! Ich bin gekommen, dir abzubitten.

FERDINAND. Abbitten an *mir*? – Verfluchen an *mir!* – Ihre Mißbilligung war Weisheit. Ihre Härte war himmlisches Mitleid – – Diese Millerin, Vater –

PRÄSIDENT. Ist ein edles, ein liebes Mädchen. – Ich widerrufe meinen übereilten Verdacht. Sie hat meine Achtung erworben.

FERDINAND *(springt erschüttert auf)*. Was? auch Sie? – Vater! auch Sie? – Und nicht wahr, mein Vater, ein Geschöpf wie die Unschuld? – und es ist so menschlich, dieses Mädchen zu lieben?

PRÄSIDENT. Sage so: Es ist Verbrechen, es nicht zu lieben.

FERDINAND. Unerhört! Ungeheuer! – Und Sie schauen ja doch sonst die Herzen so durch! Sahen sie noch dazu mit Augen des Hasses! – Heuchelei ohne Beispiel – Diese Millerin, Vater –

PRÄSIDENT. Ist es wert, meine Tochter zu sein. Ich rechne ihre Tugend für Ahnen und ihre Schönheit für Gold. Meine Grundsätze weichen deiner Liebe – Sie sei dein!

FERDINAND *(stürzt fürchterlich aus dem Zimmer)*. Das fehlte noch! – Leben Sie wohl, mein Vater! *(Ab)*

PRÄSIDENT *(ihm nachgehend)*. Bleib! Bleib! Wohin stürmst du? *(Ab)*

Sechste Szene

Ein sehr prächtiger Saal bei der Lady.
Lady und Sophie treten herein

LADY. Also sahst du sie? Wird sie kommen?

SOPHIE. Diesen Augenblick. Sie war noch im Hausgewand, und wollte sich nur in der Geschwindigkeit umkleiden.

LADY. Sage mir nichts von ihr – Stille – wie eine Verbrecherin zittre ich, die Glückliche zu sehen, die mit meinem Herzen so schrecklich harmonisch fühlt – Und wie nahm sie sich bei der Einladung?

SOPHIE. Sie schien bestürzt, wurde nachdenkend, sah mich mit großen Augen an und schwieg. Ich hatte mich schon auf ihre Ausflüchte vorbereitet, als sie mit einem Blick, der mich ganz überraschte, zur Antwort gab: Ihre Dame befiehlt mir, was ich mir morgen erbitten wollte.

LADY *(sehr unruhig)*. Laß mich, Sophie. Beklage mich. Ich muß erröten, wenn sie nur das gewöhnliche Weib ist, und wenn sie mehr ist, verzagen.

SOPHIE. Aber, Mylady – Das ist die Laune nicht, eine Nebenbuhlerin zu empfangen. Erinnern Sie sich, wer Sie sind. Rufen Sie Ihre Geburt, Ihren Rang, Ihre Macht zu Hilfe. Ein stolzeres Herz muß die stolze Pracht Ihres Anblicks erheben.

LADY *(zerstreut)*. Was schwatzt die Närrin da?

SOPHIE *(boshaft)*. Oder es ist vielleicht Zufall, daß eben heute die kostbarsten Brillanten an Ihnen blitzen? Zufall, daß eben heute der reichste Stoff Sie bekleiden muß – daß Ihre Antischamber von Heiducken und Pagen wimmelt, und das Bürgermädchen im fürstlichsten Saal Ihres Palastes erwartet wird?

LADY *(auf und ab voll Erbitterung)*. Verwünscht! Unerträglich! Daß Weiber für Weiberschwächen solche Luchsaugen haben! – – Aber wie tief, wie tief muß ich schon gesunken sein, daß eine solche Kreatur mich ergründet!

EIN KAMMERDIENER *(tritt auf)*. Mamsell Millerin –

LADY *(zu Sophien)*. Hinweg du! Entferne dich! *(Drohend, da diese noch zaudert)* Hinweg! Ich befehl es. *(Sophie geht ab, Lady macht einen Gang durch den Saal)* Gut! Recht gut, daß ich in Wallung kam. Ich bin, wie ich wünschte. *(Zum Kammerdiener)* Die Mamsell mag hereintreten. *(Kammerdiener geht. Sie wirft sich in den Sofa und nimmt eine vornehm-nachlässige Lage an)*

Siebente Szene

Luise Millerin tritt schüchtern herein und bleibt in einer großen Entfernung von der Lady stehen; Lady hat ihr den Rücken zugewandt und betrachtet sie eine Zeitlang aufmerksam in dem gegenüberstehenden Spiegel

(Nach einer Pause)

LUISE. Gnädige Frau, ich erwarte Ihre Befehle.

LADY *(dreht sich nach Luisen um und nickt nur eben mit dem Kopf, fremd und zurückgezogen)*. Aha! Ist Sie hier? – Ohne Zweifel die Mamsell – eine gewisse – Wie nennt man Sie doch?

LUISE *(etwas empfindlich)*. Miller nennt sich mein Vater, und Ihro Gnaden *schickten* nach seiner Tochter.

LADY. Recht! Recht! Ich entsinne mich – die arme Geigerstochter, wovon neulich die Rede war. *(Nach einer Pause, vor sich)* Sehr interessant, und doch keine Schönheit – *(Laut zu Luisen)* Trete Sie näher, mein Kind. *(Wieder vor sich)* Augen, die sich im Weinen übten – Wie lieb ich sie, diese Augen! *(Wiederum laut)* Nur näher – Nur ganz nah – Gutes Kind, ich glaube, du *fürchtest* mich?

LUISE *(groß, mit entschiednem Ton)*. Nein, Mylady. Ich verachte das Urteil der Menge.

LADY *(vor sich)*. Sieh doch! – und diesen Trotzkopf hat sie von *ihm*. *(Laut)* Man hat Sie mir empfohlen, Mamsell. Sie soll was gelernt haben, und sonst auch zu leben wissen – Nun ja. Ich wills glauben – auch nähm ich die ganze Welt nicht, einen so warmen Fürsprecher Lügen zu strafen.

LUISE. Doch kenn ich niemand, Mylady, der sich Mühe gäbe, mir eine Patronin zu suchen.

LADY *(geschraubt)*. Mühe um die Klientin oder Patronin?

LUISE. Das ist mir zu hoch, gnädige Frau.

LADY. Mehr Schelmerei, als diese offene Bildung vermuten läßt! Luise nennt Sie sich? Und wie jung, wenn man fragen darf?

LUISE. Sechszehn gewesen.

LADY *(steht rasch auf)*. Nun ists heraus! Sechszehen Jahre! Der erste Puls dieser Leidenschaft! – Auf dem unberührten Klavier der erste einweihende Silberton! – Nichts ist verführender – Setz dich, ich bin dir gut, liebes Mädchen – Und auch *er* liebt zum erstenmal – Was Wunder, wenn sich die Strahlen *eines* Morgenrots finden? *(Sehr freundlich und ihre Hand ergreifend)* Es bleibt dabei, ich will dein Glück machen, Liebe – Nichts, nichts als die süße, frühe-verfliegende Träumerei. *(Luisen auf die Wange klopfend)* Meine Sophie heiratet. Du sollst ihre Stelle haben – Sechszehen Jahr! Es kann nicht von Dauer sein.

LUISE *(küßt ihr ehrerbietig die Hand)*. Ich danke für diese Gnade, Mylady, *als wenn* ich sie annehmen dürfte.

LADY *(in Entrüstung zurückfallend)*. Man sehe die große Dame! – Sonst wissen sich Jungfern *Ihrer* Herkunft noch glücklich, wenn sie Herrschaften finden – wo will denn *Sie* hinaus, meine Kostbare? Sind diese Finger zur Arbeit zu niedlich? Ist es Ihr bißchen Gesicht, worauf Sie trotzig tut?

LUISE. Mein Gesicht, gnädige Frau, gehört mir so wenig als meine Herkunft.

LADY. Oder glaubt Sie vielleicht, das werde nimmer ein Ende nehmen? – Armes Geschöpf, wer dir das in den Kopf setzte – mag er sein, wer er will – er hat euch beide zum besten gehabt. Diese Wangen sind nicht im Feuer vergoldet. Was dir dein Spiegel für massiv und ewig verkauft, ist nur ein dünner, angeflogener Goldschaum, der deinem Anbeter über kurz oder lang in der Hand bleiben muß – Was werden wir *dann* machen?

LUISE. Den Anbeter bedauern, Mylady, der einen *Demant* kaufte, weil er in *Gold* schien gefaßt zu sein.

LADY *(ohne darauf achten zu wollen)*. Ein Mädchen von Ihren Jahren hat immer zween Spiegel zugleich, den wahren und ihren Bewunderer – Die gefällige Geschmeidigkeit des letztern macht die rauhe Offenherzigkeit des erstern wieder gut. Der eine rügt eine häßliche Blatternarbe. Weit gefehlt, sagt der andere, es ist ein Grübchen der Grazien. Ihr guten Kinder glaubt *jenem* nur, was euch *dieser* gesagt hat, hüpft von einem zum andern, bis ihr zuletzt die Aussagen beider verwechselt – Warum begafft Sie mich so?

LUISE. Verzeihen Sie, gnädige Frau – Ich war soeben im Begriff, diesen prächtig blitzenden Rubin zu beweinen, der es nicht wissen muß, daß seine Besitzerin so scharf wider Eitelkeit eifert.

LADY *(errötend)*. Keinen Seitensprung, Lose! – Wenn es nicht die Promessen Ihrer Gestalt sind, was in der Welt könnte Sie abhalten, einen Stand zu erwählen, der der einzige ist, wo Sie Manieren und Welt lernen kann, der einzige ist, wo Sie sich Ihrer bürgerlichen Vorurteile entledigen kann?

LUISE. Auch meiner bürgerlichen Unschuld, Mylady?

LADY. Läppischer Einwurf! Der ausgelassenste Bube ist zu verzagt, uns etwas Beschimpfendes zuzumuten, wenn wir ihm nicht selbst ermunternd entgegengehn. Zeige Sie, wer Sie ist. Gebe Sie sich Ehre und Würde, und ich sage Ihrer Jugend für alle Versuchung gut.

LUISE. Erlauben Sie, gnädige Frau, daß ich mich unterstehe, daran zu zweifeln. Die Paläste gewisser Damen sind oft die Freistätten der frechsten Ergötzlichkeit. Wer sollte der Tochter des armen Geigers den Heldenmut zutrauen, den Heldenmut, mitten in die Pest sich zu werfen, und doch dabei vor der Vergiftung zu schaudern? Wer sollte sich träumen lassen, daß Lady Milford ihrem Gewissen einen ewigen Skorpion halte, daß sie Geldsummen aufwende, um den Vorteil zu haben, jeden Augenblick schamrot zu werden? – Ich bin offenherzig, gnädige Frau – Würde Sie mein Anblick ergötzen, wenn Sie einem Vergnügen entgegengingen? Würden Sie ihn ertragen, wenn Sie zurückkämen? – – O besser! besser! Sie lassen Himmelsstriche uns trennen – Sie lassen Meere zwischen uns fließen! – Sehen Sie sich wohl für, Mylady – Stunden der Nüchternheit, Augenblicke der *Erschöpfung* könnten sich melden – Schlangen der Reue könnten Ihren Busen anfallen, und *nun* – – welche Folter für Sie, im Gesicht ihres Dienstmädchens die *heitre Ruhe* zu lesen, womit die Unschuld ein reines Herz zu belohnen pflegt. *(Sie tritt einen Schritt zurück)* Noch einmal, gnädige Frau. Ich bitte sehr um Vergebung.

LADY *(in großer innrer Bewegung herumgehend)*. Unerträglich, daß sie *mir* das sagt! Unerträglicher, daß sie recht hat! *(Zu Luisen tretend und ihr starr in die Augen sehend)* Mädchen, du wirst mich nicht überlisten. So warm sprechen *Meinungen* nicht. Hinter diesen Maximen lauert ein feurigeres Interesse, das dir *meine* Dienste besonders abscheulich malt – das dein Gespräch so erhitzte – das ich *(drohend)* entdecken muß.

LUISE *(gelassen und edel)*. Und *wenn* Sie es nun entdeckten? und wenn Ihr verächtlicher Fersenstoß den beleidigten Wurm aufweckte, dem sein Schöpfer gegen Mißhandlung noch einen Stachel gab? – Ich fürchte Ihre Rache nicht, Lady – Die arme Sünderin auf dem berüchtigten Henkerstuhl lacht zu Weltuntergang. – Mein Elend ist so hoch gestiegen, daß selbst Aufrichtigkeit es nicht mehr vergrößern kann. *(Nach einer Pause, sehr ernsthaft)* Sie wollen mich aus dem Staub meiner Herkunft reißen. Ich will sie nicht zergliedern, diese verdächtige Gnade. Ich will nur fragen, was Mylady bewegen konnte, mich für die Törin zu halten, die über ihre Herkunft errötet? Was sie berechtigen konnte, sich zur Schöpferin meines Glücks aufzuwerfen, ehe sie noch wußte, ob ich mein Glück auch von *ihren* Händen empfangen wolle? – Ich hatte meinen ewigen Anspruch auf die Freuden der Welt zerrissen. Ich hatte dem Glück seine Übereilung vergeben – Warum mahnen Sie mich aufs neu an dieselbe? – Wenn selbst die Gottheit dem Blick der Erschaffenen ihre Strahlen verbirgt, daß nicht ihr oberster Seraph vor seiner Verfinsterung zurückschaure – warum wollen Menschen so grausambarmherzig sein? – Wie kommt es, Mylady, daß Ihr gepriesenes Glück das *Elend* so gern um Neid und Bewunderung anbettelt? – Hat Ihre Wonne die Verzweiflung so nötig zur Folie? – O lieber! so gönnen Sie mir doch eine Blindheit, die mich allein noch mit meinem barbarischen Los versöhnt – Fühlt sich doch das Insekt in einem Tropfen Wassers so selig, als wär es ein Himmelreich, so froh und so selig, bis man ihm von einem Weltmeer erzählt, worin Flotten und Walfische spielen! – – Aber *glücklich* wollen Sie mich ja wissen? *(Nach einer Pause plötzlich zur Lady hintretend und mit Überraschung sie fragend)* Sind *Sie* glücklich, Mylady? *(Diese verläßt sie schnell und betroffen, Luise folgt ihr und hält ihr die Hand vor den Busen)* Hat dieses Herz auch die lachende Gestalt Ihres Standes? Und wenn wir jetzt Brust gegen Brust und Schicksal gegen Schicksal auswechseln sollten – und wenn ich in kindlicher Unschuld – und wenn ich auf Ihr Gewissen – und wenn ich als meine Mutter Sie fragte – würden Sie mir wohl zu dem Tausche raten?

LADY *(heftig bewegt in den Sofa sich werfend)*. Unerhört! Unbegreiflich! Nein Mädchen! Nein! Diese Größe hast du nicht auf die Welt gebracht, und für einen *Vater* ist sie zu jugendlich. Lüge mir nicht. Ich höre einen *andern* Lehrer –

LUISE *(fein und scharf ihr in die Augen sehend)*. Es sollte mich doch wundern, Mylady, wenn Sie *jetzt* erst auf diesen Lehrer fielen und doch *vorhin* schon eine Kondition für mich wußten.

LADY *(springt auf)*. Es ist nicht auszuhalten! – Ja denn! weil ich dir doch nicht entwischen kann. Ich kenn ihn – weiß alles – weiß mehr, als ich wissen mag. *(Plötzlich hält sie inne, darauf mit einer Heftigkeit, die nach und nach bis beinahe zum Toben steigt)* Aber wag es, Unglückliche – wag es, ihn jetzt noch zu lieben, oder von ihm geliebt zu werden – Was sage ich? – Wag es, an ihn zu denken, oder einer von *seinen* Gedanken zu sein – Ich bin *mächtig*, Unglückliche – *fürchterlich* – So wahr Gott lebt! du bist verloren!

LUISE *(standhaft)*. Ohne Rettung, Mylady, sobald Sie ihn zwingen, daß er Sie *lieben* muß.

LADY. Ich verstehe dich – aber er *soll* mich nicht lieben. Ich will über diese schimpfliche Leidenschaft siegen, mein Herz unterdrücken und das deinige zermalmen – Felsen und Abgründe will ich zwischen euch werfen; eine Furie will ich mitten durch euren Himmel gehn; mein Name soll eure Küsse, wie ein Gespenst Verbrecher auseinanderscheuchen; deine junge blühende Gestalt unter seiner Umarmung welk wie eine Mumie zusammenfallen – Ich kann nicht mit ihm glücklich werden – aber *du* sollst es auch nicht werden – Wisse das, Elende! Seligkeit zerstören ist auch Seligkeit.

LUISE. Eine Seligkeit, um die man Sie schon gebracht hat, Mylady. Lästern Sie Ihr eigenes Herz nicht. Sie sind nicht fähig, das auszuüben, was Sie so drohend auf mich herabschwören. Sie sind nicht fähig, ein Geschöpf zu quälen, das Ihnen nichts zuleide getan, als daß es empfunden hat wie Sie – Aber ich liebe Sie um dieser Wallung willen, Mylady.

LADY *(die sich jetzt gefaßt hat).* Wo bin ich? Wo war ich? Was hab ich merken lassen? *Wen* hab ichs merken lassen? – O Luise, edle, große, göttliche Seele! Vergibs einer Rasenden – Ich will dir kein Haar kränken, mein Kind. Wünsche! Fodre! Ich will dich auf den Händen tragen, deine Freundin, deine Schwester will ich sein – Du bist arm – Sieh! *(Einige Brillanten herunternehmend)* Ich will diesen Schmuck verkaufen – meine Garderobe, Pferd und Wagen verkaufen – *Dein* sei alles, aber entsag ihm!

LUISE *(tritt zurück voll Befremdung).* Spottet sie einer Verzweifelnden, oder sollte sie an der barbarischen Tat im Ernst keinen Anteil gehabt haben? – Ha! So könnt ich mir ja noch den Schein einer Heldin geben, und meine Ohnmacht zu einem Verdienst aufputzen. *(Sie steht eine Weile gedankenvoll, dann tritt sie näher zur Lady, faßt ihre Hand und sieht sie starr und bedeutend an)* Nehmen Sie ihn denn hin, Mylady! – *Freiwillig* tret ich Ihnen ab den Mann, den man mit Haken der Hölle von meinem blutenden Herzen riß. – – Vielleicht wissen Sie es selbst nicht, Mylady, aber *Sie* haben den Himmel zweier Liebenden geschleift, voneinander gezerrt zwei Herzen, die *Gott* aneinanderband; zerschmettert ein Geschöpf, das ihm *nahe* ging wie Sie, das er zur Freude schuf wie Sie, das ihn gepriesen hat wie Sie, und ihn nun nimmermehr preisen wird – Lady! Ins Ohr des Allwissenden schreit auch der letzte Krampf des zertretenen Wurms – es wird ihm nicht gleichgültig sein, wenn man Seelen in seinen Händen mordet! Jetzt ist er *Ihnen*! Jetzt, Mylady, nehmen Sie ihn hin! Rennen Sie in seine Arme! Reißen Sie ihn zum Altar – Nur vergessen Sie nicht, daß zwischen Ihren Brautkuß das *Gespenst* einer *Selbstmörderin* stürzen wird – Gott wird barmherzig sein – Ich kann mir nicht anders helfen. *(Sie stürzt hinaus)*

Achte Szene

Lady allein. Steht erschüttert und außer sich, den starren Blick nach der Türe gerichtet, durch welche die Millerin weggeeilt; endlich erwacht sie aus ihrer Betäubung

Wie war das? Wie geschah mir? Was sprach die Unglückliche? – Noch, o Himmel! noch zerreißen sie mein Ohr, die fürchterlichen mich verdammenden Worte: *Nehmen Sie ihn hin!* – *Wen*, Unglück-selige? Das Geschenk deines Sterberöchelns – das schauervolle Ver-mächtnis deiner Verzweiflung! Gott! Gott! Bin ich *so* tief gesun-ken – so plötzlich von allen Thronen meines Stolzes herabgestürzt, daß ich heißhungrig erwarte, was einer Bettlerin Großmut aus ihrem letzten Todeskampfe mir zuwerfen wird? – *Nehmen Sie ihn hin*, und das spricht sie mit einem Tone, begleitet sie mit einem Blicke – – Ha! Emilie! Bist du *darum* über die Grenzen deines Geschlechts weggeschritten? Mußtest du *darum* um den prächtigen Namen des großen britischen *Weibes* buhlen, daß das prahlende Gebäude dei-ner *Ehre* neben der höheren Tugend einer verwahrlosten Bürger-dirne versinken soll? – Nein, stolze Unglückliche! Nein! – *Beschä-men* läßt sich Emilie Milford – doch *beschimpfen* nie! Auch *ich* habe Kraft, zu entsagen.

(Mit majestätischen Schritten auf und nieder)

Verkrieche dich jetzt, weiches leidendes Weib – Fahret hin, süße goldene Bilder der Liebe – Großmut allein sei jetzt meine Führerin! – – Dieses liebende Paar ist verloren, oder Milford muß ihren An-spruch vertilgen, und im Herzen des Fürsten erlöschen! *(Nach einer Pause, lebhaft)* Es ist geschehen! – Gehoben das furchtbare Hinder-nis – Zerbrochen alle Bande zwischen mir und dem Herzog, geris-sen aus meinem Busen diese wütende Liebe! – – In deine Arme werf ich mich, Tugend! – Nimm sie auf, deine reuige Tochter Emilie! – Ha! wie mir so wohl ist! Wie ich auf einmal so leicht! so gehoben mich fühle! – Groß, wie eine fallende Sonne, will ich heut vom Gipfel meiner Hoheit heruntersinken, meine Herrlichkeit sterbe mit meiner Liebe, und nichts als mein *Herz* begleite mich in diese stolze Verweisung! *(Entschlossen zum Schreibpult gehend)* Jetzt gleich muß es geschehen – jetzt auf der Stelle, ehe die Reize des lieben

Jünglings den blutigen Kampf meines Herzens erneuren. *(Sie setzt sich nieder und fängt an zu schreiben)*

Neunte Szene

Lady. Ein Kammerdiener. Sophie, hernach der Hofmarschall, zuletzt Bediente

KAMMERDIENER. Hofmarschall von Kalb stehen im Vorzimmer mit einem Auftrag vom Herzog.

LADY *(in der Hitze des Schreibens)*. Auftaumeln wird sie, die fürstliche Drahtpuppe! Freilich! der Einfall ist auch drollig genug, so eine durchlauchtige Hirnschale auseinanderzutreiben! – Seine Hofschranzen werden wirbeln – Das ganze Land wird in Gärung kommen.

KAMMERDIENER und SOPHIE. Der Hofmarschall, Mylady –

LADY *(dreht sich um)*. Wer? Was? – Desto besser! Diese Sorte von Geschöpfen ist zum Sacktragen auf der Welt. Er soll mir willkommen sein.

KAMMERDIENER *(geht ab)*.

SOPHIE *(ängstlich näherkommend)*. Wenn ich nicht fürchten müßte, Mylady, es wäre Vermessenheit – *(Lady schreibt hitzig fort)* Die Millerin stürzte außer sich durch den Vorsaal – Sie glühen – Sie sprechen mit sich selbst – *(Lady schreibt immer fort)* Ich erschrecke – Was muß geschehen sein?

HOFMARSCHALL *(tritt herein, macht dem Rücken der Lady tausend Verbeugungen; da sie ihn nicht gleich bemerkt, kommt er näher, stellt sich hinter ihren Sessel, sucht den Zipfel ihres Kleids wegzukriegen und drückt einen Kuß darauf, mit furchtsamem Lispeln)*. *Serenissimus* –

LADY *(indem sie Sand streut und das Geschriebene durchfliegt)*. Er wird mir schwarzen Undank zur Last legen – Ich war eine Verlassene. Er hat mich aus dem Elend gezogen – Aus dem Elend? – Abscheulicher Tausch! – Zerreiße deine Rechnung, Verführer! – Meine ewige *Schamröte* bezahlt sie mit Wucher.

HOFMARSCHALL *(nachdem er die Lady vergeblich von allen Seiten um-*

gangen hat). Mylady scheinen etwas distrait zu sein – Ich werde mir wohl selbst die Kühnheit erlauben müssen. *(Sehr laut)* Serenissimus schicken mich, Mylady zu fragen, ob diesen Abend Vauxhall sein werde oder teutsche Komödie?

LADY *(lachend aufstehend)*. Eins von beiden, mein Engel – Unterdessen bringen Sie Ihrem Herzog diese Karte zum Dessert! *(Gegen Sophien)* Du, Sophie, befiehlst, daß man anspannen soll, und rufst meine ganze Garderobe in diesen Saal zusammen. –

SOPHIE *(geht ab voll Bestürzung)*. O Himmel! Was ahndet mir? Was wird das noch werden?

HOFMARSCHALL. Sie sind echauffiert, meine Gnädige?

LADY. Um so weniger wird hier gelogen sein – Hurra, Herr Hofmarschall! Es wird eine Stelle vakant. Gut Wetter für Kuppler. *(Da der Marschall einen zweifelhaften Blick auf den Zettel wirft)* Lesen Sie, lesen Sie! – Es ist mein Wille, daß der Inhalt nicht unter vier Augen bleibe.

HOFMARSCHALL *(liest, unterdessen sammeln sich die Bedienten der Lady im Hintergrund)*.

»Gnädigster Herr,

Ein Vertrag, den *Sie* so leichtsinnig brachen, kann *mich* nicht mehr binden. Die Glückseligkeit Ihres Landes war die Bedingung meiner Liebe. Drei Jahre währte der Betrug. Die Binde fällt mir von den Augen; ich verabscheue Gunstbezeugungen, die von den Tränen der Untertanen triefen. – Schenken Sie die Liebe, die *ich* Ihnen nicht mehr erwidern kann, Ihrem weinenden Lande, und lernen von einer *britischen Fürstin* Erbarmen gegen Ihr *teutsches Volk*. In einer Stunde bin ich über der Grenze. Johanna Norfolk.«

ALLE BEDIENTE *(murmeln bestürzt durcheinander)*. Über der Grenze?

HOFMARSCHALL *(legt die Karte erschrocken auf den Tisch)*. Behüte der Himmel, meine Beste und Gnädige! Dem Überbringer müßte der Hals ebenso jücken als der Schreiberin.

LADY. Das ist deine Sorge, du Goldmann – Leider weiß ich es, daß du und deinesgleichen am Nachbeten dessen, was andre getan haben, erwürgen! – *Mein* Rat wäre, man backte den Zettel in eine Wildpretpastete, so fänden ihn Serenissimus auf dem Teller –

HOFMARSCHALL. Ciel! Diese Vermessenheit! – So erwägen Sie

doch, so bedenken Sie doch, wie sehr Sie sich in Disgrace setzen, Lady!

LADY *(wendet sich zu der versammelten Dienerschaft und spricht das Folgende mit der innigsten Rührung)*. Ihr steht bestürzt, guten Leute, erwartet angstvoll, wie sich das Rätsel entwickeln wird? – Kommt näher, meine Lieben – Ihr dientet mir redlich und warm, sahet mir öfter in die Augen als in die Börse, euer Gehorsam war eure Leidenschaft, euer Stolz – meine Gnade! – – Daß das Andenken eurer Treue zugleich das Gedächtnis meiner Erniedrigung sein muß! Trauriges Schicksal, daß meine schwärzesten Tage eure glücklichen waren! *(Mit Tränen in den Augen)* Ich entlasse euch, meine Kinder – – Lady Milford ist nicht mehr, und Johanna von Norfolk zu arm, ihre Schuld abzutragen – Mein Schatzmeister stürze meine Schatulle unter euch – Dieser Palast bleibt dem Herzog – Der Ärmste von euch wird reicher von hinnen gehen als seine Gebieterin. *(Sie reicht ihre Hände hin, die alle nacheinander mit Leidenschaft küssen)* Ich verstehe euch, meine Guten – Lebt wohl! Lebt ewig wohl! *(Faßt sich aus ihrer Beklemmung)* Ich höre den Wagen vorfahren. *(Sie reißt sich los, will hinaus, der Hofmarschall verrennt ihr den Weg)* Mann des Erbarmens, stehst du noch immer da?

HOFMARSCHALL *(der diese ganze Zeit über mit einem Geistesbankerott auf den Zettel sah)*. Und dieses Billett soll ich Seiner Hochfürstlichen Durchlaucht zu höchsteigenen Händen geben?

LADY. Mann des Erbarmens! zu höchsteigenen Händen, und sollst melden zu höchsteigenen Ohren, weil ich nicht barfuß nach Loretto könne, so werde ich um den Taglohn arbeiten, mich zu reinigen von dem Schimpf, ihn beherrscht zu haben.

(Sie eilt ab. Alle übrigen gehen sehr bewegt auseinander)

FÜNFTER AKT

Abends zwischen Licht in einem Zimmer beim Musikanten

Erste Szene

Luise sitzt stumm und ohne sich zu rühren in dem finstersten Winkel des Zimmers, den Kopf auf den Arm gesunken. Nach einer großen und tiefen Pause kommt Miller mit einer Handlaterne, leuchtet ängstlich im Zimmer herum, ohne Luisen zu bemerken, dann legt er den Hut auf den Tisch und setzt die Laterne nieder

MILLER. Hier ist sie auch nicht. Hier wieder nicht – Durch alle Gassen bin ich gezogen, bei allen Bekannten bin ich gewesen, auf allen Toren hab ich gefragt – Mein Kind hat man nirgends gesehen. *(Nach einigem Stillschweigen)* Geduld, armer, unglücklicher Vater. Warte ab, bis es Morgen wird. Vielleicht kommt deine Einzige dann ans Ufer geschwommen – – Gott! Gott! Wenn ich mein Herz zu abgöttisch an diese Tochter hing? – *Die* Strafe ist hart. Himmlischer Vater, hart! Ich will nicht murren, himmlischer Vater, aber die Strafe ist hart. *(Er wirft sich gramvoll in einen Stuhl)*

LUISE *(spricht aus dem Winkel)*. Du tust recht, armer, alter Mann! Lerne beizeit noch verlieren.

MILLER *(springt auf)*. Bist du da, mein Kind? Bist du? – Aber warum denn so einsam und ohne Licht?

LUISE. Ich bin darum doch nicht einsam. Wenns so recht schwarz wird um mich herum, hab ich meine besten Besuche.

MILLER. Gott bewahre dich! Nur der Gewissenswurm schwärmt mit der Eule. Sünden und böse Geister scheuen das Licht.

LUISE. Auch die *Ewigkeit*, Vater, die mit der Seele ohne Gehilfen redet.

MILLER. Kind! Kind! Was für Reden sind das?

LUISE *(steht auf und kommt vorwärts)*. Ich hab einen harten Kampf gekämpft. Er weiß es, Vater. Gott gab mir Kraft. Der Kampf ist entschieden. Vater! man pflegt unser Geschlecht zart und zerbrechlich zu nennen. Glaub Er das nicht mehr. Vor einer Spinne schütteln wir uns, aber das schwarze Ungeheuer *Verwesung* drücken wir im Spaß in die Arme. Dieses zur Nachricht, Vater. Seine Luise ist lustig.

MILLER. Höre, Tochter! Ich wollte, du heultest. Du gefielst mir so besser.

LUISE. Wie ich ihn überlisten will, Vater! Wie ich den Tyrannen betrügen will! – Die Liebe ist schlauer als die Bosheit und kühner – das hat er nicht gewußt, der Mann mit dem traurigen Stern – O! sie sind pfiffig, solang sie es nur mit dem Kopf zu tun haben, aber sobald sie mit dem Herzen anbinden, werden die Böswichter dumm – – Mit einem Eid gedachte er seinen Betrug zu versiegeln? Eide, Vater, binden wohl die Lebendigen, im Tode schmilzt auch der Sakramente eisernes Band. Ferdinand wird seine Luise kennen – Will Er mir dies Billett besorgen, Vater? Will Er so gut sein?

MILLER. An wen, meine Tochter?

LUISE. Seltsame Frage! Die Unendlichkeit und mein Herz haben miteinander nicht Raum genug für einen einzigen Gedanken an *ihn* – Wenn hätt ich denn wohl an sonst jemand schreiben sollen?

MILLER *(unruhig)*. Höre, Luise! Ich erbreche den Brief.

LUISE. Wie Er will, Vater – aber Er wird nicht klug daraus werden. Die Buchstaben liegen wie kalte Leichname da und leben nur Augen der Liebe.

MILLER *(liest)*. »Du bist verraten, Ferdinand – ein Bubenstück ohne Beispiel zerriß den Bund unsrer Herzen, aber ein schröcklicher Schwur hat meine Zunge gebunden, und dein Vater hat überall seine Horcher gestellt. Doch wenn du Mut hast, Geliebter – ich weiß einen *dritten* Ort, wo kein Eidschwur mehr bindet, und wohin ihm kein Horcher geht.« *(Miller hält inne und sieht ihr ernsthaft ins Gesicht)*

LUISE. Warum sieht Er mich so an? Les Er doch ganz aus, Vater.

MILLER. »Aber Mut genug mußt du haben, eine finstre Straße zu wandeln, wo dir nichts leuchtet als deine Luise und Gott – Ganz nur *Liebe* mußt du kommen, daheim lassen all deine Hoffnungen und all deine brausenden Wünsche; nichts kannst du brauchen als dein Herz. Willst du – so brich auf, wenn die Glocke den zwölften Streich tut auf dem Karmeliterturm. Bangt dir – so durchstreiche das Wort *stark* vor deinem Geschlechte, denn ein Mädchen hat dich zuschanden gemacht.« *(Miller legt das Billett nieder, schaut lange mit einem schmerzlichen starren Blick vor sich hinaus, endlich kehrt er sich gegen sie und sagt mit leiser, gebrochener Stimme)* Und dieser dritte Ort, meine Tochter?

LUISE. Er kennt ihn nicht, Er kennt ihn wirklich nicht, Vater? – Sonderbar! Der Ort ist zum Finden gemalt. Ferdinand wird ihn finden.

MILLER. Hum! Rede deutlicher.

LUISE. Ich weiß soeben kein liebliches Wort dafür – Er muß nicht erschrecken, Vater, wenn ich Ihm ein häßliches nenne. Dieser Ort – O warum hat die Liebe nicht Namen erfunden! Den schönsten hätte sie diesem gegeben. Der dritte Ort, guter Vater – aber Er muß mich ausreden lassen – der dritte Ort ist das *Grab*.

MILLER *(zu einem Sessel hinwankend)*. O mein Gott!

LUISE *(geht auf ihn zu und hält ihn)*. Nicht doch, mein Vater! Das sind nur Schauer, die sich um das Wort herumlagern – Weg mit diesem, und es liegt ein Brautbette da, worüber der Morgen seinen goldenen Teppich breitet, und die Frühlinge ihre bunte Girlanden streun. Nur ein heulender Sünder konnte den Tod ein Gerippe schelten; es ist ein holder, niedlicher Knabe, blühend, wie sie den Liebesgott malen, aber so tückisch nicht - ein stiller, dienstbarer Genius, der der erschöpften Pilgerin Seele den Arm bietet über den Graben der Zeit, das Feenschloß der ewigen Herrlichkeit aufschließt, freundlich nickt und verschwindet.

MILLER. Was hast du vor, meine Tochter? – Du willst eigenmächtig Hand an dich legen.

LUISE. Nenn Er es nicht so, mein Vater. Eine Gesellschaft räumen, wo ich nicht wohlgelitten bin – An einen Ort vorausspringen, den ich nicht länger missen kann – Ist denn das Sünde?

MILLER. Selbstmord ist die abscheulichste, mein Kind – die einzige, die man nicht mehr bereuen kann, weil Tod und Missetat zusammenfallen.

LUISE *(bleibt erstarrt stehen)*. Entsetzlich! – Aber so rasch wird es doch nicht gehn. Ich will in den Fluß springen, Vater, und im *Hinuntersinken* Gott den Allmächtigen um Erbarmen bitten.

MILLER. Das heißt, du willst den Diebstahl bereuen, sobald du das Gestohlene in Sicherheit weißt – Tochter! Tochter! gib acht, daß du Gottes nicht spottest, wenn du seiner am meisten vonnöten hast. O! es ist weit! weit mit dir gekommen! – Du hast dein Gebet aufgegeben, und der Barmherzige zog seine Hand von dir.

LUISE. Ist *lieben* denn Frevel, mein Vater?

MILLER. Wenn du Gott liebst, wirst du nie bis zum Frevel lieben-- Du hast mich tief gebeugt, meine Einzige! tief, tief, vielleicht zur Grube gebeugt. – Doch! ich will dir dein Herz nicht *noch* schwerer machen – Tochter! ich sprach vorhin etwas. Ich glaubte allein zu sein. Du hast mich behorcht, und warum sollt ichs noch länger geheim halten? Du warst mein Abgott. Höre, Luise, wenn du noch Platz für das Gefühl eines Vaters hast – Du warst mein Alles. Jetzt vertust du nicht mehr von deinem Eigentum. Auch *ich* hab alles zu verlieren. Du siehst, mein Haar fängt an grau zu werden. Die Zeit meldet sich allgemach bei mir, wo uns Vätern die Kapitale zustatten kommen, die wir im Herzen unsrer Kinder anlegten – Wirst du mich darum betrügen, Luise? Wirst du dich mit dem Hab und Gut deines Vaters auf und davon machen?

LUISE *(küßt seine Hand mit der heftigsten Rührung)*. Nein, mein Vater. Ich gehe als Seine große Schuldnerin aus der Welt, und werde in der Ewigkeit mit Wucher bezahlen.

MILLER. Gib acht, ob du dich da nicht verrechnest, mein Kind? *(Sehr ernst und feierlich)* Werden wir uns dort wohl noch finden?-- Sieh! Wie du blaß wirst! – Meine Luise begreift es von selbst, daß ich sie in jener Welt nicht wohl mehr einholen kann, weil ich nicht so *früh* dahin eile wie sie. *(Luise stürzt ihm in den Arm, von Schauern ergriffen – Er drückt sie mit Feuer an seine Brust und fährt fort mit beschwörender Stimme)* O Tochter! Tochter! Gefallene, vielleicht schon verlorene Tochter! Beherzige das ernsthafte Vaterwort! Ich kann nicht über dich wachen. Ich kann dir die Messer nehmen, du kannst dich mit einer Stricknadel töten. Für Gift kann ich dich bewahren, du kannst dich mit einer Schnur Perlen erwürgen. – Luise – Luise – nur *warnen* kann ich dich noch – Willst du es darauf ankommen lassen, daß dein treuloses Gaukelbild auf der schröcklichen Brücke zwischen Zeit und Ewigkeit von dir weiche? Willst du dich vor des Allwissenden Thron mit der Lüge wagen: *Deinetwegen*, Schöpfer, bin ich da! wenn deine strafbare Augen ihre sterbliche Puppe suchen? – Und wenn dieser zerbrechliche Gott deines Gehirns, jetzt Wurm wie du, zu den Füßen deines Richters sich windet, deine gottlose Zuversicht in diesem schwankenden Augenblick Lügen straft, und deine betrogene Hoffnungen an die ewige Erbarmung verweist, die der Elende für sich selbst kaum erflehen kann – Wie dann? *(Nachdrücklicher, lauter)* Wie dann, Unglückselige? *(Er hält sie fester, blickt sie eine Weile starr und durchdringend an, dann verläßt er sie schnell)* Jetzt weiß ich nichts mehr *(mit aufgehobener Rechte)* stehe dir, Gott Richter! für diese Seele nicht mehr. Tu, was du willst. Bring deinem schlanken Jüngling ein Opfer, daß deine Teufel jauchzen und deine guten Engel zurücktreten – Zieh hin! Lade alle deine Sünden auf, lade auch diese, die letzte, die entsetzlichste auf, und wenn die Last noch zu leicht ist, so mache mein Fluch das Gewicht vollkommen – Hier ist ein Messer – durchstich dein Herz, und *(indem er laut weinend fortstürzen will)* das Vaterherz!

LUISE *(springt auf und eilt ihm nach)*. Halt! Halt! O mein Vater! – Daß die Zärtlichkeit noch barbarischer zwingt als Tyrannenwut! - Was soll ich? Ich kann nicht! Was muß ich tun?

MILLER. Wenn die Küsse deines Majors heißer brennen als die Tränen deines Vaters – stirb!

LUISE *(nach einem qualvollem Kampf mit einiger Festigkeit)*. Vater! Hier ist meine Hand! Ich will – Gott! Gott! was tu ich? was will ich? Vater, ich schwöre – Wehe mir, wehe! Verbrecherin, wohin ich mich neige! – Vater, es sei! – Ferdinand – Gott sieht herab! – So zernicht ich sein letztes Gedächtnis. *(Sie zerreißt den Brief)*

MILLER *(stürzt ihr freudetrunken an den Hals)*. Das ist meine Tochter! – Blick auf! Um einen Liebhaber bist du leichter, dafür hast du einen glücklichen Vater gemacht. *(Unter Lachen und Weinen sie umarmend)* Kind! Kind, das ich den Tag meines Lebens nicht wert war! Gott weiß, wie ich schlechter Mann zu diesem Engel gekommen bin! – Meine Luise, mein Himmelreich! – O Gott! ich verstehe ja wenig vom Lieben, aber daß es eine Qual sein muß, aufzuhören – so was begreif ich noch.

LUISE. Doch hinweg aus dieser Gegend, mein Vater – Weg von der

Stadt, wo meine Gespielinnen meiner spotten, und mein guter Name dahin ist auf immerdar – Weg, weg, weit weg von dem Ort, wo mich so viele Spuren der verlorenen Seligkeit anreden – Weg, wenn es möglich ist –

MILLER. Wohin du nur willst, meine Tochter. Das Brot unsers Herrgotts wächst überall, und Ohren wird er auch meiner Geige bescheren. Ja! Laß auch alles dahingehn – Ich setze die Geschichte deines Grams auf die Laute, singe dann ein Lied von der Tochter, die, ihren Vater zu ehren, ihr Herz zerriß – wir betteln mit der Ballade von Türe zu Türe, und das Almosen wird köstlich schmekken von den Händen der Weinenden –

Zweite Szene

Ferdinand zu den Vorigen

LUISE *(wird ihn zuerst gewahr und wirft sich Millern laut schreiend um den Hals)*. Gott! Da ist er! Ich bin verloren!

MILLER. Wo? Wer?

LUISE *(zeigt mit abgewandtem Gesicht auf den Major und drückt sich fester an ihren Vater)*. Er! Er selbst! – Seh Er nur um sich, Vater – Mich zu ermorden ist er da!

MILLER *(erblickt ihn, fährt zurück)*. Was? Sie hier, Baron?

FERDINAND *(kommt langsam näher, bleibt Luisen gegenüber stehn und läßt den starren, forschenden Blick auf ihr ruhen, nach einer Pause)*. Überraschtes Gewissen, habe Dank! Dein Bekenntnis ist schrecklich, aber schnell und gewiß, und erspart mir die Folterung. – Guten Abend, Miller.

MILLER. Aber um Gottes willen! Was wollen Sie, Baron? Was führt Sie her? Was soll dieser Überfall?

FERDINAND. Ich weiß eine Zeit, wo man den Tag in seine Sekunden zerstückte, wo Sehnsucht nach mir sich an die Gewichte der zögernden Wanduhr hing, und auf den Aderschlag lauerte, unter dem ich erscheinen sollte – Wie kommts, daß ich jetzt überrasche?

MILLER. Gehen Sie, gehen Sie, Baron – Wenn noch ein Funke von Menschlichkeit in Ihrem Herzen zurückblieb – Wenn Sie die nicht erwürgen wollen, die Sie zu lieben vorgeben, fliehen Sie, bleiben Sie keinen Augenblick länger. Der Segen war fort aus meiner Hütte, sobald *Sie* einen Fuß darein setzten – *Sie* haben das Elend unter mein Dach gerufen, wo sonst nur die Freude zu Hause war. Sind Sie *noch* nicht zufrieden? Wollen Sie auch in der Wunde noch *wühlen*, die Ihre unglückliche Bekanntschaft meinem einzigen Kinde schlug?

FERDINAND. Wunderlicher Vater, jetzt komm ich ja, deiner Tochter etwas Erfreuliches zu sagen.

MILLER. Neue Hoffnungen etwa zu einer neuen Verzweiflung? – Geh, Unglücksbote! Dein Gesicht schimpft deine Ware.

FERDINAND. Endlich ist es erschienen, das Ziel meiner Hoffnungen! Lady Milford, das furchtbarste Hindernis unsrer Liebe, floh diesen Augenblick aus dem Lande. Mein Vater billigt meine Wahl. Das Schicksal läßt nach, uns zu verfolgen. Unsre glücklichen Sterne gehen auf. – Ich bin jetzt da, mein gegebenes Wort einzulösen, und meine Braut zum Altar abzuholen.

MILLER. Hörst du ihn, meine Tochter? Hörst du ihn sein Gespötte mit deinen getäuschten Hoffnungen treiben? O wahrlich, Baron! Es steht dem Verführer so schön, an seinem Verbrechen seinen Witz noch zu kützeln.

FERDINAND. Du glaubst, ich scherze. Bei meiner Ehre nicht! Meine Aussage ist *wahr*, wie die Liebe meiner Luise, und heilig will ich sie halten, wie *sie* ihre Eide – Ich kenne nichts Heiligers – Noch zweifelst du? Noch kein freudiges Erröten auf den Wangen meiner schönen Gemahlin? Sonderbar! Die Lüge muß hier gangbare Münze sein, wenn die Wahrheit so wenig Glauben findet. Ihr mißtraut meinen Worten? So glaubt diesem schriftlichen Zeugnis. *(Er wirft Luisen den Brief an den Marschall zu)*

LUISE *(schlägt ihn auseinander und sinkt leichenblaß nieder)*.

MILLER *(ohne das zu bemerken, zum Major)*. Was soll das bedeuten, Baron? Ich verstehe Sie nicht.

FERDINAND *(führt ihn zu Luisen hin)*. Desto besser hat mich *diese* verstanden!

MILLER *(fällt an ihr nieder)*. O Gott! meine Tochter!

FERDINAND. Bleich wie der Tod! – Jetzt erst gefällt sie mir, deine

Tochter! So schön war sie nie, die fromme, rechtschaffne Tochter – Mit diesem Leichengesicht – – Der Odem des Weltgerichts, der den Firnis von jeder Lüge streift, hat jetzt die Schminke verblasen, womit die Tausendkünstlerin auch die Engel des Lichts hintergangen hat – Es ist ihr schönstes Gesicht! Es ist ihr *erstes wahres* Gesicht! Laß mich es küssen! *(Er will auf sie zugehen)*

MILLER. Zurück! Weg! Greife nicht an das Vaterherz, Knabe! Vor deinen Liebkosungen konnt ich sie nicht bewahren, aber ich kann es vor deinen Mißhandlungen.

FERDINAND. Was willst du, Graukopf? Mit dir hab ich nichts zu schaffen. Menge dich ja nicht in ein Spiel, das so offenbar verloren ist – oder bist du auch vielleicht klüger, als ich dir zugetraut habe? Hast du die Weisheit deiner sechzig Jahre zu den Buhlschaften deiner Tochter geborgt, und dies ehrwürdige Haar mit dem Gewerb eines Kupplers geschändet? – O! wenn das *nicht* ist, unglücklicher alter Mann, lege dich nieder und stirb – Noch ist es Zeit. Noch kannst du in dem süßen Taumel entschlafen: Ich war ein glücklicher Vater! – einen Augenblick später, und du schleuderst die giftige Natter ihrer höllischen Heimat zu, verfluchst das Geschenk und den Geber, und fährst mit der Gotteslästerung in die Grube. *(Zu Luisen)* Sprich, Unglückselige! Schriebst du diesen Brief?

MILLER *(warnend zu Luisen)*. Um Gotteswillen, Tochter! Vergiß nicht! Vergiß nicht!

LUISE. O dieser Brief, mein Vater –

FERDINAND. Daß er in die unrechte Hände fiel? Gepriesen sei mir der Zufall, er hat größere Taten getan als die klügelnde Vernunft, und wird besser bestehn an jenem Tag als der Witz aller Weisen – Zufall sage ich? – O die Vorsehung ist dabei, wenn Sperlinge fallen, warum nicht, wo ein Teufel entlarvt werden soll? – Antwort will ich! – Schriebst du diesen Brief?

MILLER *(seitwärts zu ihr mit Beschwörung)*. Standhaft! Standhaft, meine Tochter! Nur noch das einzige *Ja*, und alles ist überwunden.

FERDINAND. Lustig! Lustig! Auch der Vater betrogen. Alles betrogen! Nun sieh, wie sie dasteht, die Schändliche, und selbst ihre Zunge nun ihrer letzten Lüge den Gehorsam aufkündigt! Schwöre bei Gott! bei dem fürchterlich wahren! Schriebst du diesen Brief?

LUISE *(nach einem qualvollen Kampf, worin sie durch Blicke mit ihrem Vater gesprochen hat, fest und entscheidend)*. Ich schrieb ihn.

FERDINAND *(bleibt erschrocken stehen)*. Luise – Nein! So wahr meine Seele lebt! du lügst – Auch die Unschuld bekennt sich auf der Folterbank zu Freveln, die sie nie beging – Ich fragte zu heftig – Nicht wahr, Luise – du bekanntest nur, weil ich zu heftig fragte?

LUISE. Ich bekannte, was wahr ist.

FERDINAND. Nein sag ich! Nein! Nein! Du schriebst nicht. Es ist deine Hand gar nicht – Und wäre sies, warum sollten Handschriften schwerer nachzumachen sein, als Herzen zu verderben? Rede mir wahr, Luise – oder nein, nein, tu es nicht, du könntest Ja sagen, und ich wär verloren – Eine Lüge, Luise – eine Lüge – O wenn du jetzt eine wüßtest, mir hinwärfest mit der offenen Engelmiene, nur mein Ohr, nur mein Aug überredetest, dieses Herz auch noch so abscheulich täuschtest – O Luise! Alle Wahrheit möchte dann mit *diesem* Hauch aus der Schöpfung wandern, und die gute Sache ihren starren Hals von nun an zu einem höfischen Bückling beugen! *(Mit scheuem bebenden Ton)* Schriebst du diesen Brief?

LUISE. Bei Gott! Bei dem fürchterlich wahren! Ja!

FERDINAND *(nach einer Pause, im Ausdruck des tiefsten Schmerzens)*. Weib! Weib! – Das Gesicht, mit dem du *jetzt* vor mir stehst! – Teile mit diesem Gesicht Paradiese aus, du wirst selbst im Reich der Verdammnis keinen Käufer finden – Wußtest du, was du mir warest, Luise? Ohnmöglich! Nein! Du wußtest nicht, daß du mir *alles* warst! Alles! – Es ist ein armes, verächtliches Wort, aber die Ewigkeit hat Mühe, es zu umwandern, Weltsysteme vollenden ihre Bahnen darin – Alles! Und so frevelhaft damit zu spielen – O es ist schrecklich –

LUISE. Sie haben mein Geständnis, Herr von Walter. Ich habe mich selbst verdammt. Gehen Sie nun! Verlassen Sie ein Haus, wo Sie so unglücklich waren.

FERDINAND. Gut! gut! Ich bin ja ruhig – ruhig, sagt man ja, ist auch der schaudernde Strich Landes, worüber die Pest ging – ich bins. *(Nach einigem Nachdenken)* Noch eine Bitte, Luise – die letzte! Mein Kopf brennt so fieberisch. Ich brauche Kühlung – Willst du mir ein Glas Limonade zurechtmachen? *(Luise geht ab)*

Dritte Szene

Ferdinand und Miller

Beide gehen, ohne ein Wort zu reden, einige Pausen lang auf den entgegengesetzten Seiten des Zimmers auf und ab

MILLER *(bleibt endlich stehen und betrachtet den Major mit trauriger Miene).* Lieber Baron, kann es Ihren Gram vielleicht mindern, wann ich Ihnen gestehe, daß ich Sie herzlich bedaure?

FERDINAND. Laß Er es gut sein, Miller. *(Wieder einige Schritte)* Miller, ich weiß nur kaum noch, wie ich in Sein Haus kam – Was war die Veranlassung?

MILLER. Wie, Herr Major? Sie wollten ja Lektion auf der Flöte bei mir nehmen. Das wissen Sie nicht mehr?

FERDINAND *(rasch).* Ich sah Seine Tochter. *(Wiederum einige Pausen)* Er hat nicht Wort gehalten, Freund. Wir akkordierten *Ruhe* für meine einsame Stunden. Er betrog mich und verkaufte mir Skorpionen. *(Da er Millers Bewegung sieht)* Nein! Erschrick nur nicht, alter Mann. *(Gerührt an seinem Hals)* Du bist nicht schuldig.

MILLER *(die Augen wischend).* Das weiß der allwissende Gott!

FERDINAND *(aufs neue hin und her, in düstres Grübeln versunken).* Seltsam, o unbegreiflich seltsam spielt Gott mit uns. An dünnen, unmerkbaren Seilen hängen oft fürchterliche Gewichte – Wüßte der Mensch, daß er an *diesem* Apfel den Tod essen sollte – Hum! – wüßte er das? *(Heftiger auf und nieder, dann Millers Hand mit starker Bewegung fassend)* Mann! ich bezahle dir dein bißchen Flöte zu teuer – – und du gewinnst nicht einmal – auch du verlierst – verlierst vielleicht alles. *(Gepreßt von ihm weggehend)* Unglückseliges Flötenspiel, das mir nie hätte einfallen sollen.

MILLER *(sucht seine Rührung zu verbergen).* Die Limonade bleibt auch gar zu lang außen. Ich denke, ich sehe nach, wenn Sie mirs nicht für übel nehmen. –

FERDINAND. Es eilt nicht, lieber Miller *(vor sich hinmurmelnd)* zumal für den Vater nicht – Bleib Er nur – Was hatt ich doch fragen wollen? – Ja! – Ist Luise Seine einzige Tochter? Sonst hat Er keine Kinder mehr?

MILLER *(warm)*. Habe sonst keins mehr, Baron – wünsch mir auch keins mehr. Das Mädel ist just so recht, mein ganzes Vaterherz einzustecken – hab meine ganze Barschaft von Liebe an der Tochter schon zugesetzt.

FERDINAND *(heftig erschüttert)*. Ha! – – Seh Er doch lieber nach dem Trank, guter Miller. *(Miller geht ab)*

Vierte Szene

Ferdinand allein

Das einzige Kind! – Fühlst du das, Mörder? Das einzige! Mörder! hörst du, das einzige? – Und der Mann hat auf der großen Welt Gottes nichts als sein Instrument und das einzige – Du willsts ihm rauben?

Rauben? – Rauben den letzten Notpfennig einem Bettler? Die Krücke zerbrochen vor die Füße werfen dem Lahmen? Wie? Hab ich auch Brust für das? – – Und wenn er nun heimeilt und nicht erwarten kann, die ganze Summe seiner Freuden vom Gesicht dieser Tochter herunterzuzählen, und hereintritt, und sie daliegt, die Blume – welk – tot – zertreten, mutwillig die letzte, einzige, unüberschwengliche Hoffnung – Ha! und er dasteht vor ihr, und dasteht, und ihm die ganze Natur den lebendigen Odem anhält, und sein erstarrter Blick die entvölkerte Unendlichkeit fruchtlos durchwandert, Gott sucht, und Gott nicht mehr finden kann, und leerer zurückkommt – – Gott! Gott! aber auch *mein* Vater hat diesen einzigen Sohn – den einzigen Sohn, doch nicht den einzigen Reichtum – *(Nach einer Pause)* Doch wie? was verliert er denn? Das Mädchen, dem die heiligsten Gefühle der Liebe nur Puppen waren, wird es den Vater glücklich machen können? – Es wird nicht! Es wird nicht! Und ich verdiene noch Dank, daß ich die Natter zertrete, ehe sie auch noch den Vater verwundet.

Fünfte Szene

Miller, der zurückkommt, und Ferdinand

MILLER. Gleich sollen Sie bedient sein, Baron. Draußen sitzt das arme Ding und will sich zu Tode weinen. Sie wird Ihnen mit der Limonade auch Tränen zu trinken geben.

FERDINAND. Und wohl, wenns nur Tränen wären! – – Weil wir vorhin von der Musik sprachen, Miller – *(Eine Börse ziehend)* Ich bin noch Sein Schuldner.

MILLER. Wie? Was? Gehen Sie mir, Baron! Wofür halten Sie mich? Das steht ja in guter Hand, tun Sie mir doch den Schimpf nicht an, und sind wir ja, wills Gott! nicht das letztemal beieinander.

FERDINAND. Wer kann das wissen? Nehm Er nur. Es ist für Leben und Sterben.

MILLER *(lachend)*. O deswegen, Baron! Auf *den* Fall, denk ich, kann mans wagen bei Ihnen.

FERDINAND. Man wagte wirklich – Hat Er nie gehört, daß Jünglinge gefallen sind – Mädchen und Jünglinge, die Kinder der Hoffnung, die Luftschlösser betrogener Väter – Was Wurm und Alter nicht tun, kann oft ein Donnerschlag ausrichten – Auch Seine Luise ist nicht unsterblich.

MILLER. Ich hab sie von Gott.

FERDINAND. Hör Er – Ich sag Ihm, sie ist nicht unsterblich. Diese Tochter ist Sein Augapfel. Er hat sich mit Herz und Seel an diese Tochter gehängt. Sei Er vorsichtig, Miller. Nur ein verzweifelter Spieler setzt alles auf einen einzigen Wurf. Einen Waghals nennt man den Kaufmann, der auf *ein* Schiff sein ganzes Vermögen ladet – Hör Er, denk Er der Warnung nach – – Aber warum nimmt Er Sein Geld nicht?

MILLER. Was, Herr? Die ganze allmächtige Börse? Wohin denken Euer Gnaden?

FERDINAND. Auf meine Schuldigkeit – Da! *(Er wirft den Beutel auf den Tisch, daß Goldstücke herausfallen)* Ich kann den Quark nicht eine Ewigkeit so halten.

MILLER *(bestürzt)*. Was, beim großen Gott? Das klang nicht wie Silbergeld! *(Er tritt zum Tisch und ruft mit Entsetzen)* Wie um aller

Himmel willen, Baron? Baron? Wo sind Sie? Was treiben Sie, Baron? Das nenn ich mir Zerstreuung! *(Mit zusammengeschlagenen Händen)* Hier liegt ja – oder bin ich verhext, oder – Gott verdamm mich! Da *greif* ich ja das bare, gelbe, leibhafte Gottesgold – – Nein, Satanas! Du sollst mich nicht daran kriegen!

FERDINAND. Hat Er Alten oder Neuen getrunken, Miller?

MILLER *(grob)*. Donner und Wetter! Da schauen Sie nur hin! – Gold!

FERDINAND. Und was nun weiter?

MILLER. Ins Henkers Namen – ich sage – ich bitte Sie um Gottes Christi willen – Gold!

FERDINAND. Das ist nun freilich etwas Merkwürdiges.

MILLER *(nach einigem Stillschweigen zu ihm gehend, mit Empfindung)*. Gnädiger Herr, ich bin ein schlichter, gerader Mann, wenn Sie mich etwa zu einem Bubenstück anspannen wollen – denn so viel Geld läßt sich, weiß Gott, nicht mit etwas Gutem verdienen.

FERDINAND *(bewegt)*. Sei Er ganz getrost, lieber Miller. Das Geld hat Er längst verdient, und Gott bewahre mich, daß ich mich mit Seinem guten Gewissen dafür bezahlt machen sollte.

MILLER *(wie ein Halbnarr in die Höhe springend)*. Mein also! Mein! Mit des guten Gottes Wissen und Willen, mein! *(Nach der Türe laufend, schreiend)* Weib! Tochter! Viktoria! Herbei! *(Zurückkommend)* Aber du lieber Himmel! wie komm ich denn so auf einmal zu dem ganzen grausamen Reichtum? Wie verdien ich ihn? Lohn ich ihn? Heh?

FERDINAND. Nicht mit Seinen Musikstunden, Miller – Mit dem Geld hier bezahl ich Ihm *(von Schauern ergriffen, hält er inne)* bezahl ich Ihm *(nach einer Pause mit Wehmut)* den drei Monat langen glücklichen Traum von Seiner Tochter.

MILLER *(faßt seine Hand, die er stark drückt)*. Gnädiger Herr! Wären Sie ein schlechter, geringer Bürgersmann – *(rasch)* und mein Mädel liebte Sie nicht – Erstechen wollt ichs, das Mädel. *(Wieder beim Geld, darauf niedergeschlagen)* Aber da hab ich ja nun alles und Sie nichts, und da werd ich nun das ganze Gaudium wieder herausblechen müssen? Heh?

FERDINAND. Laß Er sich das nicht anfechten, Freund – Ich reise ab, und in dem Land, wo ich mich zu setzen gedenke, gelten die Stempel nicht.

MILLER *(unterdessen mit unverwandten Augen auf das Gold hingeheftet, voll Entzückung)*. Bleibts also mein? Bleibts? – Aber das tut mir nur leid, daß Sie verreisen – Und wart, was ich jetzt auftreten will! Wie ich die Backen jetzt vollnehmen will! *(Er setzt den Hut auf und schießt durch das Zimmer)* Und auf dem Markt will ich meine Musikstunden geben, und Numero fünfe Dreikönig tauchen, und wenn ich wieder auf den Dreibatzenplatz sitze, soll mich der Teufel holen. *(Will fort)*

FERDINAND. Bleib Er! Schweig Er! und streich Er sein Geld ein. *(Nachdrücklich)* Nur diesen Abend noch schweig Er, und geb Er, mir zu Gefallen, von nun an keine Musikstunden mehr.

MILLER *(noch hitziger und ihn hart an der Weste fassend, voll inniger Freude)*. Und Herr! meine Tochter! *(Ihn wieder loslassend)* Geld macht den Mann nicht – Geld nicht – Ich habe Kartoffeln gegessen oder ein wildes Huhn; satt ist satt, und dieser Rock da ist ewig gut, wenn Gottes liebe Sonne nicht durch den Ärmel scheint – Für mich ist das Plunder – Aber dem Mädel soll der Segen bekommen, was ich ihr nur an den Augen absehen kann, soll sie haben –

FERDINAND *(fällt rasch ein)*. Stille, o stille –

MILLER *(immer feuriger)*. Und soll mir Französisch lernen aus dem Fundament, und Menuettanzen und Singen, daß mans in den Zeitungen lesen soll; und eine Haube soll sie tragen wie die Hofratstöchter und einen Kidebarri, wie sies heißen, und von der Geigerstochter soll man reden auf vier Meilen weit –

FERDINAND *(ergreift seine Hand mit der schrecklichsten Bewegung)*. Nichts mehr! Nichts mehr! Um Gottes willen, schweig Er still! Nur noch *heute* schweig Er still, das sei der einzige Dank, den ich von Ihm fordre!

Sechste Szene

Luise mit der Limonade und die Vorigen

LUISE *(mit rotgeweinten Augen und zitternder Stimme, indem sie dem Major das Glas auf einem Teller bringt).* Sie befehlen, wenn sie nicht stark genug ist?

FERDINAND *(nimmt das Glas, setzt es nieder und dreht sich rasch gegen Millern).* O beinahe hätt ich das vergessen! – Darf ich Ihn um etwas bitten, lieber Miller? Will Er mir einen kleinen Gefallen tun?

MILLER. Tausend für einen! Was befehlen – –

FERDINAND. Man wird mich bei der Tafel erwarten. Zum Unglück hab ich eine sehr böse Laune. Es ist mir ganz unmöglich, unter Menschen zu gehn – Will Er einen Gang tun zu meinem Vater und mich entschuldigen?

LUISE *(erschrickt und fällt schnell ein).* Den Gang kann ja *ich* tun.

MILLER. Zum Präsidenten?

FERDINAND. Nicht zu ihm selbst. Er übergibt Seinen Auftrag in der Garderobe einem Kammerdiener – Zu Seiner Legitimation ist hier meine Uhr – Ich bin noch da, wenn Er wiederkommt. – Er wartet auf Antwort.

LUISE *(sehr ängstlich).* Kann denn *ich* das nicht auch besorgen?

FERDINAND *(zu Millern, der eben fort will).* Halt, und noch etwas! Hier ist ein Brief an meinen Vater, der diesen Abend an mich eingeschlossen kam – Vielleicht dringende Geschäfte – Es geht in *einer* Bestellung hin –

MILLER. Schon gut, Baron!

LUISE *(hängt sich an ihn, in der entsetzlichsten Bangigkeit).* Aber mein Vater, dies alles könnt ich ja recht gut besorgen.

MILLER. Du bist allein, und es ist finstre Nacht, meine Tochter. *(Ab)*

FERDINAND. Leuchte deinem Vater, Luise. *(Währenddem, daß sie Millern mit dem Licht begleitet, tritt er zum Tisch und wirft Gift in ein Glas Limonade)* Ja! Sie soll dran! Sie soll! Die obern Mächte nicken mir ihr schreckliches *Ja* herunter, die Rache des Himmels unterschreibt, ihr guter Engel läßt sie fahren –

Siebente Szene

Ferdinand und Luise

Sie kommt langsam mit dem Lichte zurück, setzt es nieder und stellt sich auf die entgegengesetzte Seite vom Major, das Gesicht auf den Boden geschlagen und nur zuweilen furchtsam und verstohlen nach ihm herüberschielend. Er steht auf der andern Seite und sieht starr vor sich hinaus

(Großes Stillschweigen, das diesen Auftritt ankündigen muß)

LUISE. Wollen Sie mich akkompagnieren, Herr von Walter, so mach ich einen Gang auf dem Fortepiano. *(Sie öffnet den Pantalon)*

(Ferdinand gibt ihr keine Antwort. Pause)

LUISE. Sie sind mir auch noch Revanche auf dem Schachbrett schuldig. Wollen wir eine Partie, Herr von Walter?

(Eine neue Pause)

LUISE. Herr von Walter, die Brieftasche, die ich Ihnen einmal zu sticken versprochen – Ich habe sie angefangen – Wollen Sie das Dessin nicht besehen?

(Wieder eine Pause)

LUISE. O ich bin sehr elend!

FERDINAND *(in der bisherigen Stellung)*. Das könnte wahr sein.

LUISE. Meine Schuld ist es nicht, Herr von Walter, daß Sie so schlecht unterhalten werden.

FERDINAND *(lacht beleidigend vor sich hin)*. Denn was kannst du für meine blöde Bescheidenheit?

LUISE. Ich hab es ja wohl gewußt, daß wir jetzt nicht zusammen taugen. Ich erschrak auch gleich, ich bekenne es, als Sie meinen Vater verschickten – Herr von Walter, ich vermute, dieser Augenblick wird uns beiden gleich unerträglich sein – Wenn Sie mirs erlauben wollen, so geh ich und bitte einige von meinen Bekannten her.

FERDINAND. O ja doch, das tu. Ich will auch gleich gehn und von den meinigen bitten.

LUISE *(sieht ihn stutzend an)*. Herr von Walter?

FERDINAND *(sehr hämisch)*. Bei meiner Ehre! der gescheiteste Einfall, den ein Mensch in dieser Lage nur haben kann. Wir machen aus diesem verdrüßlichen Duett eine Lustbarkeit, und rächen uns mit Hilfe gewisser Galanterien an den Grillen der Liebe.

LUISE. Sie sind aufgeräumt, Herr von Walter?

FERDINAND. Ganz außerordentlich, um die Knaben auf dem Markt hinter mir her zu jagen! Nein! in Wahrheit, Luise. Dein Beispiel bekehrt mich – Du sollst meine Lehrerin sein. Toren sinds, die von ewiger Liebe schwatzen, ewiges Einerlei widersteht, Veränderung nur ist das Salz des Vergnügens – Topp, Luise! Ich bin dabei – Wir hüpfen von Roman zu Romane, wälzen uns von Schlamme zu Schlamm – Du dahin – Ich dorthin – Vielleicht, daß meine verlorene Ruhe sich in einem Bordell wiederfinden läßt – Vielleicht, daß wir dann nach dem lustigen Wettlauf, zwei modernde Gerippe, mit der angenehmsten Überraschung von der Welt zum zweitenmal aufeinanderstoßen, daß wir uns da an dem gemeinschaftlichen Familienzug, den kein Kind dieser Mutter verleugnet, wie in Komödien wiedererkennen, daß Ekel und Scham noch eine Harmonie veranstalten, die der zärtlichsten Liebe unmöglich gewesen ist.

LUISE. O Jüngling! Jüngling! Unglücklich bist du schon, willst du es auch noch verdienen?

FERDINAND *(ergrimmt durch die Zähne murmelnd)*. Unglücklich bin ich? Wer hat dir das gesagt? Weib, du bist zu schlecht, um selbst zu empfinden – womit kannst du eines andern Empfindungen wägen? – Unglücklich, sagte sie? – Ha! dieses Wort könnte meine Wut aus dem Grabe rufen! – Unglücklich mußt ich werden, das wußte sie. Tod und Verdammnis! das wußte sie und hat mich dennoch verraten – Siehe, Schlange! Das war der einzige Fleck der Vergebung – Deine Aussage bricht dir den Hals – Bis jetzt konnt ich deinen Frevel mit deiner Einfalt beschönigen, in meiner *Verachtung* wärst du beinahe meiner *Rache* entsprungen. *(Indem er hastig das Glas ergreift)* Also leichtsinnig warst du nicht – dumm warst du nicht – du warst nur ein Teufel. *(Er trinkt)* Die Limonade ist matt wie deine Seele – Versuche!

LUISE. O Himmel! Nicht umsonst hab ich diesen Auftritt gefürchtet.

FERDINAND *(gebieterisch)*. Versuche!

LUISE *(nimmt das Glas etwas unwillig und trinkt).*

FERDINAND *(wendet sich, sobald sie das Glas an den Mund setzt, mit einer plötzlichen Erblassung weg und eilt nach dem hintersten Winkel des Zimmers).*

LUISE. Die Limonade ist gut.

FERDINAND *(ohne sich umzukehren, von Schauer geschüttelt).* Wohl bekomms!

LUISE *(nachdem sie es niedergesetzt).* O wenn Sie wüßten, Walter, wie ungeheuer Sie meine Seele beleidigen.

FERDINAND. Hum!

LUISE. Es wird eine Zeit kommen, Walter –

FERDINAND *(wieder vorwärts kommend).* O! mit der *Zeit* wären wir fertig.

LUISE. Wo der heutige Abend schwer auf Ihr Herz fallen dürfte –

FERDINAND *(fängt an stärker zu gehen und beunruhigter zu werden, indem er Schärpe und Degen von sich wirft).* Gute Nacht, Herrendienst!

LUISE. Mein Gott! Wie wird Ihnen?

FERDINAND. Heiß und enge – Will mirs bequemer machen.

LUISE. Trinken Sie! Trinken Sie! Der Trank wird Sie kühlen.

FERDINAND. Das wird er auch ganz gewiß – Die Metze ist gutherzig, doch! das sind alle!

LUISE *(mit dem vollen Ausdruck der Liebe ihm in die Arme eilend).* Das deiner Luise, Ferdinand?

FERDINAND *(drückt sie von sich).* Fort! Fort! Diese sanfte, schmelzende Augen weg! Ich erliege. Komm in deiner ungeheuren Furchtbarkeit, Schlange, spring an mir auf, Wurm – krame vor mir deine gräßliche Knoten aus, bäume deine Wirbel zum Himmel – So abscheulich, als dich jemals der Abgrund sah – Nur keinen Engel mehr – Nur jetzt keinen Engel mehr – es ist zu spät – Ich muß dich zertreten wie eine Natter, oder verzweifeln – Erbarme dich!

LUISE. O! Daß es so weit kommen mußte!

FERDINAND *(sie von der Seite betrachtend).* Dieses schöne Werk des himmlischen Bildners – Wer kann das glauben? – Wer sollte das glauben? *(Ihre Hand fassend und emporhaltend)* Ich will dich nicht zur Rede stellen, Gott Schöpfer – aber warum denn dein Gift in so schönen Gefäßen? – – Kann das Laster in diesem milden Himmelstrich fortkommen? – O es ist seltsam.

LUISE. Das anzuhören und schweigen zu müssen!

FERDINAND. Und die süße, melodische Stimme – Wie kann so viel Wohlklang kommen aus zerrissenen Saiten? *(Mit trunkenem Aug auf ihrem Anblick verweilend)* Alles so schön – so voll Ebenmaß – so göttlich vollkommen! – Überall das Werk seiner himmlischen Schäferstunde! Bei Gott! als wäre die große Welt nur entstanden, den Schöpfer für dieses Meisterstück in Laune zu setzen! – – Und nur in der *Seele* sollte Gott sich vergriffen haben? Ist es möglich, daß diese empörende Mißgeburt in die Natur ohne Tadel kam? *(Indem er sie schnell verläßt)* Oder sah er einen Engel unter dem Meißel hervorgehen, und half diesem Irrtum in der Eile mit einem desto schlechteren Herzen ab?

LUISE. O des frevelhaften Eigensinns! Ehe er sich eine Übereilung gestände, greift er lieber den Himmel an.

FERDINAND *(stürzt ihr heftig weinend an den Hals)*. Noch einmal, Luise – Noch einmal, wie am Tag unsers ersten Kusses, da du Ferdinand stammeltest und das erste *Du* auf deine brennende Lippen trat – O eine Saat unendlicher, unaussprechlicher Freuden schien in dem Augenblick wie in der Knospe zu liegen – Da lag die Ewigkeit wie ein schöner Maitag vor unsern Augen; goldne Jahrtausende hüpften wie Bräute vor unsrer Seele vorbei – – Da war ich der Glückliche! – O Luise! Luise! Luise! Warum hast du mir das getan?

LUISE. Weinen Sie, weinen Sie, Walter. Ihre Wehmut wird gerechter gegen mich sein als Ihre Entrüstung.

FERDINAND. Du betrügst dich. Das sind ihre Tränen nicht – Nicht jener warme, wollüstige Tau, der in die Wunde der Seele balsamisch fließt, und das starre Rad der Empfindung wieder in Gang bringt. Es sind einzelne – kalte Tropfen – das schauerliche ewige Lebewohl meiner Liebe. *(Furchtbar-feierlich, indem er die Hand auf ihren Kopf sinken läßt)* Tränen um deine Seele, Luise – Tränen um die Gottheit, die ihres unendlichen Wohlwollens hier verfehlte, die so mutwillig um das herrlichste ihrer Werke kommt – O mich deucht, die ganze Schöpfung sollte den Flor anlegen und über das Beispiel betreten sein, das in ihrer Mitte geschieht – Es ist was Gemeines, daß Menschen fallen und Paradiese verloren werden; aber wenn die Pest unter Engel wütet, so rufe man Trauer aus durch die ganze Natur.

LUISE. Treiben Sie mich nicht aufs Äußerste, Walter. Ich habe Seelenstärke so gut wie eine – aber sie muß auf eine menschliche Probe kommen. Walter, das Wort noch, und dann geschieden – – Ein entsetzliches Schicksal hat die Sprache unsrer Herzen verwirrt. Dürft ich den Mund auftun, Walter, ich könnte dir Dinge sagen – ich könnte – – aber das harte Verhängnis band meine Zunge wie meine Liebe, und dulden muß ichs, wenn du mich wie eine gemeine Metze mißhandelst.

FERDINAND. Fühlst du dich wohl, Luise?

LUISE. Wozu diese Frage?

FERDINAND. Sonst sollte mirs leid um dich tun, wenn du mit dieser Lüge von hinnen müßtest.

LUISE. Ich beschwöre Sie, Walter –

FERDINAND *(unter heftigen Bewegungen)*. Nein! Nein! zu satanisch wäre diese Rache! Nein, Gott bewahre mich! in *jene* Welt hinaus will ichs nicht treiben – Luise! Hast du den Marschall geliebt? Du wirst nicht mehr aus diesem Zimmer gehen.

LUISE. Fragen Sie, was Sie wollen. Ich antworte nichts mehr. *(Sie setzt sich nieder)*

FERDINAND *(ernster)*. Sorge für deine unsterbliche Seele, Luise! – Hast du den Marschall geliebt? Du wirst nicht mehr aus diesem Zimmer gehen.

LUISE. Ich antworte nichts mehr.

FERDINAND *(fällt in fürchterlicher Bewegung vor ihr nieder)*. Luise! Hast du den Marschall geliebt? Ehe dieses Licht noch ausbrennt – stehst du – vor Gott!

LUISE *(fährt erschrocken in die Höhe)*. Jesus! Was ist das? – – – und mir wird sehr übel. *(Sie sinkt auf den Sessel zurück)*

FERDINAND. Schon? – Über euch Weiber und das ewige Rätsel! Die zärtliche Nerve hält Freveln fest, die die Menschheit an ihren Wurzeln zernagen; ein elender Gran Arsenik wirft sie um –

LUISE. Gift! Gift! O mein Herrgott!

FERDINAND. So fürcht ich. Deine Limonade war in der Hölle gewürzt. Du hast sie dem Tod zugetrunken.

LUISE. Sterben! Sterben! Gott allbarmherziger! Gift in der Limonade und sterben! – O meiner Seele erbarme dich, Gott der Erbarmer!

FERDINAND. Das ist die Hauptsache. Ich bitt ihn auch darum.

LUISE. Und meine Mutter – mein Vater – Heiland der Welt! mein armer, verlorener Vater! Ist keine Rettung mehr? Mein junges Leben und keine Rettung! und muß ich jetzt schon dahin?

FERDINAND. Keine Rettung, mußt jetzt schon dahin – aber sei ruhig. Wir machen die Reise zusammen.

LUISE. Ferdinand, auch du! Gift, Ferdinand! Von dir? O Gott, vergiß es ihm – Gott der Gnade, nimm die Sünde von ihm –

FERDINAND. Sieh du nach *deinen* Rechnungen – Ich fürchte, sie stehen übel.

LUISE. Ferdinand! Ferdinand! – O – Nun kann ich nicht mehr schweigen – der Tod – der Tod hebt alle Eide auf – Ferdinand – Himmel und Erde hat nichts Unglückseligers als dich – Ich sterbe unschuldig, Ferdinand.

FERDINAND *(erschrocken)*. Was sagt sie da? – Eine Lüge pflegt man doch sonst nicht auf *diese* Reise zu nehmen?

LUISE. Ich lüge nicht – lüge nicht – hab nur *einmal* gelogen mein Leben lang – Hu! Wie das eiskalt durch meine Adern schauert – – als ich den Brief schrieb an den Hofmarschall –

FERDINAND. Ha! dieser Brief! – Gottlob! jetzt hab ich all meine Mannheit wieder.

LUISE *(ihre Zunge wird schwerer, ihre Finger fangen an gichterisch zu zucken)*. Dieser Brief – Fasse dich, ein entsetzliches Wort zu hören – Meine Hand schrieb, was mein Herz verdammte – dein Vater hat ihn diktiert.

FERDINAND *(starr und einer Bildsäule gleich, in langer toter Pause hingewurzelt, fällt endlich wie von einem Donnerschlag nieder)*.

LUISE. O des kläglichen Mißverstands – Ferdinand – Man zwang mich – vergib – deine Luise hätte den Tod vorgezogen – aber mein Vater – die Gefahr – sie machten es listig.

FERDINAND *(schrecklich emporgeworfen)*. Gelobet sei Gott! Noch spür ich den Gift nicht. *(Er reißt den Degen heraus)*

LUISE *(von Schwäche zu Schwäche sinkend)*. Weh! Was beginnst du? Es ist dein Vater –

FERDINAND *(im Ausdruck der unbändigsten Wut)*. Mörder und Mördervater! – *Mit* muß er, daß der Richter der Welt nur gegen den Schuldigen rase. *(Will hinaus)*

LUISE. Sterbend vergab mein Erlöser – Heil über dich und ihn. *(Sie stirbt)*

FERDINAND *(kehrt schnell um, wird ihre letzte, sterbende Bewegung gewahr und fällt in Schmerz aufgelöst vor der Toten nieder)*. Halt! Halt! Entspringe mir nicht, Engel des Himmels! *(Er faßt ihre Hand an und läßt sie schnell wieder fallen)* Kalt, kalt und feucht! Ihre Seele ist dahin. *(Er springt wieder auf)* Gott meiner Luise! Gnade, Gnade dem verruchtesten der Mörder! Es war ihr letztes Gebet! – – Wie reizend und schön auch im Leichnam! Der gerührte Würger ging schonend über diese freundliche Wangen hin – Diese Sanftmut war keine Larve – sie hat auch dem Tod standgehalten. *(Nach einer Pause)* Aber wie? Warum fühl ich nichts? Will die Kraft meiner Jugend mich retten? Undankbare Mühe! Das ist meine Meinung nicht. *(Er greift nach dem Glase)*

Letzte Szene

Ferdinand. Der Präsident. Wurm und Bediente, welche alle voll Schrecken ins Zimmer stürzen; darauf Miller mit Volk und Gerichtsdienern, welche sich im Hintergrund sammeln

PRÄSIDENT *(den Brief in der Hand)*. Sohn, was ist das? – Ich will doch nimmermehr glauben –

FERDINAND *(wirft ihm das Glas vor die Füße)*. So *sieh*, Mörder!

PRÄSIDENT *(taumelt hinter sich. Alle erstarren. Eine schröckhafte Pause)*. Mein Sohn! Warum hast du mir das getan?

FERDINAND *(ohne ihn anzusehen)*. O ja freilich! Ich hätte den Staatsmann erst hören sollen, ob der Streich auch zu seinen Karten passe? – Fein und bewundernswert, ich gestehs, war die Finte, den Bund unsrer Herzen zu zerreißen durch Eifersucht – Die Rechnung hatte ein Meister gemacht, aber schade nur, daß die zürnende *Liebe* dem Draht nicht so gehorsam blieb wie deine hölzerne Puppe.

PRÄSIDENT *(sucht mit verdrehten Augen im ganzen Kreis herum)*. Ist hier niemand, der um einen trostlosen Vater weinte?

MILLER *(hinter der Szene rufend).* Laßt mich hinein! Um Gottes willen! Laßt mich!

FERDINAND. Das Mädchen ist eine Heilige – für *sie* muß ein anderer rechten. *(Er öffnet Millern die Türe, der mit Volk und Gerichtsdienern hereinstürzt)*

MILLER *(in der fürchterlichsten Angst).* Mein Kind! Mein Kind! – Gift – Gift, schreit man, sei hier genommen worden – Meine Tochter! Wo bist du?

FERDINAND *(führt ihn zwischen den Präsidenten und Luisens Leiche). Ich* bin unschuldig – Danke *diesem* hier.

MILLER *(fällt an ihr zu Boden).* O Jesus!

FERDINAND. In wenig Worten, Vater – sie fangen an, mir kostbar zu werden – Ich bin bübisch um mein Leben bestohlen, bestohlen durch *Sie.* Wie ich mit Gott stehe, zittre ich – doch ein Bösewicht bin ich niemals gewesen. Mein ewiges Los falle, wie es will – auf *Sie* fall es nicht – Aber ich hab einen Mord begangen *(mit furchtbar erhobener Stimme)* einen Mord, den *du* mir nicht zumuten wirst, *allein* vor den Richter der Welt hinzuschleppen, feierlich wälz ich dir hier die größte, gräßlichste Hälfte zu, wie du damit zurechtkommen magst, siehe du selber. *(Zu Luisen ihn hinführend)* Hier, Barbar! Weide dich an der entsetzlichen Frucht deines Witzes, auf dieses Gesicht ist mit Verzerrungen dein Name geschrieben, und die Würgengel werden ihn lesen – Eine Gestalt wie diese ziehe den Vorhang von deinem Bette, wenn du schläfst, und gebe dir ihre eiskalte Hand – Eine Gestalt wie diese stehe vor deiner Seele, wenn du stirbst, und dränge dein letztes Gebet weg. – Eine Gestalt wie diese stehe auf deinem Grabe, wenn du auferstehst – und neben Gott, wenn er dich richtet. *(Er wird ohnmächtig, Bediente halten ihn)*

PRÄSIDENT *(eine schreckliche Bewegung des Arms gegen den Himmel).* Von mir nicht, von mir nicht, Richter der Welt, fodre diese Seelen von *diesem! (Er geht auf Wurm zu)*

WURM *(auffahrend).* Von mir?

PRÄSIDENT. Verfluchter, von dir! Von dir, Satan! – Du, du gabst den Schlangenrat – Über *dich* die Verantwortung – Ich wasche die Hände.

WURM. Über mich? *(Er fängt gräßlich an zu lachen)* Lustig! Lustig! So weiß ich doch nun auch, auf was Art sich die Teufel danken. – Über mich, dummer Bösewicht? War es *mein* Sohn? War *ich* dein Gebieter? – Über mich die Verantwortung? Ha! bei diesem Anblick, der alles Mark in meinen Gebeinen erkältet! Über mich soll sie kommen! – Jetzt *will* ich verloren sein, aber *du* sollst es mit mir sein – Auf! Auf! Ruft Mord durch die Gassen! Weckt die Justiz auf! Gerichtsdiener, bindet mich! Führt mich von hinnen! Ich will Geheimnisse aufdecken, daß denen, die sie hören, die Haut schauern soll. *(Will gehn)*

PRÄSIDENT *(hält ihn)*. Du wirst doch nicht, Rasender?

WURM *(klopft ihn auf die Schultern)*. Ich werde, Kamerad! Ich werde – Rasend bin ich, das ist wahr – das ist dein Werk – so will ich auch jetzt handeln wie ein Rasender – Arm in Arm mit *dir* zum Blutgerüst! Arm in Arm mit *dir* zur Hölle! Es soll mich kitzeln, Bube, mit *dir* verdammt zu sein! *(Er wird abgeführt)*

MILLER *(der die ganze Zeit über, den Kopf in Luisens Schoß gesunken, in stummem Schmerze gelegen hat, steht schnell auf und wirft dem Major die Börse vor die Füße)*. Giftmischer! Behalt dein verfluchtes Gold! – Wolltest du mir mein Kind damit abkaufen? *(Er stürzt aus dem Zimmer)*

FERDINAND *(mit brechender Stimme)*. Geht ihm nach! Er verzweifelt – Das Geld hier soll man ihm retten – Es ist meine fürchterliche Erkenntlichkeit. Luise – Luise – Ich komme – – Lebt wohl – – Laßt mich an diesem Altar verscheiden –

PRÄSIDENT *(aus einer dumpfen Betäubung, zu seinem Sohn)*. Sohn Ferdinand! Soll kein Blick mehr auf einen zerschmetterten Vater fallen? *(Der Major wird neben Luisen niedergelassen)*

FERDINAND. Gott dem Erbarmenden gehört dieser letzte.

PRÄSIDENT *(in der schrecklichsten Qual vor ihm niederfallend)*. Geschöpf und Schöpfer verlassen mich – Soll kein Blick mehr zu meiner letzten Erquickung fallen?

FERDINAND *(reicht ihm seine sterbende Hand)*.

PRÄSIDENT *(steht schnell auf)*. Er vergab mir! *(Zu den andern)* Jetzt euer Gefangener!

(Er geht ab, Gerichtsdiener folgen ihm, der Vorhang fällt)

DON CARLOS
INFANT VON SPANIEN

Ein dramatisches Gedicht

PERSONEN

Philipp der Zweite, *König von Spanien*
Elisabeth von Valois, *seine Gemahlin*
Don Carlos, *der Kronprinz*
Alexander Farnese, *Prinz von Parma, Neffe des Königs*
Infantin Klara Eugenia, *ein Kind von drei Jahren*
Herzogin von Olivarez, *Oberhofmeisterin*

<table>
<tr><td>Marquisin von Mondekar</td><td rowspan="3">Damen der Königin</td></tr>
<tr><td>Prinzessin von Eboli</td></tr>
<tr><td>Gräfin Fuentes</td></tr>
<tr><td>Marquis von Posa, ein Malteserritter</td><td rowspan="6">Granden von Spanien</td></tr>
<tr><td>Herzog von Alba</td></tr>
<tr><td>Graf von Lerma, Oberster der Leibwache</td></tr>
<tr><td>Herzog von Feria, Ritter des Vlieses</td></tr>
<tr><td>Herzog von Medina Sidonia, Admiral</td></tr>
<tr><td>Don Raimond von Taxis, Oberpostmeister</td></tr>
</table>

Domingo, *Beichtvater des Königs*
Der Großinquisitor des Königreichs
Der Prior eines Kartäuserklosters
Ein Page der Königin
Don Ludwig Merkado, *Leibarzt der Königin*

Mehrere Damen und Granden, Pagen, Offiziere, die Leibwache und verschiedene stumme Personen

ERSTER AKT

Der königliche Garten in Aranjuez

Erster Auftritt

Carlos, Domingo

DOMINGO. Die schönen Tage in Aranjuez
Sind nun zu Ende. Eure königliche Hoheit
Verlassen es nicht heiterer. Wir sind
Vergebens hier gewesen. Brechen Sie
Dies rätselhafte Schweigen. Öffnen Sie
Ihr Herz dem Vaterherzen, Prinz. Zu teuer
Kann der Monarch die Ruhe seines Sohns –
Des einzgen Sohns – zu teuer nie erkaufen.
(Carlos sieht zur Erde und schweigt)
Wär noch ein Wunsch zurücke, den der Himmel
Dem liebsten seiner Söhne weigerte?
Ich stand dabei, als in Toledos Mauern
Der stolze Karl die Huldigung empfing,
Als Fürsten sich zu seinem Handkuß drängten,
Und jetzt in *einem* – *einem Niederfall*
Sechs Königreiche ihm zu Füßen lagen –
Ich stand und sah das junge stolze Blut
In seine Wangen steigen, seinen Busen
Von fürstlichen Entschlüssen wallen, sah
Sein trunknes Aug durch die Versammlung fliegen,
In Wonne brechen – Prinz, und dieses Auge
Gestand: Ich bin gesättigt.
(Carlos wendet sich weg) Dieser stille
Und feierliche Kummer, Prinz, den wir
Acht Monde schon in Ihren Blicken lesen,
Das Rätsel dieses ganzen Hofs, die Angst
Des Königreichs, hat Seiner Majestät
Schon manche sorgenvolle Nacht gekostet,
Schon manche Träne Ihrer Mutter.

CARLOS *(dreht sich rasch um).* Mutter?
– O Himmel, gib, daß ich es dem vergesse,
Der sie zu meiner Mutter machte!
DOMINGO. Prinz?
CARLOS *(besinnt sich und fährt mit der Hand über die Stirne).*
Hochwürdger Herr – ich habe sehr viel Unglück
Mit meinen Müttern. Meine erste Handlung,
Als ich das Licht der Welt erblickte, war
Ein Muttermord.
DOMINGO. Ists möglich, gnädger Prinz?
Kann dieser Vorwurf Ihr Gewissen drücken?
CARLOS. Und meine neue Mutter – hat sie mir
Nicht meines Vaters Liebe schon gekostet?
Mein Vater hat mich kaum geliebt. Mein ganzes
Verdienst war noch, sein Einziger zu sein.
Sie gab ihm eine Tochter – O wer weiß,
Was in der Zeiten Hintergrunde schlummert?
DOMINGO. Sie spotten meiner, Prinz. Ganz Spanien
Vergöttert seine Königin. Sie sollten
Nur mit des Hasses Augen sie betrachten?
Bei ihrem Anblick nur die Klugheit hören?
Wie, Prinz? Die schönste Frau auf dieser Welt,
Und Königin – und ehmals Ihre Braut?
Unmöglich, Prinz! Unglaublich! Nimmermehr!
Wo alles liebt, kann Karl allein nicht hassen;
So seltsam widerspricht sich Carlos nicht.
Verwahren Sie sich, Prinz, daß sie es nie,
Wie sehr sie ihrem Sohn mißfällt, erfahre;
Die Nachricht würde schmerzen.
CARLOS. Glauben Sie?
DOMINGO. Wenn Eure Hoheit sich des letzteren
Turniers zu Saragossa noch entsinnen,
Wo unsern Herrn ein Lanzensplitter streifte –
Die Königin mit ihren Damen saß
Auf des Palastes mittlerer Tribune
Und sah dem Kampfe zu. Auf einmal riefs:

»Der König blutet!« – Man rennt durcheinander,
Ein dumpfes Murmeln dringt bis zu dem Ohr
Der Königin. »Der Prinz?« ruft sie und will,
Und will sich von dem obersten Geländer
Herunterwerfen, – »Nein! Der König selbst!«
Gibt man zur Antwort – »So laßt Ärzte holen!«
Erwidert sie, indem sie Atem schöpfte.
(Nach einigem Stillschweigen)
Sie stehen in Gedanken?

CARLOS. Ich bewundre
Des Königs lustgen Beichtiger, der so
Bewandert ist in witzigen Geschichten.
(Ernsthaft und finster)
Doch hab ich immer sagen hören, daß
Gebärdenspäher und Geschichtenträger
Des Übels mehr auf dieser Welt getan,
Als Gift und Dolch in Mörders Hand nicht konnten.
Die Mühe, Herr, war zu ersparen. Wenn
Sie Dank erwarten, gehen Sie zum König.

DOMINGO. Sie tun sehr wohl, mein Prinz, sich vorzusehn
Mit Menschen – nur mit Unterscheidung. Stoßen Sie
Nicht mit dem Heuchler auch den Freund zurück.
Ich mein es gut mit Ihnen.

CARLOS. Lassen Sie
Das meinen Vater ja nicht merken. Sonst
Sind Sie um Ihren Purpur.

DOMINGO *(stutzt)*. Wie?

CARLOS. Nun ja.
Versprach er Ihnen nicht den ersten Purpur,
Den Spanien vergeben würde?

DOMINGO. Prinz,
Sie spotten meiner.

CARLOS. Das verhüte Gott,
Daß ich des fürchterlichen Mannes spotte,
Der meinen Vater seligsprechen und
Verdammen kann!

DOMINGO. Ich will mich nicht
Vermessen, Prinz, in das ehrwürdige
Geheimnis Ihres Kummers einzudringen.
Nur bitt ich Eure Hoheit, eingedenk
Zu sein, daß dem beängstigten Gewissen
Die Kirche eine Zuflucht aufgetan,
Wozu Monarchen keinen Schlüssel haben,
Wo selber Missetaten unterm Siegel
Des Sakramentes aufgehoben liegen –
Sie wissen, was ich meine, Prinz. Ich habe
Genug gesagt.

CARLOS. Nein! Das sei fern von mir,
Daß ich den Siegelführer so versuchte!

DOMINGO. Prinz, dieses Mißtraun – Sie verkennen Ihren
Getreusten Diener.

CARLOS (*faßt ihn bei der Hand*). Also geben Sie
Mich lieber auf. Sie sind ein heilger Mann,
Das weiß die Welt – doch, frei heraus – für mich
Sind Sie bereits zu überhäuft. Ihr Weg,
Hochwürdger Vater, ist der weiteste,
Bis Sie auf Peters Stuhle niedersitzen.
Viel Wissen möchte Sie beschweren. Melden
Sie das dem König, der Sie hergesandt.

DOMINGO. Mich hergesandt? –

CARLOS. So sagt ich. O, zu gut,
Zu gut weiß ich, daß ich an diesem Hof
Verraten bin – ich weiß, daß hundert Augen
Gedungen sind, mich zu bewachen, weiß,
Daß König Philipp seinen einzgen Sohn
An seiner Knechte schlechtesten verkaufte,
Und jede von mir aufgefangne Silbe
Dem Hinterbringer fürstlicher bezahlt,
Als er noch keine gute Tat bezahlte.
Ich weiß – O still! Nichts mehr davon! Mein Herz
Will überströmen, und ich habe schon
Zu viel gesagt.

DOMINGO. Der König ist gesonnen,
Vor Abend in Madrid noch einzutreffen.
Bereits versammelt sich der Hof. Hab ich
Die Gnade, Prinz –

CARLOS. Schon gut. Ich werde folgen.
(Domingo geht ab. Nach einem Stillschweigen)
Beweinenswerter Philipp, wie dein Sohn
Beweinenswert! Schon seh ich deine Seele
Vom giftgen Schlangenbiß des Argwohns bluten,
Dein unglückselger Vorwitz übereilt
Die fürchterlichste der Entdeckungen,
Und rasen wirst du, wenn du sie gemacht.

Zweiter Auftritt

Carlos. Marquis von Posa

CARLOS. Wer kommt? – Was seh ich? O ihr guten Geister!
Mein Roderich!

MARQUIS. Mein Carlos!

CARLOS. Ist es möglich?
Ists wahr? Ists wirklich? Bist dus? – O, du bists!
Ich drück an meine Seele dich, ich fühle
Die deinige allmächtig an mir schlagen.
O, jetzt ist alles wieder gut. In dieser
Umarmung heilt mein krankes Herz. Ich liege
Am Halse meines Roderich.

MARQUIS. Ihr krankes,
Ihr krankes Herz? Und was ist wieder gut?
Was ists, das wieder gut zu werden brauchte?
Sie hören, was mich stutzen macht.

CARLOS. Und was
Bringt dich so unverhofft aus Brüssel wieder?
Wem dank ich diese Überraschung? Wem?
Ich frage noch? Verzeih dem Freudetrunknen,
Erhabne Vorsicht, diese Lästerung!

Wem sonst als dir, Allgütigste? Du wußtest,
Daß Carlos ohne Engel war, du sandtest
Mir diesen, und ich frage noch?

MARQUIS. Vergebung,
Mein teurer Prinz, wenn ich dies stürmische
Entzücken mit Bestürzung nur erwidre.
So war es nicht, wie ich Don Philipps Sohn
Erwartete. Ein unnatürlich Rot
Entzündet sich auf Ihren blassen Wangen,
Und Ihre Lippen zittern fieberhaft.
Was muß ich glauben, teurer Prinz? – Das ist
Der löwenkühne Jüngling nicht, zu dem
Ein unterdrücktes Heldenvolk mich sendet –
Denn jetzt steh ich als Roderich nicht hier,
Nicht als des Knaben Carlos Spielgeselle –
Ein Abgeordneter der ganzen Menschheit
Umarm ich Sie – es sind die flandrischen
Provinzen, die an Ihrem Halse weinen,
Und feierlich um Rettung Sie bestürmen,
Getan ists um Ihr teures Land, wenn Alba,
Des Fanatismus rauher Henkersknecht,
Vor Brüssel rückt mit spanischen Gesetzen.
Auf Kaiser Karls glorwürdgem Enkel ruht
Die letzte Hoffnung dieser edeln Lande.
Sie stürzt dahin, wenn sein erhabnes Herz
Vergessen hat, für Menschlichkeit zu schlagen.

CARLOS. Sie stürzt dahin.

MARQUIS. Weh mir! Was muß ich hören!

CARLOS. Du sprichst von Zeiten, die vergangen sind.
Auch mir hat einst von einem Karl geträumt,
Dems feurig durch die Wangen lief, wenn man
Von Freiheit sprach – doch der ist lang begraben.
Den du hier siehst, das ist der Karl nicht mehr,
Der in Alkala von dir Abschied nahm,
Der sich vermaß in süßer Trunkenheit,
Der Schöpfer eines neuen goldnen Alters

In Spanien zu werden – O, der Einfall
War kindisch, aber göttlich schön! Vorbei
Sind diese Träume. –

MARQUIS. Träume, Prinz? – So wären
Es Träume nur gewesen?

CARLOS. Laß mich weinen,
An deinem Herzen heiße Tränen weinen,
Du einzger Freund. Ich habe niemand – niemand –
Auf dieser großen, weiten Erde niemand.
So weit das Zepter meines Vaters reicht,
So weit die Schiffahrt unsre Flaggen sendet,
Ist keine Stelle – keine – keine, wo
Ich meiner Tränen mich entlasten darf,
Als diese. O, bei allem, Roderich,
Was du und ich dereinst im Himmel hoffen,
Verjage mich von dieser Stelle nicht.

MARQUIS *(neigt sich über ihn in sprachloser Rührung)*.

CARLOS. Berede dich, ich wär ein Waisenkind,
Das du am Thron mitleidig aufgelesen.
Ich weiß ja nicht, was Vater heißt – ich bin
Ein Königssohn – O, wenn es eintrifft, was
Mein Herz mir sagt, wenn du aus Millionen
Herausgefunden bist, mich zu verstehn,
Wenns wahr ist, daß die schaffende Natur
Den Roderich im Carlos wiederholte,
Und unsrer Seelen zartes Saitenspiel
Am Morgen unsres Lebens gleich bezog,
Wenn eine Träne, die mir Lindrung gibt,
Dir teurer ist als meines Vaters Gnade –

MARQUIS. O teurer als die ganze Welt.

CARLOS. So tief
Bin ich gefallen – bin so arm geworden,
Daß ich an unsre frühen Kinderjahre
Dich mahnen muß – daß ich dich bitten muß,
Die lang vergeßnen Schulden abzutragen,
Die du noch im Matrosenkleide machtest –

Als du und ich, zween Knaben wilder Art,
So brüderlich zusammen aufgewachsen,
Kein Schmerz mich drückte, als von deinem Geiste
So sehr verdunkelt mich zu sehn – ich endlich
Mich kühn entschloß, dich grenzenlos zu lieben,
Weil mich der Mut verließ, dir gleich zu sein.
Da fing ich an, mit tausend Zärtlichkeiten
Und treuer Bruderliebe dich zu quälen;
Du stolzes Herz gabst sie mir kalt zurück.
Oft stand ich da, und – doch das sahst du nie!
und heiße, schwere Tränentropfen hingen
In meinem Aug, wenn du, mich überhüpfend,
Geringre Kinder in die Arme drücktest.
Warum nur diese? rief ich trauernd aus:
Bin *ich* dir nicht auch herzlich gut? – Du aber,
Du knietest kalt und ernsthaft vor mir nieder:
Das, sagtest du, gebührt dem Königssohn.

MARQUIS. O stille, Prinz, von diesen kindischen
Geschichten, die mich jetzt noch schamrot machen.

CARLOS. Ich hatt es nicht um dich verdient. Verschmähen,
Zerreißen konntest du mein Herz, doch nie
Von dir entfernen. Dreimal wiesest du
Den Fürsten von dir, dreimal kam er wieder
Als Bittender, um Liebe dich zu flehn
Und dir gewaltsam Liebe aufzudringen.
Ein Zufall tat, was Carlos nie gekonnt.
Einmal geschahs bei unsern Spielen, daß
Der Königin von Böhmen, meiner Tante,
Dein Federball ins Auge flog. Sie glaubte,
Daß es mit Vorbedacht geschehn, und klagt' es
Dem Könige mit tränendem Gesicht.
Die ganze Jugend des Palastes muß
Erscheinen, ihm den Schuldigen zu nennen.
Der König schwört, die hinterlistge Tat,
Und wär es auch an seinem eignen Kinde,
Aufs schrecklichste zu ahnden. – Damals sah ich

Dich zitternd in der Ferne stehn, und jetzt,
Jetzt trat ich vor und warf mich zu den Füßen
Des Königs. Ich, ich tat es, rief ich aus:
An deinem Sohn erfülle deine Rache.

MARQUIS. Ach, woran mahnen Sie mich, Prinz!

CARLOS. Sie wards!
Im Angesicht des ganzen Hofgesindes,
Das mitleidsvoll im Kreise stand, ward sie
Auf Sklavenart an deinem Karl vollzogen.
Ich sah auf dich und weinte nicht. Der Schmerz
Schlug meine Zähne knirschend aneinander;
Ich weinte nicht. Mein königliches Blut
Floß schändlich unter unbarmherzgen Streichen;
Ich sah auf dich und weinte nicht – Du kamst;
Laut weinend sankst du mir zu Füßen. Ja,
Ja, riefst du aus, mein Stolz ist überwunden.
Ich will bezahlen, wenn du König bist.

MARQUIS *(reicht ihm die Hand)*.
Ich will es, Karl. Das kindische Gelübde
Erneur ich jetzt als Mann. Ich will bezahlen.
Auch meine Stunde schlägt vielleicht.

CARLOS. Jetzt, jetzt –
O, zögre nicht – jetzt hat sie ja geschlagen.
Die Zeit ist da, wo du es lösen kannst.
Ich brauche Liebe. – Ein entsetzliches
Geheimnis brennt auf meiner Brust. Es soll,
Es soll heraus. In deinen blassen Mienen
Will ich das Urteil meines Todes lesen.
Hör an – erstarre – doch erwidre nichts –
Ich liebe meine Mutter.

MARQUIS. O mein Gott!

CARLOS. Nein! Diese Schonung will ich nicht. Sprichs aus,
Sprich, daß auf diesem großen Rund der Erde
Kein Elend an das meine grenze – sprich –
Was du mir sagen kannst, errat ich schon.
Der Sohn liebt seine Mutter. Weltgebräuche,

Die Ordnung der Natur und Roms Gesetze
Verdammen diese Leidenschaft. Mein Anspruch
Stößt fürchterlich auf meines Vaters Rechte.
Ich fühls, und dennoch lieb ich. Dieser Weg
Führt nur zum Wahnsinn oder Blutgerüste.
Ich liebe ohne Hoffnung – lasterhaft –
Mit Todesangst und mit Gefahr des Lebens –
Das seh ich ja, und dennoch lieb ich.

MARQUIS. Weiß
Die Königin um diese Neigung?

CARLOS. Konnt ich
Mich ihr entdecken? Sie ist Philipps Frau
Und Königin, und das ist span'scher Boden.
Von meines Vaters Eifersucht bewacht,
Von Etikette ringsum eingeschlossen,
Wie konnt ich ohne Zeugen mich ihr nahn?
Acht höllenbange Monde sind es schon,
Daß von der hohen Schule mich der König
Zurückberief, daß ich sie täglich anzuschauen
Verurteilt bin und, wie das Grab, zu schweigen.
Acht höllenbange Monde, Roderich,
Daß dieses Feur in meinem Busen wütet,
Daß tausendmal sich das entsetzliche
Geständnis schon auf meinen Lippen meldet,
Doch scheu und feig zurück zum Herzen kriecht.
O Roderich – nur wen'ge Augenblicke
Allein mit ihr –

MARQUIS. Ach! Und Ihr Vater, Prinz –

CARLOS: Unglücklicher! Warum an den mich mahnen?
Sprich mir von allen Schrecken des Gewissens,
Von meinem Vater sprich mir nicht.

MARQUIS. Sie hassen Ihren Vater?

CARLOS. Nein! Ach, nein!
Ich hasse meinen Vater nicht – doch Schauer
Und Missetäters Bangigkeit ergreifen
Bei diesem fürchterlichen Namen mich.

Kann ich dafür, wenn eine knechtische
Erziehung schon in meinem jungen Herzen
Der Liebe zarten Keim zertrat? Sechs Jahre
Hatt ich gelebt, als mir zum erstenmal
Der Fürchterliche, der, wie sie mir sagten,
Mein Vater war, vor Augen kam. Es war
An einem Morgen, wo er stehnden Fußes
Vier Bluturteile unterschrieb. Nach diesem
Sah ich ihn nur, wenn mir für ein Vergehn
Bestrafung angekündigt ward. – O Gott!
Hier fühl ich, daß ich bitter werde – Weg –
Weg, weg von dieser Stelle!

MARQUIS. Nein, Sie sollen,
Jetzt sollen Sie sich öffnen, Prinz. In Worten
Erleichtert sich der schwer beladne Busen.

CARLOS. Oft hab ich mit mir selbst gerungen, oft
Um Mitternacht, wenn meine Wachen schliefen,
Mit heißen Tränengüssen vor das Bild
Der Hochgebenedeiten mich geworfen,
Sie um ein kindlich Herz gefleht – doch ohne
Erhörung stand ich auf. Ach, Roderich!
Enthülle du dies wunderbare Rätsel
Der Vorsicht mir – Warum von tausend Vätern
Just eben diesen Vater mir? Und ihm
Just diesen Sohn von tausend bessern Söhnen?
Zwei unverträglichere Gegenteile
Fand die Natur in ihrem Umkreis nicht.
Wie mochte sie die beiden letzten Enden
Des menschlichen Geschlechtes – mich und ihn –
Durch ein so heilig Band zusammenzwingen?
Furchtbares Los! Warum mußt es geschehn?
Warum zwei Menschen, die sich ewig meiden,
In *einem* Wunsche schrecklich sich begegnen?
Hier, Roderich, siehst du zwei feindliche
Gestirne, die im ganzen Lauf der Zeiten
Ein einzig Mal in scheitelrechter Bahn

Zerschmetternd sich berühren, dann auf immer
Und ewig auseinanderfliehn.

MARQUIS. Mir ahndet
Ein unglücksvoller Augenblick.

CARLOS. Mir selbst.
Wie Furien des Abgrunds folgen mir
Die schauerlichsten Träume. Zweifelnd ringt
Mein guter Geist mit gräßlichen Entwürfen;
Durch labyrinthische Sophismen kriecht
Mein unglückselger Scharfsinn, bis er endlich
Vor eines Abgrunds gähem Rande stutzt –
O Roderich, wenn ich den Vater je
In ihm verlernte – Roderich – ich sehe,
Dein totenblasser Blick hat mich verstanden –
Wenn ich den Vater je in ihm verlernte,
Was würde mir der König sein?

MARQUIS *(nach einigem Stillschweigen)*. Darf ich
An meinen Carlos eine Bitte wagen?
Was Sie auch willens sind zu tun, versprechen Sie,
Nichts ohne Ihren Freund zu unternehmen.
Versprechen Sie mir dieses?

CARLOS. Alles, alles,
Was deine Liebe mir gebeut. Ich werfe
Mich ganz in deine Arme.

MARQUIS. Wie man sagt,
Will der Monarch zur Stadt zurückekehren.
Die Zeit ist kurz. Wenn Sie die Königin
Geheim zu sprechen wünschen, kann es nirgends
Als in Aranjuez geschehn. Die Stille
Des Orts – des Landes ungezwungne Sitte
Begünstigen –

CARLOS. Das war auch meine Hoffnung.
Doch, ach, sie war vergebens!

MARQUIS. Nicht so ganz.
Ich gehe, mich sogleich ihr vorzustellen.
Ist sie in Spanien dieselbe noch,

Die sie vordem an Heinrichs Hof gewesen,
So find ich Offenherzigkeit. Kann ich
In ihren Blicken Carlos' Hoffnung lesen,
Find ich zu dieser Unterredung sie
Gestimmt – sind ihre Damen zu entfernen –

CARLOS. Die meisten sind mir zugetan. – Besonders
Die Mondekar hab ich durch ihren Sohn,
Der mir als Page dient, gewonnen. –

MARQUIS. Desto besser.
So sind Sie in der Nähe, Prinz, sogleich
Auf mein gegebnes Zeichen zu erscheinen.

CARLOS. Das will ich – will ich – also eile nur.

MARQUIS. Ich will nun keinen Augenblick verlieren.
Dort also, Prinz, auf Wiedersehn!

(Beide gehen ab zu verschiedenen Seiten)

Die Hofhaltung der Königin in Aranjuez
Eine einfache ländliche Gegend, von einer Allee durchschnitten,
vom Landhause der Königin begrenzt

Dritter Auftritt

Die Königin. Die Herzogin von Olivarez. Die Prinzessin von Eboli und die Marquisin von Mondekar, welche die Allee heraufkommen

KÖNIGIN *(zur Marquisin). Sie* will ich um mich haben, Mondekar.
Die muntern Augen der Prinzessin quälen
Mich schon den ganzen Morgen. Sehen Sie,
Kaum weiß sie ihre Freude zu verbergen,
Weil sie vom Lande Abschied nimmt.

EBOLI. Ich will es
Nicht leugnen, meine Königin, daß ich
Madrid mit großen Freuden wiedersehe.

MONDEKAR. Und Ihre Majestät nicht auch? Sie sollten
So ungern von Aranjuez sich trennen?

KÖNIGIN. Von – dieser schönen Gegend wenigstens.

Hier bin ich wie in meiner Welt. Dies Plätzchen
Hab ich mir längst zum Liebling auserlesen.
Hier grüßt mich meine ländliche Natur,
Die Busenfreundin meiner jungen Jahre.
Hier find ich meine Kinderspiele wieder,
Und meines Frankreichs Lüfte wehen hier.
Verargen Sie mirs nicht. Uns alle zieht
Das Herz zum Vaterland.

EBOLI. Wie einsam aber,
Wie tot und traurig ist es hier! Man glaubt
Sich in la Trappe.

KÖNIGIN. Das Gegenteil vielmehr.
Tot find ich es nur in Madrid. – Doch was
Spricht unsre Herzogin dazu?

OLIVAREZ. Ich bin
Der Meinung, Ihre Majestät, daß es
So Sitte war, den einen Monat hier,
Den andern in dem Pardo auszuhalten,
Den Winter in der Residenz, solange
Es Könige in Spanien gegeben.

KÖNIGIN. Ja, Herzogin, das wissen Sie, mit Ihnen
Hab ich auf immer mich des Streits begeben.

MONDEKAR. Und wie lebendig es mit nächstem in
Madrid sein wird! Zu einem Stiergefechte
Wird schon die Plaza Mayor zugerichtet,
Und ein Autodafé hat man uns auch
Versprochen –

KÖNIGIN. Uns versprochen! Hör ich das
Von meiner sanften Mondekar?

MONDEKAR. Warum nicht?
Es sind ja Ketzer, die man brennen sieht.

KÖNIGIN. Ich hoffe, meine Eboli denkt anders.

EBOLI. Ich? – Ihre Majestät, ich bitte sehr,
Für keine schlechtre Christin mich zu halten
Als die Marquisin Mondekar.

KÖNIGIN. Ach! Ich

Vergesse, wo ich bin. – Zu etwas anderm. –
Vom Lande, glaub ich, sprachen wir. Der Monat
Ist, deucht mir, auch erstaunlich schnell vorüber.
Ich habe mir der Freude viel, sehr viel
Von diesem Aufenthalt versprochen, und
Ich habe nicht gefunden, was ich hoffte.
Geht es mit jeder Hoffnung so? Ich kann
Den Wunsch nicht finden, der mir fehlgeschlagen.

OLIVAREZ. Prinzessin Eboli, Sie haben uns
Noch nicht gesagt, ob Gomez hoffen darf?
Ob wir Sie bald als seine Braut begrüßen?

KÖNIGIN. Ja! Gut, daß Sie mich mahnen, Herzogin.
(Zur Prinzessin)
Man bittet mich, bei Ihnen fürzusprechen.
Wie aber kann ich das? Der Mann, den ich
Mit meiner Eboli belohne, muß
Ein würdger Mann sein.

OLIVAREZ. Ihre Majestät,
Das ist er, ein sehr würdger Mann, ein Mann,
Den unser gnädigster Monarch bekanntlich
Mit ihrer königlichen Gunst beehren.

KÖNIGIN. Das wird den Mann sehr glücklich machen – Doch
Wir wollen wissen, ob er lieben kann
Und Liebe kann verdienen. – Eboli,
Das frag ich Sie.

EBOLI *(steht stumm und verwirrt, die Augen zur Erde geschlagen, endlich fällt sie der Königin zu Füßen)*.
Großmütge Königin,
Erbarmen *Sie* sich meiner. Lassen Sie –
Um Gottes willen, lassen Sie mich nicht –
Nicht aufgeopfert werden.

KÖNIGIN. Aufgeopfert?
Ich brauche nichts mehr. Stehn Sie auf. Es ist
Ein hartes Schicksal, aufgeopfert werden.
Ich glaube Ihnen. Stehn Sie auf. – Ist es
Schon lang, daß Sie den Grafen ausgeschlagen?

EBOLI *(aufstehend)*. O viele Monate. Prinz Carlos war
Noch auf der hohen Schule.

KÖNIGIN *(stutzt und sieht sie mit forschenden Augen an)*.
Haben Sie
Sich auch geprüft, aus welchen Gründen?

EBOLI *(mit einiger Heftigkeit)*. Niemals
Kann es geschehen, meine Königin,
Aus tausend Gründen niemals.

KÖNIGIN *(sehr ernsthaft)*. Mehr als einer ist
Zu viel. Sie können ihn nicht schätzen – Das
Ist mir genug. Nichts mehr davon.
(Zu den andern Damen) Ich habe
Ja die Infantin heut noch nicht gesehen.
Marquisin, bringen Sie sie mir.

OLIVAREZ *(sieht auf die Uhr)*. Es ist
Noch nicht die Stunde, Ihre Majestät.

KÖNIGIN. Noch nicht die Stunde, wo ich Mutter sein darf?
Das ist doch schlimm. Vergessen Sie es ja nicht,
Mich zu erinnern, wenn sie kommt.
(Ein Page tritt auf und spricht leise mit der Oberhofmeisterin, welche sich darauf zur Königin wendet)

OLIVAREZ. Der Marquis
Von Posa, Ihre Majestät –

KÖNIGIN. Von Posa?

OLIVAREZ. Er kommt aus Frankreich und den Niederlanden
Und wünscht die Gnade zu erhalten, Briefe
Von der Regentin Mutter übergeben
Zu dürfen.

KÖNIGIN. Und das ist erlaubt?

OLIVAREZ *(bedenklich)*. In meiner Vorschrift
Ist des besondern Falles nicht gedacht,
Wenn ein kastilianscher Grande Briefe
Von einem fremden Hof der Königin
Von Spanien in ihrem Gartenwäldchen
Zu überreichen kommt.

KÖNIGIN. So will ich denn

Auf meine eigene Gefahr es wagen!
OLIVAREZ. Doch mir vergönne Ihre Majestät,
Mich solang zu entfernen. –
KÖNIGIN. Halten Sie
Das, wie Sie wollen, Herzogin.
(Die Oberhofmeisterin geht ab, und die Königin gibt dem Pagen einen Wink, welcher sogleich hinausgeht)

Vierter Auftritt

Königin. Prinzessin von Eboli. Marquisin von Mondekar und Marquis von Posa

KÖNIGIN. Ich heiße Sie
Willkommen, Chevalier, auf span'schem Boden.
MARQUIS. Den ich noch nie mit so gerechtem Stolze
Mein Vaterland genannt als jetzt. –
KÖNIGIN *(zu den beiden Damen).* Der Marquis
Von Posa, der im Ritterspiel zu Reims
Mit meinem Vater eine Lanze brach
Und meine Farbe dreimal siegen machte –
Der erste seiner Nation, der mich
Den Ruhm empfinden lehrte, Königin
Der Spanier zu sein.
(Zum Marquis sich wendend) Als wir im Louvre
Zum letztenmal uns sahen, Chevalier,
Da träumt' es Ihnen wohl noch nicht, daß Sie
Mein Gast sein würden in Kastilien.
MARQUIS. Nein, große Königin – denn damals träumte
Mir nicht, daß Frankreich noch das einzige
An uns verlieren würde, was wir ihm
Beneidet hatten.
KÖNIGIN. Stolzer Spanier!
Das einzige? – Und das zu einer Tochter
Vom Hause Valois?
MARQUIS. Jetzt darf ich es

Ja sagen, Ihre Majestät – denn jetzt
Sind Sie ja unser.

KÖNIGIN. Ihre Reise, hör ich,
Hat auch durch Frankreich Sie geführt. – Was bringen
Sie mir von meiner hochverehrten Mutter
Und meinen vielgeliebten Brüdern?

MARQUIS *(überreicht ihr die Briefe).*
Die Königin-Mutter fand ich krank, geschieden
Von jeder andern Freude dieser Welt,
Als ihre königliche Tochter glücklich
Zu wissen auf dem span'schen Thron.

KÖNIGIN. Muß sie
Es nicht sein bei dem teuern Angedenken
So zärtlicher Verwandten? bei der süßen
Erinnrung an – Sie haben viele Höfe
Besucht auf Ihren Reisen, Chevalier,
Und viele Länder, vieler Menschen Sitte
Gesehn – und jetzt, sagt man, sind Sie gesonnen,
In Ihrem Vaterland sich selbst zu leben?
Ein größrer Fürst in Ihren stillen Mauern,
Als König Philipp auf dem Thron – ein Freier!
Ein Philosoph! – Ich zweifle sehr, ob Sie
Sich werden können in Madrid gefallen.
Man ist sehr – ruhig in Madrid.

MARQUIS. Und das
Ist mehr, als sich das ganze übrige
Europa zu erfreuen hat.

KÖNIGIN. So hör ich.
Ich habe alle Händel dieser Erde
Bis fast auf die Erinnerung verlernt.
(Zur Prinzessin von Eboli)
Mir deucht, Prinzessin Eboli, ich sehe
Dort eine Hyazinthe blühen – Wollen
Sie mir sie bringen?
(Die Prinzessin geht nach dem Platze. Die Königin etwas leiser zum Marquis) Chevalier, ich müßte

Mich sehr betrügen, oder Ihre Ankunft
Hat einen frohen Menschen mehr gemacht
An diesem Hofe.

MARQUIS. Einen Traurigen
Hab ich gefunden – den auf dieser Welt
Nur etwas fröhlich –

(Die Prinzessin kommt mit der Blume zurück)

EBOLI. Da der Chevalier
So viele Länder hat gesehen, wird
Er ohne Zweifel viel Merkwürdiges
Uns zu erzählen wissen.

MARQUIS. Allerdings.
Und Abenteuer suchen, ist bekanntlich
Der Ritter Pflicht – die heiligste von allen,
Die Damen zu beschützen.

MONDEKAR. Gegen Riesen!
Jetzt gibt es keine Riesen mehr.

MARQUIS. Gewalt
Ist für den Schwachen jederzeit ein Riese.

KÖNIGIN. Der Chevalier hat recht. Es gibt noch Riesen,
Doch keine Ritter gibt es mehr.

MARQUIS. Noch jüngst,
Auf meinem Rückweg von Neapel, war
Ich Zeuge einer rührenden Geschichte,
Die mir der Freundschaft heiliges Legat
Zu meiner eigenen gemacht. – Wenn ich
Nicht fürchten müßte, Ihre Majestät
Durch die Erzählung zu ermüden –

KÖNIGIN. Bleibt
Mir eine Wahl? Die Neugier der Prinzessin
Läßt sich nichts unterschlagen. Nur zur Sache.
Auch ich bin eine Freundin von Geschichten.

MARQUIS. Zwei edle Häuser in Mirandola,
Der Eifersucht, der langen Feindschaft müde,
Die von den Ghibellinen und den Guelfen
Jahrhunderte schon fortgeerbt, beschlossen,

Durch der Verwandtschaft zarte Bande sich
In einem ewgen Frieden zu vereinen.
Des mächtigen Pietro Schwestersohn,
Fernando, und die göttliche Mathilde,
Colonnas Tochter, waren ausersehn,
Dies schöne Band der Einigkeit zu knüpfen.
Nie hat zwei schönre Herzen die Natur
Gebildet für einander – nie die Welt,
Nie eine Wahl so glücklich noch gepriesen.
Noch hatte seine liebenswürdge Braut
Fernando nur im Bildnis angebetet –
Wie zitterte Fernando, wahr zu finden,
Was seine feurigsten Erwartungen
Dem Bilde nicht zu glauben sich getrauten!
In Padua, wo seine Studien
Ihn fesselten, erwartete Fernando
Des frohen Augenblickes nur, der ihm
Vergönnen sollte, zu Mathildens Füßen
Der Liebe erste Huldigung zu stammeln.
(Die Königin wird aufmerksamer. Der Marquis fährt nach einem kurzen Stillschweigen fort, die Erzählung, soweit es die Gegenwart der Königin erlaubt, mehr an die Prinzessin von Eboli gerichtet)
Indessen macht der Gattin Tod die Hand
Pietros frei. – Mit jugendlicher Glut
Verschlingt der Greis die Stimmen des Gerüchtes,
Das in dem Ruhm Mathildens sich ergoß.
Er kommt! Er sieht! – Er liebt! Die neue Regung
Erstickt die leisre Stimme der Natur,
Der Oheim wirbt um seines Neffen Braut
Und heiligt seinen Raub vor dem Altare.

KÖNIGIN. Und was beschließt Fernando?

MARQUIS. Auf der Liebe Flügeln,
Des fürchterlichen Wechsels unbewußt,
Eilt nach Mirandola der Trunkene.
Mit Sternenschein erreicht sein schnelles Roß
Die Tore – ein bacchantisches Getön

Von Reigen und von Pauken donnert ihm
Aus dem erleuchteten Palast entgegen.
Er bebt die Stufen scheu hinauf und sieht
Sich unerkannt im lauten Hochzeitsaale,
Wo in der Gäste taumelndem Gelag
Pietro saß – ein Engel ihm zur Seite,
Ein Engel, den Fernando kennt, der ihm
In Träumen selbst so glänzend nie erschienen.
Ein einzger Blick zeigt ihm, was er besessen,
Zeigt ihm, was er auf immerdar verloren.

EBOLI. Unglücklicher Fernando!

KÖNIGIN. Die Geschichte
Ist doch zu Ende, Chevalier? – Sie muß
Zu Ende sein.

MARQUIS. Noch nicht ganz.

KÖNIGIN. Sagten Sie
Uns nicht, Fernando sei Ihr Freund gewesen?

MARQUIS. Ich habe keinen teurern.

EBOLI. Fahren Sie
Doch fort in der Geschichte, Chevalier.

MARQUIS. Sie wird sehr traurig – und das Angedenken
Erneuert meinen Schmerz. Erlassen Sie
Mir den Beschluß –
(Ein allgemeines Stillschweigen)

KÖNIGIN *(wendet sich zur Prinzessin von Eboli)*.
Nun wird mir endlich doch
Vergönnt sein, meine Tochter zu umarmen. –
Prinzessin, bringen Sie sie mir.
(Diese entfernt sich. Der Marquis winkt einem Pagen, der sich im Hintergrunde zeigt und sogleich verschwindet. Die Königin erbricht die Briefe, die der Marquis ihr gegeben, und scheint überrascht zu werden. In dieser Zeit spricht der Marquis geheim und sehr angelegentlich mit der Marquisin von Mondekar. – Die Königin hat die Briefe gelesen und wendet sich mit einem ausforschenden Blicke zum Marquis)
Sie haben
Uns von Mathilden nichts gesagt? Vielleicht

Weiß sie es nicht, wieviel Fernando leidet?

MARQUIS. Mathildens Herz hat niemand noch ergründet –
Doch große Seelen dulden still.

KÖNIGIN. Sie sehn sich um? Wen suchen Ihre Augen?

MARQUIS. Ich denke nach, wie glücklich ein Gewisser,
Den ich nicht nennen darf, an meinem Platze
Sein müßte.

KÖNIGIN. Wessen Schuld ist es, daß er
Es nicht ist?

MARQUIS *(lebhaft einfallend)*. Wie? Darf ich mich unterstehen,
Dies zu erklären, wie ich will? – Er würde
Vergebung finden, wenn er jetzt erschiene?

KÖNIGIN *(erschrocken)*. Jetzt, Marquis? Jetzt? Was meinen Sie damit?

MARQUIS. Er dürfte hoffen – dürft er?

KÖNIGIN *(mit wachsender Verwirrung)*.
Sie erschrecken mich,
Marquis – er wird doch nicht –

MARQUIS. Hier ist er schon.

Fünfter Auftritt

Die Königin. Carlos

*(Marquis von Posa und die Marquisin von Mondekar
treten nach dem Hintergrunde zurück)*

CARLOS *(vor der Königin niedergeworfen)*.
So ist er endlich da, der Augenblick,
Und Karl darf diese teure Hand berühren! –

KÖNIGIN. Was für ein Schritt – welch eine strafbare,
Tollkühne Überraschung! Stehn Sie auf!
Wir sind entdeckt. Mein Hof ist in der Nähe.

CARLOS. Ich steh nicht auf – hier will ich ewig knien.
Auf diesem Platz will ich verzaubert liegen,
In dieser Stellung angewurzelt –

KÖNIGIN. Rasender!
Zu welcher Kühnheit führt Sie meine Gnade?

Wie? Wissen Sie, daß es die Königin,
Daß es die Mutter ist, an die sich diese
Verwegne Sprache richtet? Wissen Sie,
Daß ich – ich selbst von diesem Überfalle
Dem Könige –

CARLOS. Und daß ich sterben muß!
Man reiße mich von hier aufs Blutgerüste!
Ein Augenblick, gelebt im Paradiese,
Wird nicht zu teuer mit dem Tod gebüßt.

KÖNIGIN. Und Ihre Königin?

CARLOS (*steht auf*). Gott, Gott! ich gehe –
Ich will Sie ja verlassen. – Muß ich nicht,
Wenn Sie es *also* fordern? Mutter! Mutter!
Wie schrecklich spielen Sie mit mir! Ein Wink,
Ein halber Blick, ein Laut aus ihrem Munde
Gebietet mir, zu sein und zu vergehen.
Was wollen Sie, das noch geschehen soll?
Was unter dieser Sonne kann es geben,
Das ich nicht hinzuopfern eilen will,
Wenn Sie es wünschen?

KÖNIGIN. Fliehen Sie.

CARLOS. O Gott!

KÖNIGIN. Das Einzge, Karl, warum ich Sie mit Tränen
Beschwöre – Fliehen Sie! – eh meine Damen –
Eh meine Kerkermeister Sie und mich
Beisammen finden und die große Zeitung
Vor Ihres Vaters Ohren bringen –

CARLOS. Ich erwarte
Mein Schicksal – es sei Leben oder Tod.
Wie? Hab ich darum meine Hoffnungen
Auf diesen einzgen Augenblick verwiesen,
Der Sie mir endlich ohne Zeugen schenkt,
Daß falsche Schrecken mich am Ziele täuschten?
Nein, Königin! Die Welt kann hundertmal,
Kann tausendmal um ihre Pole treiben,
Eh diese Gunst der Zufall wiederholt.

KÖNIGIN. Auch soll er das in Ewigkeit nicht wieder.
Unglücklicher! Was wollen Sie von mir?
CARLOS. O Königin, daß ich gerungen habe,
Gerungen, wie kein Sterblicher noch rang,
Ist Gott mein Zeuge – Königin, umsonst!
Hin ist mein Heldenmut. Ich unterliege.
KÖNIGIN. Nichts mehr davon – um meiner Ruhe willen –
CARLOS. Sie waren mein – im Angesicht der Welt
Mir zugesprochen von zwei großen Thronen,
Mir zuerkannt von Himmel und Natur,
Und Philipp, Philipp hat mir Sie geraubt –
KÖNIGIN. Er ist Ihr Vater.
CARLOS. Ihr Gemahl.
KÖNIGIN. Der Ihnen
Das größte Reich der Welt zum Erbe gibt.
CARLOS. Und *Sie* zur Mutter –
KÖNIGIN. Großer Gott! Sie rasen –
CARLOS. Und weiß er auch, wie reich er ist? Hat er
Ein fühlend Herz, das Ihrige zu schätzen?
Ich will nicht klagen, nein, ich will vergessen,
Wie unaussprechlich glücklich *ich* an Ihrer Hand
Geworden wäre – wenn nur *er* es ist.
Er ist es nicht – Das, das ist Höllenqual!
Er ist es nicht und wird es niemals werden.
Du nahmst mir meinen Himmel nur, um ihn
In König Philipps Armen zu vertilgen.
KÖNIGIN. Abscheulicher Gedanke!
CARLOS. O, ich weiß,
Wer dieser Ehe Stifter war – ich weiß,
Wie Philipp lieben kann und wie er freite.
Wer sind Sie denn in diesem Reich? Laß hören.
Regentin etwa? Nimmermehr! Wie könnten,
Wo *Sie* Regentin sind, die Alba würgen?
Wie könnte Flandern für den Glauben bluten?
Wie, oder sind Sie Philipps Frau? Unmöglich!
Ich kanns nicht glauben. Eine Frau besitzt

Des Mannes Herz – und wem gehört das seine?
Und bittet er nicht jede Zärtlichkeit,
Die ihm vielleicht in Fieberglut entwischte,
Dem Zepter ab und seinen grauen Haaren?

KÖNIGIN. Wer sagte Ihnen, daß an Philipps Seite
Mein Los beweinenswürdig sei?

CARLOS. Mein Herz,
Das feurig fühlt, wie es an meiner Seite
Beneidenswürdig wäre.

KÖNIGIN. Eitler Mann!
Wenn *mein* Herz nun das Gegenteil mir sagte?
Wenn Philipps ehrerbietge Zärtlichkeit
Weit inniger als seines stolzen Sohns
Verwegene Beredsamkeit mich rührte?
Wenn eines Greisen überlegte Achtung –

CARLOS. Das ist was andres – Dann – ja, dann – Vergebung.
Das wußt ich nicht, daß Sie den König lieben.

KÖNIGIN. Ihn ehren ist mein Wunsch und mein Vergnügen.

CARLOS. Sie haben nie geliebt?

KÖNIGIN. Seltsame Frage!

CARLOS. Sie haben nie geliebt?

KÖNIGIN. – Ich liebe nicht mehr.

CARLOS. Weil es Ihr Herz, weil es Ihr Eid verbietet?

KÖNIGIN. Verlassen Sie mich, Prinz, und kommen Sie
Zu keiner solchen Unterredung wieder.

CARLOS. Weil es Ihr Eid, weil es Ihr Herz verbietet?

KÖNIGIN. Weil meine Pflicht – – Unglücklicher, wozu
Die traurige Zergliederung des Schicksals,
Dem Sie und ich gehorchen müssen?

CARLOS. Müssen?
Gehorchen müssen?

KÖNIGIN. Wie? Was wollen Sie
Mit diesem feierlichen Ton?

CARLOS. So viel,
Daß Carlos nicht gesonnen ist, zu müssen,
Wo er zu wollen hat; daß Carlos nicht

Gesonnen ist, der Unglückseligste
In diesem Reich zu bleiben, wenn es ihn
Nichts als den Umsturz der Gesetze kostet,
Der Glücklichste zu sein.

KÖNIGIN. Versteh ich Sie?
Sie hoffen noch? Sie wagen es, zu hoffen,
Wo alles, alles schon verloren ist?

CARLOS. Ich gebe nichts verloren als die Toten.

KÖNIGIN. Auf mich, auf Ihre Mutter hoffen Sie? –
(Sie sieht ihn lange und durchdringend an – dann mit Würde und Ernst)
Warum nicht? O, der neu erwählte König
Kann mehr als das – kann die Verordnungen
Des Abgeschiednen durch das Feur vertilgen,
Kann seine Bilder stürzen, kann sogar –
Wer hindert ihn? – die Mumie des Toten
Aus ihrer Ruhe zu Eskurial
Hervor ans Licht der Sonne reißen, seinen
Entweihten Staub in die vier Winde streun
Und dann zuletzt, um würdig zu vollenden –

CARLOS. Um Gottes willen, reden Sie nicht aus.

KÖNIGIN. Zuletzt noch mit der Mutter sich vermählen.

CARLOS. Verfluchter Sohn!
(Er steht einen Augenblick starr und sprachlos)
Ja, es ist aus. Jetzt ist
Es aus. – Ich fühle klar und helle, was
Mir ewig, ewig dunkel bleiben sollte.
Sie sind für mich dahin – dahin – dahin –
Auf immerdar! – Jetzt ist der Wurf gefallen.
Sie sind für mich verloren – O, in diesem
Gefühl liegt Hölle – Hölle liegt im andern,
Sie zu besitzen. – Weh! ich faß es nicht,
Und meine Nerven fangen an zu reißen.

KÖNIGIN. Beklagenswerter, teurer Karl! Ich fühle –
Ganz fühl ich sie, die namenlose Pein,
Die jetzt in Ihrem Busen tobt. Unendlich,
Wie Ihre Liebe, ist Ihr Schmerz. Unendlich,

Wie er, ist auch der Ruhm, ihn zu besiegen.
Erringen Sie ihn, junger Held. Der Preis
Ist dieses hohen, starken Kämpfers wert,
Des Jünglings wert, durch dessen Herz die Tugend
So vieler königlichen Ahnen rollt.
Ermannen Sie sich, edler Prinz. – Der Enkel
Des großen Karls fängt frisch zu ringen an,
Wo andrer Menschen Kinder mutlos enden.

CARLOS. Zu spät! O Gott! es ist zu spät!

KÖNIGIN. Ein Mann
Zu sein? O Karl! wie groß wird unsre Tugend,
Wenn unser Herz bei ihrer Übung bricht!
Hoch stellte Sie die Vorsicht – höher, Prinz,
Als Millionen Ihrer andern Brüder.
Parteilich gab sie ihrem Liebling, was
Sie andern nahm, und Millionen fragen:
Verdiente der im Mutterleibe schon
Mehr als wir andern Sterblichen zu gelten?
Auf, retten Sie des Himmels Billigkeit!
Verdienen Sie, der Welt voranzugehn,
Und opfern Sie, was keiner opferte!

CARLOS. Das kann ich auch. – Sie zu erkämpfen, hab
Ich Riesenkraft, Sie zu verlieren, keine.

KÖNIGIN. Gestehen Sie es, Carlos – Trotz ist es
Und Bitterkeit und Stolz, was Ihre Wünsche
So heftig nach der Mutter zieht. Die Liebe,
Das Herz, das Sie verschwenderisch mir opfern,
Gehört den Reichen an, die Sie dereinst
Regieren sollen. Sehen Sie, Sie prassen
Von Ihres Mündels anvertrautem Gut.
Die Liebe ist Ihr großes Amt. Bis jetzt
Verirrte sie zur Mutter. – Bringen Sie,
O, bringen Sie sie Ihren künftigen Reichen
Und fühlen Sie, statt Dolchen des Gewissens,
Die Wollust, Gott zu sein. Elisabeth
War Ihre erste Liebe. Ihre zweite

Sei Spanien! Wie gerne, guter Karl,
Will ich der besseren Geliebten weichen!

CARLOS *(wirft sich, von Empfindung überwältigt, zu ihren Füßen).*
Wie groß sind Sie, o Himmlische! – Ja, alles,
Was Sie verlangen, will ich tun. – Es sei!
(Er steht auf)
Hier steh ich in der Allmacht Hand und schwöre,
Und schwöre Ihnen, schwöre ewiges –
O Himmel! Nein! Nur ewiges Verstummen,
Doch ewiges Vergessen nicht.

KÖNIGIN. Wie könnt ich
Von Carlos fordern, was ich selbst zu leisten
Nicht willens bin?

MARQUIS *(eilt aus der Allee).* Der König!

KÖNIGIN. Gott!

MARQUIS. Hinweg,
Hinweg aus dieser Gegend, Prinz!

KÖNIGIN. Sein Argwohn
Ist fürchterlich, erblickt er Sie –

CARLOS. Ich bleibe!

KÖNIGIN. Und wer wird dann das Opfer sein?

CARLOS *(zieht den Marquis am Arme).* Fort, fort!
Komm, Roderich!
(Er geht und kommt noch einmal zurück)
Was darf ich mit mir nehmen?

KÖNIGIN. Die Freundschaft Ihrer Mutter.

CARLOS. Freundschaft! Mutter!

KÖNIGIN.
Und diese Tränen aus den Niederlanden.

(Sie gibt ihm einige Briefe. Karl und der Marquis gehen ab. Die Königin sieht sich unruhig nach ihren Damen um, welche sich nirgends erblicken lassen. Wie sie nach dem Hintergrunde zurückgehen will, erscheint der König)

Sechster Auftritt

König. Königin. Herzog Alba. Graf Lerma. Domingo. Einige Damen und Granden, welche in der Entfernung zurückbleiben

KÖNIG *(sieht mit Befremdung umher und schweigt eine Zeitlang).*
Was seh ich! Sie hier! So allein, Madame?
Und auch nicht *eine* Dame zur Begleitung?
Das wundert mich – wo blieben Ihre Frauen?
KÖNIGIN. Mein gnädigster Gemahl –
KÖNIG. Warum allein?
(Zum Gefolge) Von diesem unverzeihlichen Versehn
Soll man die strengste Rechenschaft mir geben.
Wer hat das Hofamt bei der Königin?
Wen traf der Rang, sie heute zu bedienen?
KÖNIGIN. O, zürnen Sie nicht, mein Gemahl – ich selbst,
Ich bin die Schuldige – auf mein Geheiß
Entfernte sich die Fürstin Eboli.
KÖNIG. Auf Ihr Geheiß?
KÖNIGIN. Die Kammerfrau zu rufen,
Weil ich nach der Infantin mich gesehnt.
KÖNIG. Und darum die Begleitung weggeschickt?
Doch dies entschuldigt nur die erste Dame.
Wo war die zwote?
MONDEKAR *(welche indessen zurückgekommen ist und sich unter die übrigen Damen gemischt hat, tritt hervor).* Ihre Majestät,
Ich fühle, daß ich strafbar bin –
KÖNIG. Deswegen
Vergönn ich Ihnen zehen Jahre Zeit,
Fern von Madrid darüber nachzudenken.
(Die Marquisin tritt mit weinenden Augen zurück. Allgemeines Stillschweigen. Alle Umstehenden sehen bestürzt auf die Königin)
KÖNIGIN. Marquisin, *wen* beweinen Sie? *(Zum König)*
Hab ich
Gefehlt, mein gnädigster Gemahl, so sollte
Die Königskrone dieses Reichs, wornach
Ich selber nie gegriffen habe, mich

Zum mindesten vor dem Erröten schützen.
Gibts ein Gesetz in diesem Königreich,
Das vor Gericht Monarchentöchter fordert?
Bloß Zwang bewacht die Frauen Spaniens?
Schützt sie ein Zeuge mehr als ihre Tugend?
Und jetzt Vergebung, mein Gemahl – ich bin
Es nicht gewohnt, die mir mit Freude dienten,
In Tränen zu entlassen. – Mondekar!
(Sie nimmt ihren Gürtel ab und überreicht ihn der Marquisin)
Den König haben Sie erzürnt – nicht mich –
Drum nehmen Sie dies Denkmal meiner Gnade
Und dieser Stunde. – Meiden Sie das Reich –
Sie haben nur in Spanien gesündigt;
In meinem Frankreich wischt man solche Tränen
Mit Freuden ab. – O, muß michs ewig mahnen?
(Sie lehnt sich an die Oberhofmeisterin und bedeckt das Gesicht)
In meinem Frankreich wars doch anders.

KÖNIG *(in einiger Bewegung)*. Konnte
Ein Vorwurf meiner Liebe Sie betrüben?
Ein Wort betrüben, das die zärtlichste
Bekümmernis auf meine Lippen legte?
(Er wendet sich gegen die Grandezza)
Hier stehen die Vasallen meines Throns.
Sank je ein Schlaf auf meine Augenlider,
Ich hätte denn am Abend jedes Tags
Berechnet, wie die Herzen meiner Völker
In meinen fernsten Himmelsstrichen schlagen? –
Und sollt ich ängstlicher für meinen Thron
Als für die Gattin meines Herzens beben? –
Für meine Völker haftet mir mein Schwert,
Dies Auge nur für meines Weibes Liebe.

KÖNIGIN. Verdien ich diesen Argwohn, Sire?

KÖNIG. Ich heiße
Der reichste Mann in der getauften Welt;
Die Sonne geht in meinem Staat nicht unter –
Doch alles das besaß ein andrer schon,

Wird nach mir mancher andre noch besitzen.
Das ist mein eigen. Was der König hat,
Gehört dem Glück – Elisabeth dem Philipp.
Hier ist die Stelle, wo ich sterblich bin.

KÖNIGIN. Sie fürchten, Sire?

KÖNIG. Dies graue Haar doch nicht?
Wenn ich einmal zu fürchten angefangen,
Hab ich zu fürchten aufgehört –
(Zu den Granden) Ich zähle
Die Großen meines Hofs – der erste fehlt.
Wo ist Don Carlos, mein Infant?
(Niemand antwortet) Der Knabe
Don Karl fängt an, mir fürchterlich zu werden.
Er meidet meine Gegenwart, seitdem
Er von Alkalas hoher Schule kam.
Sein Blut ist heiß, warum sein Blick so kalt?
So abgemessen festlich sein Betragen?
Seid wachsam. Ich empfehl es euch.

ALBA. Ich bins.
Solang ein Herz an diesen Panzer schlägt,
Mag sich Don Philipp ruhig schlafen legen.
Wie Gottes Cherub vor dem Paradies
Steht Herzog Alba vor dem Thron.

LERMA. Darf ich
Dem weisesten der Könige in Demut
Zu widersprechen wagen? – Allzu tief
Verehr ich meines Königs Majestät,
Als seinen Sohn so rasch und streng zu richten.
Ich fürchte viel von Carlos' heißem Blut,
Doch nichts von seinem Herzen.

KÖNIG. Graf von Lerma,
Ihr redet gut, den Vater zu bestechen,
Des Königs Stütze wird der Herzog sein –
Nichts mehr davon – *(Er wendet sich gegen sein Gefolge)*
Jetzt eil ich nach Madrid.
Mich ruft mein königliches Amt. Die Pest

Der Ketzerei steckt meine Völker an,
Der Aufruhr wächst in meinen Niederlanden.
Es ist die höchste Zeit. Ein schauerndes
Exempel soll die Irrenden bekehren.
Den großen Eid, den alle Könige
Der Christenheit geloben, lös ich morgen.
Dies Blutgericht soll ohne Beispiel sein;
Mein ganzer Hof ist feierlich geladen.
(Er führt die Königin hinweg, die übrigen folgen)

Siebenter Auftritt

Don Carlos mit Briefen in der Hand, Marquis von Posa kommen von der entgegengesetzten Seite

CARLOS. Ich bin entschlossen. Flandern sei gerettet.
Sie will es – das ist mir genug.
MARQUIS. Auch ist
Kein Augenblick mehr zu verlieren. Herzog
Von Alba, sagt man, ist im Kabinett
Bereits zum Gouverneur ernannt.
CARLOS. Gleich morgen
Verlang ich Audienz bei meinem Vater.
Ich fordre dieses Amt für mich. Es ist
Die erste Bitte, die ich an ihn wage.
Er kann sie mir nicht weigern. Lange schon
Sieht er mich ungern in Madrid. Welch ein
Willkommner Vorwand, mich entfernt zu halten!
Und – soll ich dirs gestehen, Roderich?
Ich hoffe mehr – Vielleicht gelingt es mir,
Von Angesicht zu Angesicht mit ihm
In seiner Gunst mich wiederherzustellen.
Er hat noch nie die Stimme der Natur
Gehört – laß mich versuchen, Roderich,
Was sie auf meinen Lippen wird vermögen!

MARQUIS. Jetzt endlich hör ich meinen Carlos wieder.
Jetzt sind Sie wieder ganz Sie selbst.

Achter Auftritt

Vorige. Graf Lerma

LERMA. Soeben
Hat der Monarch Aranjuez verlassen.
Ich habe den Befehl –
CARLOS. Schon gut, Graf Lerma,
Ich treffe mit dem König ein.
MARQUIS *(macht Miene, sich zu entfernen. Mit einigem Zeremoniell).*
Sonst haben
Mir Eure Hoheit nichts mehr aufzutragen?
CARLOS. Nichts, Chevalier. Ich wünsche Ihnen Glück
Zu Ihrer Ankunft in Madrid. Sie werden
Noch mehreres von Flandern mir erzählen.
(Zu Lerma, welcher noch wartet)
Ich folge gleich. *(Graf Lerma geht ab)*

Neunter Auftritt

Don Carlos. Der Marquis

CARLOS. Ich habe dich verstanden.
Ich danke dir. Doch diesen Zwang entschuldigt
Nur eines Dritten Gegenwart. Sind wir
Nicht Brüder? – Dieses Possenspiel des Ranges
Sei künftighin aus unserm Bund verwiesen!
Berede dich, wir beide hätten uns
Auf einem Ball mit Masken eingefunden,
In Sklavenkleider du, und ich aus Laune
In einen Purpur eingemummt. Solange
Der Fasching währt, verehren wir die Lüge,
Der Rolle treu mit lächerlichem Ernst,
Den süßen Rausch des Haufens nicht zu stören.

Doch durch die Larve winkt dein Karl dir zu,
Du drückst mir im Vorrübergehn die Hände,
Und wir verstehen uns.

MARQUIS. Der Traum ist göttlich.
Doch wird er nie verfliegen? Ist mein Karl
Auch seiner so gewiß, den Reizungen
Der unumschränkten Majestät zu trotzen?
Noch ist ein großer Tag zurück – ein Tag –
Wo dieser Heldensinn – ich will Sie mahnen –
In einer schweren Probe sinken wird.
Don Philipp stirbt. Karl erbt das größte Reich
Der Christenheit. – Ein ungeheurer Spalt
Reißt vom Geschlecht der Sterblichen ihn los,
Und Gott ist heut, wer gestern Mensch noch war.
Jetzt hat er keine Schwächen mehr. Die Pflichten
Der Ewigkeit verstummen ihm. Die Menschheit
– Noch heut ein großes Wort in seinem Ohr –
Verkauft sich selbst und kriecht um ihren Götzen.
Sein Mitgefühl löscht mit dem Leiden aus,
In Wollüsten ermattet seine Tugend,
Für seine Torheit schickt ihm Peru Gold,
Für seine Laster zieht sein Hof ihm Teufel.
Er schläft berauscht in diesem Himmel ein,
Den seine Sklaven listig um ihn schufen.
Lang, wie sein Traum, währt seine Gottheit. – Wehe
Dem Rasenden, der ihn mitleidig weckte.
Was aber würde Roderich? – Die Freundschaft
Ist wahr und kühn – die kranke Majestät
Hält ihren fürchterlichen Strahl nicht aus.
Den Trotz des Bürgers würden Sie nicht dulden,
Ich nicht den Stolz des Fürsten.

CARLOS. Wahr und schrecklich
Ist dein Gemälde von Monarchen. Ja,
Ich glaube dir. – Doch nur die Wollust schloß
Dem Laster ihre Herzen auf. – Ich bin
Noch rein, ein dreiundzwanzigjährger Jüngling.

Was vor mir Tausende gewissenlos
In schwelgenden Umarmungen verpraßten,
Des Geistes beste Hälfte, Männerkraft,
Hab ich dem künftgen Herrscher aufgehoben.
Was könnte dich aus meinem Herzen drängen,
Wenn es nicht Weiber tun?

MARQUIS. Ich selbst. Könnt ich
So innig Sie noch lieben, Karl, wenn ich
Sie fürchten müßte?

CARLOS. Das wird nie geschehen.
Bedarfst du meiner? Hast du Leidenschaften,
Die von dem Throne betteln? Reizt dich Gold?
Du bist ein reichrer Untertan, als ich
Ein König je sein werde. – Geizest du
Nach Ehre? Schon als Jüngling hattest du
Ihr Maß erschöpft – du hast sie ausgeschlagen.
Wer von uns wird der Gläubiger des andern,
Und wer der Schuldner sein? – Du schweigst? Du zitterst
Vor der Versuchung? Nicht gewisser bist
Du deiner selbst?

MARQUIS. Wohlan. Ich weiche.
Hier meine Hand.

CARLOS. Der Meinige?

MARQUIS. Auf ewig
Und in des Worts verwegenster Bedeutung.

CARLOS. So treu und warm, wie heute dem Infanten,
Auch dermaleinst dem König zugetan?

MARQUIS. Das schwör ich Ihnen.

CARLOS. Dann auch, wenn der Wurm
Der Schmeichelei mein unbewachtes Herz
Umklammerte – wenn dieses Auge Tränen
Verlernte, die es sonst geweint – dies Ohr
Dem Flehen sich verriegelte, willst du,
Ein schreckenloser Hüter meiner Tugend,
Mich kräftig fassen, meinen Genius
Bei seinem großen Namen rufen?

MARQUIS. Ja.

CARLOS. Und jetzt noch eine Bitte! Nenn mich *du*!
Ich habe deinesgleichen stets beneidet
Um dieses Vorrecht der Vertraulichkeit.
Dies brüderliche *Du* betrügt mein Ohr,
Mein Herz mit süßen Ahndungen von Gleichheit.
– Keinen Einwurf – Was du sagen willst, errat ich.
Dir ist es Kleinigkeit, ich weiß – doch mir,
Dem Königssohne, ist es viel. Willst du
Mein Bruder sein?

MARQUIS. Dein Bruder!

CARLOS. Jetzt zum König!
Ich fürchte nichts mehr – Arm in Arm mit dir,
So fordr ich mein Jahrhundert in die Schranken.
(Sie gehen ab)

ZWEITER AKT

Im königlichen Palast zu Madrid

Erster Auftritt

König Philipp unter einem Thronhimmel. Herzog von Alba in einiger Entfernung von dem König, mit bedecktem Haupt. Carlos

CARLOS. Den Vortritt hat das Königreich. Sehr gerne
Steht Carlos dem Minister nach. Er spricht
Für Spanien – ich bin der Sohn des Hauses.
(Er tritt mit einer Verbeugung zurück)

PHILIPP. Der Herzog bleibt, und der Infant mag reden.

CARLOS *(sich gegen Alba wendend)*.
So muß ich denn von *Ihrer* Großmut, Herzog,
Den König mir als ein Geschenk erbitten.
Ein Kind – Sie wissen ja – kann mancherlei
An seinen Vater auf dem Herzen tragen,
Das nicht für einen Dritten taugt. Der König

Soll Ihnen unbenommen sein – ich will
Den Vater nur für diese kurze Stunde.

PHILIPP. Hier steht sein Freund.

CARLOS. Hab ich es auch verdient,
Den meinigen im Herzog zu vermuten?

PHILIPP. Auch je verdienen mögen? – Mir gefallen
Die Söhne nicht, die beßre Wahlen treffen
Als ihre Väter.

CARLOS. Kann der Ritterstolz
Des Herzogs Alba diesen Auftritt hören?
So wahr ich lebe, den Zudringlichen,
Der zwischen Sohn und Vater, unberufen
Sich einzudrängen nicht errötet, der
In seines Nichts durchbohrendem Gefühle
So dazustehen sich verdammt, möcht ich
Bei Gott – und gälts ein Diadem – nicht spielen.

PHILIPP *(verläßt seinen Sitz mit einem zornigen Blick auf den Prinzen)*.
Entfernt Euch, Herzog!
(Dieser geht nach der Haupttüre, durch welche Carlos gekommen war; der König winkt ihm nach einer andern) Nein, ins Kabinett,
Bis ich Euch rufe.

Zweiter Auftritt

König Philipp. Don Carlos

CARLOS *(geht, sobald der Herzog des Zimmer verlassen hat, auf den König zu und fällt vor ihm nieder, im Ausdruck der höchsten Empfindung)*.
Jetzt mein Vater wieder,
Jetzt wieder mein, und meinen besten Dank
Für diese Gnade. – Ihre Hand, mein Vater. –
O süßer Tag! – Die Wonne dieses Kusses
War Ihrem Kinde lange nicht gegönnt.
Warum von Ihrem Herzen mich so lange
Verstoßen, Vater? Was hab ich getan?

PHILIPP. Infant, dein Herz weiß nichts von diesen Künsten.
Erspare sie, ich mag sie nicht.

CARLOS *(aufstehend)*. Das war es!
Da hör ich Ihre Höflinge – Mein Vater!
Es ist nicht gut, bei Gott! nicht alles gut,
Nicht alles, was ein Priester sagt, nicht alles,
Was eines Priesters Kreaturen sagen.
Ich bin nicht schlimm, mein Vater – heißes Blut
Ist meine Bosheit, mein Verbrechen Jugend.
Schlimm bin ich nicht, schlimm wahrlich nicht – wenn auch
Oft wilde Wallungen mein Herz verklagen,
Mein Herz ist gut –

PHILIPP. Dein Herz ist rein, ich weiß es,
Wie dein Gebet.

CARLOS. Jetzt oder nie! – Wir sind allein.
Der Etikette bange Scheidewand
Ist zwischen Sohn und Vater eingesunken.
Jetzt oder nie! Ein Sonnenstrahl der Hoffnung
Glänzt in mir auf, und eine süße Ahndung
Fliegt durch mein Herz – Der ganze Himmel beugt
Mit Scharen froher Engel sich herunter,
Voll Rührung sieht der Dreimalheilige
Dem großen, schönen Auftritt zu! – Mein Vater!
Versöhnung! *(Er fällt ihm zu Füßen)*

PHILIPP. Laß mich und steh auf!

CARLOS. Versöhnung!

PHILIPP *(will sich von ihm losreißen)*.
Zu kühn wird mir dies Gaukelspiel –

CARLOS. Zu kühn
Die Liebe deines Kindes?

PHILIPP. Vollends Tränen?
Unwürdger Anblick! – Geh aus meinen Augen.

CARLOS. Jetzt oder nie! – Versöhnung, Vater!

PHILIPP. Weg
Aus meinen Augen! Komm mit Schmach bedeckt
Aus meinen Schlachten, meine Arme sollen
Geöffnet sein, dich zu empfangen – So
Verwerf ich dich! – Die feige Schuld allein

Wird sich in solchen Quellen schimpflich waschen.
Wer zu bereuen nicht errötet, wird
Sich Reue nie ersparen.

CARLOS. Wer ist das?
Durch welchen Mißverstand hat dieser Fremdling
Zu Menschen sich verirrt? – Die ewige
Beglaubigung der Menschheit sind ja Tränen,
Sein Aug ist trocken, ihn gebar kein Weib –
O, zwingen Sie die nie benetzten Augen,
Noch zeitig Tränen einzulernen, sonst,
Sonst möchten Sies in einer harten Stunde
Noch nachzuholen haben.

PHILIPP. Denkst du den schweren Zweifel deines Vaters
Mit schönen Worten zu erschüttern?

CARLOS. Zweifel?
Ich will ihn tilgen, diesen Zweifel – will
Mich hängen an das Vaterherz, will reißen,
Will mächtig reißen an dem Vaterherzen,
Bis dieses Zweifels felsenfeste Rinde
Von diesem Herzen niederfällt. – Wer sind sie,
Die mich aus meines Königs Gunst vertrieben?
Was bot der Mönch dem Vater für den Sohn?
Was wird ihm Alba für ein kinderlos
Verscherztes Leben zur Vergütung geben?
Sie wollen Liebe? – Hier in diesem Busen
Springt eine Quelle, frischer, feuriger
Als in den trüben, sumpfigen Behältern,
Die Philipps Gold erst öffnen muß.

PHILIPP. Vermeßner,
Halt ein! – Die Männer, die du wagst zu schmähn,
Sind die geprüften Diener meiner Wahl,
Und du wirst sie verehren.

CARLOS. Nimmermehr.
Ich fühle mich. Was Ihre Alba leisten,
Das kann auch Karl, und Karl kann mehr. Was fragt
Ein Mietling nach dem Königreich, das nie

Sein eigen sein wird? – Was bekümmerts *den*,
Wenn Philipps graue Haare weiß sich färben?
Ihr Carlos hätte Sie geliebt. – Mir graut
Vor dem Gedanken, einsam und allein,
Auf einem *Thron* allein zu sein. –

PHILIPP *(von diesen Worten ergriffen, steht nachdenkend und in sich gekehrt. Nach einer Pause).* Ich *bin* allein.

CARLOS *(mit Lebhaftigkeit und Wärme auf ihn zugehend).*
Sie sinds gewesen. Hassen Sie mich nicht mehr,
Ich will Sie kindlich, will Sie feurig lieben,
Nur hassen Sie mich nicht mehr. – Wie entzückend
Und süß ist es, in einer schönen Seele
Verherrlicht uns zu fühlen, es zu wissen,
Daß unsre Freude fremde Wangen rötet,
Daß unsre Angst in fremden Busen zittert,
Daß unsre Leiden fremde Augen wässern! –
Wie schön ist es und herrlich, Hand in Hand
Mit einem teuern, vielgeliebten Sohn
Der Jugend Rosenbahn zurückzueilen,
Des Lebens Traum noch einmal durchzuträumen!
Wie groß und süß, in seines Kindes Tugend
Unsterblich, unvergänglich fortzudauern,
Wohltätig für Jahrhunderte! – Wie schön,
Zu pflanzen, was ein lieber Sohn einst erntet,
Zu sammeln, was ihm wuchern wird, zu ahnden,
Wie hoch sein Dank einst flammen wird! – Mein Vater,
Von diesem Erdenparadiese schwiegen
Sehr weislich Ihre Mönche.

PHILIPP *(nicht ohne Rührung).* O, mein Sohn,
Mein Sohn! du brichst dir selbst den Stab. Sehr reizend
Malst du ein Glück, das – du mir nie gewährtest.

CARLOS. Das richte der Allwissende! – Sie selbst,
Sie schlossen mich, wie aus dem Vaterherzen,
Von Ihres Zepters Anteil aus. Bis jetzt,
Bis diesen Tag – o, war das gut, wars billig? –
Bis jetzt mußt ich, der Erbprinz Spaniens,

In Spanien ein Fremdling sein, Gefangner
Auf diesem Grund, wo ich einst Herr sein werde.
War das gerecht, wars gütig? – O, wie oft,
Wie oft, mein Vater, sah ich schamrot nieder,
Wenn die Gesandten fremder Potentaten,
Wenn Zeitungsblätter mir das Neueste
Vom Hofe zu Aranjuez erzählten!

PHILIPP. Zu heftig braust das Blut in deinen Adern.
Du würdest nur zerstören.

CARLOS. Geben Sie
Mir zu zerstören, Vater. – Heftig brausts
In meinen Adern – Dreiundzwanzig Jahre,
Und nichts für die Unsterblichkeit getan!
Ich bin erwacht, ich fühle mich. – Mein Ruf
Zum Königsthron pocht, wie ein Gläubiger,
Aus meinem Schlummer mich empor, und alle
Verlorne Stunden meiner Jugend mahnen
Mich laut wie Ehrenschulden. Er ist da,
Der große, schöne Augenblick, der endlich
Des hohen Pfundes Zinsen von mir fordert:
Mich ruft die Weltgeschichte, Ahnenruhm
Und des Gerüchtes donnernde Posaune.
Nun ist die Zeit gekommen, mir des Ruhmes
Glorreiche Schranken aufzutun. – Mein König,
Darf ich die Bitte auszusprechen wagen,
Die mich hierher geführt?

PHILIPP. Noch eine Bitte?
Entdecke sie.

CARLOS. Der Aufruhr in Brabant
Wächst drohend an. Der Starrsinn der Rebellen
Heischt starke, kluge Gegenwehr. Die Wut
Der Schwärmer zu bezähmen, soll der Herzog
Ein Heer nach Flandern führen, von dem König
Mit souveräner Vollmacht ausgestattet.
Wie ehrenvoll ist dieses Amt, wie ganz
Dazu geeignet, Ihren Sohn im Tempel

Des Ruhmes einzuführen! – Mir, mein König,
Mir übergeben Sie das Heer. Mich lieben
Die Niederländer; ich erkühne mich,
Mein Blut für ihre Treue zu verbürgen.

PHILIPP. Du redest wie ein Träumender. Dies Amt
Will einen Mann und keinen Jüngling –

CARLOS. Will
Nur einen Menschen, Vater, und das ist
Das einzige, was Alba nie gewesen.

PHILIPP. Und Schrecken bändigt die Empörung nur.
Erbarmung hieße Wahnsinn. – Deine Seele
Ist weich, mein Sohn, der Herzog wird gefürchtet –
Steh ab von deiner Bitte.

CARLOS. Schicken Sie
Mich mit dem Heer nach Flandern, wagen Sies
Auf meine weiche Seele. Schon der Name
Des königlichen Sohnes, der voraus
Vor meinen Fahnen fliegen wird, erobert,
Wo Herzog Albas Henker nur verheeren.
Auf meinen Knien bitt ich drum. Es ist
Die erste Bitte meines Lebens – Vater,
Vertrauen Sie mir Flandern –

PHILIPP *(den Infanten mit einem durchdringenden Blick betrachtend).*
Und zugleich
Mein bestes Kriegsheer deiner Herrschbegierde?
Das Messer meinem Mörder?

CARLOS. O mein Gott!
Bin ich nicht weiter, und ist das die Frucht
Von dieser längst erbetnen großen Stunde?
(Nach einigem Nachdenken, mit gemildertem Ernst)
Antworten Sie mir sanfter! Schicken Sie
Mich *so* nicht weg! Mit dieser übeln Antwort
Möcht ich nicht gern entlassen sein, nicht gern
Entlassen sein mit diesem schweren Herzen.
Behandeln Sie mich gnädiger. Es ist
Mein dringendes Bedürfnis, ist mein letzter,

Verzweifelter Versuch – ich kanns nicht fassen,
Nicht standhaft tragen wie ein Mann, daß Sie
Mir alles, alles, alles so verweigern. –
Jetzt lassen Sie mich von sich. Unerhört,
Von tausend süßen Ahndungen betrogen,
Geh ich aus Ihrem Angesicht. – Ihr Alba
Und Ihr Domingo werden siegreich thronen,
Wo jetzt Ihr Kind im Staub geweint. Die Schar
Der Höflinge, die bebende Grandezza,
Der Mönche sünderbleiche Zunft war Zeuge,
Als Sie mir feierlich Gehör geschenkt.
Beschämen Sie mich nicht! So tödlich, Vater,
Verwunden Sie mich nicht, dem frechen Hohn
Des Hofgesindes schimpflich mich zu opfern,
Daß Fremdlinge von Ihrer Gnade schwelgen,
Ihr Carlos nichts erbitten kann. Zum Pfande,
Daß Sie mich ehren wollen, schicken Sie
Mich mit dem Heer nach Flandern!

PHILIPP. Wiederhole
Dies Wort nicht mehr, bei deines Königs Zorn!

CARLOS. Ich wage meines Königs Zorn und bitte
Zum letztenmal – vertrauen Sie mir Flandern.
Ich soll und muß aus Spanien. Mein Hiersein
Ist Atemholen unter Henkershand –
Schwer liegt der Himmel zu Madrid auf mir,
Wie das Bewußtsein eines Mords. Nur schnelle
Veränderung des Himmels kann mich heilen.
Wenn Sie mich retten wollen – schicken Sie
Mich ungesäumt nach Flandern.

PHILIPP *(mit erzwungener Gelassenheit)*. *Solche* Kranke
Wie du, mein Sohn, verlangen gute Pflege
Und Wohnen unterm Aug des Arzts. Du bleibst
In Spanien; der Herzog geht nach Flandern.

CARLOS *(außer sich)*. O, jetzt umringt mich, gute Geister –

PHILIPP *(der einen Schritt zurücktritt)*. Halt!
Was wollen diese Mienen sagen?

CARLOS *(mit schwankender Stimme).* Vater,
Unwiderruflich bleibts bei *der* Entscheidung?
PHILIPP. Sie kam vom König.
CARLOS. Mein Geschäft ist aus.
(Geht ab in heftiger Bewegung)

Dritter Auftritt

Philipp bleibt eine Zeitlang in düstres Nachdenken versunken stehen – endlich geht er einige Schritte im Saale auf und nieder. Alba nähert sich verlegen

PHILIPP. Seid jede Stunde des Befehls gewärtig,
Nach Brüssel abzugehen.
ALBA. Alles steht
Bereit, mein König.
PHILIPP. Eure Vollmacht liegt
Versiegelt schon im Kabinett. Indessen
Nehmt Euren Urlaub von der Königin
Und zeiget Euch zum Abschied dem Infanten.
ALBA. Mit den Gebärden eines Wütenden
Sah ich ihn eben diesen Saal verlassen.
Auch Eure Königliche Majestät
Sind außer sich und scheinen tiefbewegt –
Vielleicht der Inhalt des Gesprächs?
PHILIPP *(nach einigem Auf- und Niedergehen).* Der Inhalt
War Herzog Alba.
(Der König bleibt mit dem Aug auf ihm haften, finster)
– Gerne mag ich hören,
Daß Carlos meine Räte *haßt;* doch mit
Verdruß entdeck ich, daß er sie *verachtet.*
ALBA *(entfärbt sich und will auffahren).*
PHILIPP. Jetzt keine Antwort. Ich erlaube Euch,
Den Prinzen zu versöhnen.
ALBA. Sire!
PHILIPP. Sagt an,
Wer war es doch, der mich zum erstenmal

Vor meines Sohnes schwarzem Anschlag warnte?
Da hört ich *Euch* und nicht auch *ihn*. Ich will
Die Probe wagen, Herzog. Künftighin
Steht Carlos meinem Throne näher. Geht.

(Der König begibt sich in das Kabinett. Der Herzog entfernt sich durch eine andere Türe)

Ein Vorsaal vor dem Zimmer der Königin

Vierter Auftritt

Don Carlos kommt im Gespräche mit einem Pagen durch die Mitteltüre. Die Hofleute, welche sich im Vorsaal befinden, zerstreuen sich bei seiner Ankunft in den angrenzenden Zimmern

CARLOS. Ein Brief an mich? – Wozu denn dieser Schlüssel?
Und beides mir so heimlich überliefert?
Komm näher. – Wo empfingst du das?

PAGE *(geheimnisvoll)*. Wie mich
Die Dame merken lassen, will sie lieber
Erraten als beschrieben sein –

CARLOS *(zurückfahrend)*. Die Dame?
(Indem er den Pagen genauer betrachtet)
Was? – Wie? – Wer bist du denn?

PAGE. Ein Edelknabe
Von Ihrer Majestät der Königin –

CARLOS *(erschrocken auf ihn zugehend und ihm die Hand auf den Mund drückend)*. Du bist des Todes. Halt! Ich weiß genug.
(Er reißt hastig das Siegel auf und tritt an das äußerste Ende des Saals, den Brief zu lesen. Unterdessen kommt der Herzog von Alba und geht, ohne von dem Prinzen bemerkt zu werden, an ihm vorbei in der Königin Zimmer. Carlos fängt an, heftig zu zittern und wechselsweise zu erblassen und zu erröten. Nachdem er gelesen hat, steht er lange sprachlos, die Augen starr auf den Brief geheftet. – Endlich wendet er sich zu dem Pagen)
Sie gab dir selbst den Brief?

PAGE. Mit eignen Händen.

CARLOS. Sie gab dir selbst den Brief? – O, spotte nicht!
Noch hab ich nichts von ihrer Hand gelesen,
Ich muß dir glauben, wenn du schwören kannst.
Wenns Lüge war, gesteh mirs offenherzig,
Und treibe keinen Spott mit mir.

PAGE. Mit *wem*?

CARLOS *(sieht wieder in den Brief und betrachtet den Pagen mit zweifelhafter, forschender Miene. Nachdem er einen Gang durch den Saal gemacht hat)*.
Du hast noch Eltern? Ja? Dein Vater dient
Dem Könige und ist ein Kind des Landes?

PAGE. Er fiel bei Saint Quentin, ein Oberster
Der Reiterei des Herzogs von Savoyen,
Und hieß Alonzo Graf von Henarez.

CARLOS *(indem er ihn bei der Hand nimmt und die Augen bedeutend auf ihn heftet)*. Den Brief gab dir der König?

PAGE *(empfindlich)*. Gnädger Prinz,
Verdien ich diesen Argwohn?

CARLOS *(liest den Brief)*. »Dieser Schlüssel öffnet
Die hintern Zimmer im Pavillon
Der Königin. Das äußerste von allen
Stößt seitwärts an ein Kabinett, wohin
Noch keines Horchers Fußtritt sich verloren.
Hier darf die Liebe frei und laut gestehn,
Was sie so lange Winken nur vertraute.
Erhörung wartet auf den Furchtsamen
Und schöner Lohn auf den bescheidnen Dulder.«
(Wie aus einer Betäubung erwachend)
Ich träume nicht – ich rase nicht – das ist
Mein rechter Arm – das ist mein Schwert – das sind
Geschriebne Silben. Es ist wahr und wirklich,
Ich bin geliebt – ich bin es – ja, ich bin,
Ich bin geliebt!
(Außer Fassung durchs Zimmer stürzend und die Arme zum Himmel emporgeworfen)

PAGE. So kommen Sie, mein Prinz, ich führe Sie.

CARLOS. Erst laß mich zu mir selber kommen. – Zittern

Nicht alle Schrecken dieses Glücks noch in mir?
Hab ich so stolz gehofft? Hab ich das je
Zu träumen mir getraut? Wo ist der Mensch,
Der sich so schnell gewöhnte, Gott zu sein? –
Wer war ich, und wer bin ich nun? Das ist
Ein andrer Himmel, eine andre Sonne,
Als vorhin dagewesen war – Sie liebt mich!

PAGE *(will ihn fortführen).*
Prinz, Prinz, hier ist der Ort nicht – Sie vergessen –

CARLOS *(von einer plötzlichen Erstarrung ergriffen).*
Den König, meinen Vater!
(Er läßt die Arme sinken, blickt scheu umher und fängt an, sich zu sammeln) Das ist schrecklich –
Ja, ganz recht, Freund. Ich danke dir, ich war
Soeben nicht ganz bei mir. – Daß ich *das*
Verschweigen soll, der Seligkeit soviel
In diese Brust vermauern soll, ist schrecklich.
(Den Pagen bei der Hand fassend und beiseite führend)
Was du gesehn – hörst du? – und nicht gesehen,
Sei wie ein Sarg in deiner Brust versunken.
Jetzt geh. Ich will mich finden. Geh. Man darf
Uns hier nicht treffen. Geh –

PAGE *(will fort).*

CARLOS. Doch halt! doch höre! –
(Der Page kommt zurück. Carlos legt ihm eine Hand auf die Schulter und sieht ihm ernst und feierlich ins Gesicht)
Du nimmst ein schreckliches Geheimnis mit,
Das, jenen starken Giften gleich, die Schale,
Worin es aufgefangen wird, zersprengt. –
Beherrsche deine Mienen gut. Dein Kopf
Erfahre niemals, was dein Busen hütet.
Sei wie das tote Sprachrohr, das den Schall
Empfängt und wiedergibt und selbst nicht höret.
Du bist ein Knabe – sei es immerhin
Und fahre fort, den Fröhlichen zu spielen –
Wie gut verstands die kluge Schreiberin,

Der Liebe einen Boten auszulesen!
Hier sucht der König seine Nattern nicht.
PAGE. Und ich, mein Prinz, ich werde stolz drauf sein,
Um ein Geheimnis reicher mich zu wissen
Als selbst der König –
CARLOS. Eitler junger Tor,
Das ists, wovor du zittern mußt. – Geschiehts,
Daß wir uns öffentlich begegnen, schüchtern,
Mit Unterwerfung nahst du mir. Laß nie
Die Eitelkeit zu Winken dich verführen,
Wie gnädig der Infant dir sei! Du kannst
Nicht schwerer sündigen, mein Sohn, als wenn
Du *mir* gefällst. – Was du mir künftig magst
Zu hinterbringen haben, sprich es nie
Mit Silben aus, vertrau es nie den Lippen;
Den allgemeinen Fahrweg der Gedanken
Betrete deine Zeitung nicht. Du sprichst
Mit deinen Wimpern, deinem Zeigefinger;
Ich höre dir mit Blicken zu. Die Luft,
Das Licht um uns ist Philipps Kreatur,
Die tauben Wände stehn in seinem Solde –
Man kommt – *(Das Zimmer der Königin öffnet sich, und der Herzog von Alba tritt heraus)* Hinweg! Auf Wiedersehen!
PAGE. Prinz,
Daß Sie das rechte Zimmer nur nicht fehlen! *(Ab)*
CARLOS. Es ist der Herzog. – Nein doch, nein! Schon gut!
Ich finde mich.

Fünfter Auftritt

Don Carlos. Herzog von Alba

ALBA *(ihm in den Weg tretend).*
Zwei Worte, gnädger Prinz.
CARLOS. Ganz recht – schon gut – ein andermal.
(Er will gehen)
ALBA. Der Ort

Scheint freilich nicht der schicklichste. Vielleicht
Gefällt es Eurer Königlichen Hoheit,
Auf Ihrem Zimmer mir Gehör zu geben?

CARLOS. Wozu? Das kann hier auch geschehn. – Nur schnell,
Nur kurz –

ALBA. Was eigentlich hierher mich führt,
Ist, Eurer Hoheit untertängen Dank
Für das Bewußte abzutragen –

CARLOS. Dank?
Mir Dank? Wofür? – Und Dank von Herzog Alba?

ALBA. Denn kaum, daß Sie das Zimmer des Monarchen
Verlassen hatten, ward mir angekündigt,
Nach Brüssel abzugehen.

CARLOS. Brüssel! So!

ALBA. Wem sonst, mein Prinz, als Ihrer gnädigen
Verwendung bei des Königs Majestät
Kann ich es zuzuschreiben haben? –

CARLOS. Mir?
Mir ganz und gar nicht – mir wahrhaftig nicht.
Sie reisen – reisen Sie mit Gott!

ALBA. Sonst nichts?
Das nimmt mich wunder. – Eure Hoheit hätten
Mir weiter nichts nach Flandern aufzutragen?

CARLOS. Was sonst? was dort?

ALBA. Doch schien es noch vor kurzem,
Als forderte das Schicksal dieser Länder
Don Carlos' eigne Gegenwart.

CARLOS. Wieso?
Doch ja – ja recht – das war vorhin – das ist
Auch *so* ganz gut, recht gut, um so viel besser –

ALBA. Ich höre mit Verwunderung –

CARLOS *(nicht mit Ironie)*. Sie sind
Ein großer General – wer weiß das nicht?
Der Neid muß es beschwören. Ich – ich bin
Ein junger Mensch. So hat es auch der König
Gemeint. Der König hat ganz recht, ganz recht.

Ich sehs jetzt ein, ich bin vergnügt, und also
Genug davon. Glück auf den Weg. Ich kann
Jetzt, wie Sie sehen, schlechterdings – ich bin
Soeben etwas überhäuft – das Weitere
Auf morgen, oder wenn Sie wollen, oder
Wenn Sie von Brüssel wiederkommen –

ALBA. Wie?

CARLOS *(nach einigem Stillschweigen, wie er sieht, daß der Herzog noch immer bleibt)*. Sie nehmen gute Jahrszeit mit. – Die Reise
Geht über Mailand, Lothringen, Burgund
Und Deutschland – Deutschland? – Recht, in Deutschland war [es!
Da kennt man Sie! – Wir haben jetzt April;
Mai – Junius – im Julius, ganz recht,
Und spätestens zu Anfang des Augusts
Sind Sie in Brüssel. O, ich zweifle nicht,
Man wird sehr bald von Ihren Siegen hören.
Sie werden unsers gnädigsten Vertrauens
Sich wert zu machen wissen.

ALBA *(mit Bedeutung)*. Werd ich das,
In meines Nichts durchbohrendem Gefühle?

CARLOS *(nach einigem Stillschweigen mit Würde und Stolz)*.
Sie sind empfindlich, Herzog – und mit Recht.
Es war, ich muß bekennen, wenig Schonung
Von meiner Seite, Waffen gegen Sie
Zu führen, die Sie nicht imstande sind
Mir zu erwidern.

ALBA. Nicht imstande? –

CARLOS *(ihm lächelnd die Hand reichend)*. Schade,
Daß mirs gerade jetzt an Zeit gebricht,
Den würdgen Kampf mit Alba auszufechten.
Ein andermal –

ALBA. Prinz, wir verrechnen uns
Auf ganz verschiedne Weise. Sie zum Beispiel,
Sie sehen sich um zwanzig Jahre später,
Ich Sie um ebensoviel früher.

CARLOS. Nun?

ALBA. Und dabei fällt mir ein, wie viele Nächte
Bei seiner schönen portugiesischen
Gemahlin, Ihrer Mutter, der Monarch
Wohl drum gegeben hätte, einen Arm
Wie *diesen* seiner Krone zu erkaufen?
Ihm mocht es wohl bekannt sein, wieviel leichter
Die Sache sei, Monarchen fortzupflanzen
Als Monarchien – wieviel schneller man
Die Welt mit einem Könige versorge,
Als Könige mit einer Welt.

CARLOS. Sehr wahr!
Doch, Herzog Alba? doch –

ALBA. Und wieviel Blut,
Blut *Ihres* Volkes fließen mußte, bis
Zwei Tropfen *Sie* zum König machen konnten.

CARLOS. Sehr wahr, bei Gott – und in zwei Worte alles
Gepreßt, was des Verdienstes Stolz dem Stolze
Des Glücks entgegensetzen kann. – Doch nun
Die Anwendung? doch, Herzog Alba?

ALBA. Wehe
Dem zarten Wiegenkinde Majestät,
Das seiner Amme spotten kann! Wie sanft
Mags auf dem weichen Kissen unsrer Siege
Sich schlafen lassen! An der Krone funkeln
Die Perlen nur, und freilich nicht die Wunden,
Mit denen sie errungen ward. – Dies Schwert
Schrieb fremden Völkern spanische Gesetze,
Es blitzte dem Gekreuzigten voran
Und zeichnete dem Samenkorn des Glaubens
Auf diesem Weltteil blutge Furchen vor:
Gott richtete im Himmel, ich auf Erden –

CARLOS. Gott oder Teufel, gilt gleichviel! Sie waren
Sein rechter Arm. Ich weiß das wohl – und jetzt
Nichts mehr davon. Ich bitte. Vor gewissen
Erinnerungen möcht ich gern mich hüten. –
Ich ehre meines Vaters Wahl. Mein Vater

Braucht einen Alba; *daß* er diesen braucht,
Das ist es nicht, warum ich ihn beneide.
Sie sind ein großer Mann. – Auch das mag sein;
Ich glaub es fast. Nur, fürcht ich, kamen Sie,
Um wenige Jahrtausende zu zeitig.
Ein Alba, sollt ich meinen, war der Mann,
Am Ende aller Tage zu erscheinen!
Dann, wann des Lasters Riesentrotz die Langmut
Des Himmels aufgezehrt, die reiche Ernte
Der Missetat in vollen Halmen steht
Und einen Schnitter sonder Beispiel fordert,
Dann stehen *Sie* an Ihrem Platz. – O Gott,
Mein Paradies! mein Flandern! – Doch ich soll
Es jetzt nicht denken. Still davon. Man spricht,
Sie führten einen Vorrat Blutsentenzen,
Im voraus unterzeichnet, mit? Die Vorsicht
Ist lobenswert. So braucht man sich vor keiner
Schikane mehr zu fürchten. – O mein Vater,
Wie schlecht verstand ich deine Meinung! Härte
Gab ich dir schuld, weil du mir ein Geschäft
Verweigertest, wo deine Alba glänzen? –
Es war der Anfang deiner Achtung.

ALBA. Prinz,
Dies Wort verdiente –

CARLOS *(auffahrend)*. Was?

ALBA. Doch *davor* schützt Sie
Der Königssohn.

CARLOS *(nach dem Schwert greifend)*.
Das fordert Blut! – Das Schwert
Gezogen, Herzog!

ALBA *(kalt)*. Gegen wen?

CARLOS *(heftig auf ihn eindringend)*. Das Schwert
Gezogen, ich durchstoße Sie.

ALBA *(zieht)*. Wenn es
Denn sein muß –

(Sie fechten)

Sechster Auftritt

Die Königin. Don Carlos. Herzog von Alba

KÖNIGIN *(welche erschrocken aus ihrem Zimmer tritt).*
Bloße Schwerter!
(Zum Prinzen, unwillig und mit gebietender Stimme)
Carlos!

CARLOS *(vom Anblick der Königin außer sich gesetzt, läßt den Arm sinken, steht ohne Bewegung und sinnlos, dann eilt er auf den Herzog zu und küßt ihn).*
Versöhnung, Herzog! Alles sei vergeben!
(Er wirft sich stumm zu der Königin Füßen, steht dann rasch auf und eilt außer Fassung fort)

ALBA *(der voll Erstaunen dasteht und kein Auge von ihnen verwendet).*
Bei Gott, das ist doch seltsam! –

KÖNIGIN *(steht einige Augenblicke beunruhigt und zweifelhaft, dann geht sie langsam nach ihrem Zimmer, an der Türe dreht sie sich um).*
Herzog Alba!
(Der Herzog folgt ihr in das Zimmer)

Ein Kabinett der Prinzessin von Eboli

Siebenter Auftritt

Die Prinzessin, in einem idealischen Geschmack, schön, aber einfach gekleidet, spielt die Laute und singt. Darauf der Page der Königin

PRINZESSIN *(springt schnell auf).* Er kommt!

PAGE *(eilfertig).* Sind Sie allein? Mich wundert sehr,
Ihn noch nicht hier zu finden; doch er muß
Im Augenblick erscheinen.

PRINZESSIN. Muß er? Nun,
So *will* er auch – so ist es ja entschieden –

PAGE. Er folgt mir auf den Fersen. – Gnädge Fürstin,
Sie sind geliebt – geliebt, geliebt wie Sie

Kanns niemand sein und niemand sein gewesen.
Welch eine Szene sah ich an!

PRINZESSIN *(zieht ihn voll Ungeduld an sich).*
Geschwinde!
Du sprachst mit ihm? Heraus damit! Was sprach er?
Wie nahm er sich? Was waren seine Worte?
Er schien verlegen, schien bestürzt? Erriet
Er die Person, die ihm den Schlüssel schickte?
Geschwinde – Oder riet er nicht? Er riet
Wohl gar nicht? riet auf eine falsche? – Nun?
Antwortest du mir denn kein Wort? O pfui,
Pfui, schäme dich: so hölzern bist du nie,
So unerträglich langsam nie gewesen.

PAGE. Kann ich zu Worte kommen, Gnädigste?
Ich übergab ihm Schlüssel und Billet
Im Vorsaal bei der Königin. Er stutzte
Und sah mich an, da mir das Wort entwischte,
Ein Frauenzimmer sende mich.

PRINZESSIN. Er stutzte?
Sehr gut! sehr brav! Nur fort, erzähle weiter.

PAGE. Ich wollte mehr noch sagen, da erblaßt' er
Und riß den Brief mir aus der Hand und sah
Mich drohend an und sagt', er wisse alles.
Den Brief durchlas er mit Bestürzung, fing
Auf einmal an zu zittern.

PRINZESSIN. Wisse alles?
Er wisse alles? Sagt' er das?

PAGE. Und fragte
Mich dreimal, viermal, ob Sie selber, wirklich
Sie selber mir den Brief gegeben?

PRINZESSIN. Ob
Ich selbst? Und also nannt er meinen Namen?

PAGE. Den Namen – nein, den nannt er nicht. – Es möchten
Kundschafter, sagt' er, in der Gegend horchen
Und es dem König plaudern.

PRINZESSIN *(befremdet).* Sagt' er das?

PAGE. Dem König, sagt' er, liege ganz erstaunlich,
Gar mächtig viel daran, besonders viel,
Von diesem Briefe Kundschaft zu erhalten.

PRINZESSIN. Dem König? Hast du recht gehört? Dem König?
War das der Ausdruck, den er brauchte?

PAGE. Ja!
Er nannt es ein gefährliches Geheimnis,
Und warnte mich, mit Worten und mit Winken
Gar sehr auf meiner Hut zu sein, daß ja
Der König keinen Argwohn schöpfe.

PRINZESSIN (*nach einigem Nachsinnen, voll Verwunderung*).
Alles
Trifft zu. – Es kann nicht anders sein – er muß
Um die Geschichte wissen. – Unbegreiflich!
Wer mag ihm wohl verraten haben? – Wer?
Ich frage noch – Wer sieht so scharf, so tief,
Wer anders als der Falkenblick der Liebe?
Doch weiter, fahre weiter fort: er las
Das Billett –

PAGE. Das Billett enthalte
Ein Glück, sagt' er, vor dem er zittern müsse;
Das hab er nie zu träumen sich getraut.
Zum Unglück trat der Herzog in den Saal,
Dies zwang uns –

PRINZESSIN (*ärgerlich*). Aber was in aller Welt
Hat jetzt der Herzog dort zu tun? Wo aber,
Wo bleibt er denn? Was zögert er? Warum
Erscheint er nicht? – Siehst du, wie falsch man dich
Berichtet hat! Wie glücklich wär er schon
In so viel Zeit gewesen, als du brauchtest,
Mir zu erzählen, daß ers werden wollte!

PAGE. Der Herzog, fürcht ich –

PRINZESSIN. Wiederum der Herzog?
Was will der *hier?* Was hat der tapfre Mann
Mit meiner stillen Seligkeit zu schaffen?
Den könnt er stehenlassen, weiterschicken.

Wen auf der Welt kann man das nicht? – O wahrlich!
Dein Prinz versteht sich auf die Liebe selbst
So schlecht als, wie es schien, auf Damenherzen.
Er weiß nicht, was Minuten sind – Still, still!
Ich höre kommen. Fort. Es ist der Prinz.
(Page eilt hinaus)
Hinweg, hinweg! – Wo hab ich meine Laute?
Er soll mich überraschen. – Mein Gesang
Soll ihm das Zeichen geben –

Achter Auftritt

Die Prinzessin und bald nachher Don Carlos

PRINZESSIN *(hat sich in eine Ottomane geworfen und spielt)*.
CARLOS *(stürzt herein. Er erkennt die Prinzessin und steht da, wie vom Donner gerührt)*. Gott!
Wo bin ich?
PRINZESSIN *(läßt die Laute fallen. Ihm entgegen)*.
Ah, Prinz Carlos? Ja wahrhaftig!
CARLOS. Wo bin ich? Rasender Betrug – ich habe
Das rechte Kabinett verfehlt.
PRINZESSIN. Wie gut
Versteht es Karl, die Zimmer sich zu merken,
Wo Damen ohne Zeugen sind.
CARLOS. Prinzessin –
Verzeihen Sie, Prinzessin – ich – ich fand
Den Vorsaal offen.
PRINZESSIN. Kann das möglich sein?
Mich deucht ja doch, daß ich ihn selbst verschloß.
CARLOS. Das deucht Sie nur, das deucht Sie – doch versichert!
Sie irren sich. Verschließen wollen, ja,
Das geb ich zu, das glaub ich – doch verschlossen?
Verschlossen nicht, wahrhaftig nicht! Ich höre
Auf einer – Laute jemand spielen – wars
Nicht eine Laute? *(Indem er sich zweifelhaft umsieht)*
Recht! dort liegt sie noch –

Und Laute – das weiß Gott im Himmel! – Laute,
Die lieb ich bis zur Raserei. Ich bin
Ganz Ohr, ich weiß nichts von mir selber, stürze
Ins Kabinett, der süßen Künstlerin,
Die mich so himmlisch rührte, mich so mächtig
Bezauberte, ins schöne Aug zu sehen.

PRINZESSIN. Ein liebenswürdger Vorwitz, den Sie doch
Sehr bald gestillt, wie ich beweisen könnte.
(Nach einigem Stillschweigen mit Bedeutung)
O, schätzen muß ich den bescheidnen Mann,
Der, einem Weib Beschämung zu ersparen,
In solchen Lügen sich verstrickt.

CARLOS *(treuherzig)*. Prinzessin,
Ich fühle selber, daß ich nur verschlimmre,
Wo ich verbessern will. Erlassen Sie
Mir eine Rolle, die ich durchzuführen
So ganz und gar verdorben bin. Sie suchten
Auf diesem Zimmer Zuflucht vor der Welt.
Hier wollten Sie, von Menschen unbehorcht,
Den stillen Wünschen Ihres Herzens leben.
Ich, Sohn des Unglücks, zeige mich; sogleich
Ist dieser schöne Traum gestört. – Dafür
Soll mich die schleunigste Entfernung –
(Er will gehen.)

PRINZESSIN *(überrascht und betroffen, doch sogleich wieder gefaßt)*.
Prinz –
O, das war boshaft.

CARLOS. Fürstin – ich verstehe,
Was *dieser* Blick in diesem Kabinett
Bedeuten soll, und diese tugendhafte
Verlegenheit verehr ich. Weh dem Manne,
Den weibliches Erröten mutig macht!
Ich bin verzagt, wenn Weiber vor mir zittern.

PRINZESSIN. Ists möglich? – Ein Gewissen ohne Beispiel
Für einen jungen Mann und Königssohn!
Ja, Prinz – jetzt vollends müssen Sie mir bleiben,

Jetzt bitt ich selbst darum: bei so viel Tugend
Erholt sich jedes Mädchens Angst. Doch wissen Sie,
Daß Ihre plötzliche Erscheinung mich
Bei meiner liebsten Arie erschreckte?
(Sie führt ihn zum Sofa und nimmt ihre Laute wieder)
Die Arie, Prinz Carlos, werd ich wohl
Noch einmal spielen müssen; Ihre Strafe
Soll sein, mir zuzuhören.

CARLOS *(Er setzt sich, nicht ganz ohne Zwang, neben die Fürstin).*
Eine Strafe,
So wünschenswert als mein Vergehn – und, wahrlich!
Der Inhalt war mir so willkommen, war
So göttlich schön, daß ich zum – drittenmal
Sie hören könnte.

PRINZESSIN. Was? Sie haben alles
Gehört? Das ist abscheulich, Prinz. – Es war,
Ich glaube gar, die Rede von der Liebe?

CARLOS. Und, irr ich nicht, von einer glücklichen –
Der schönste Text in diesem schönen Munde;
Doch freilich nicht so wahr gesagt als schön.

PRINZESSIN. Nicht? nicht so wahr? – Und also zweifeln Sie? –

CARLOS *(ernsthaft).* Ich zweifle fast, ob Carlos und die Fürstin
Von Eboli sich je verstehen können,
Wenn Liebe abgehandelt wird.
(Die Prinzessin stutzt; er bemerkt es und fährt mit einer leichten Galanterie fort) Denn wer,
Wer wird es diesen Rosenwangen glauben,
Daß Leidenschaft in dieser Brust gewühlt?
Läuft eine Fürstin Eboli Gefahr,
Umsonst und unerhört zu seufzen? Liebe
Kennt der allein, der ohne Hoffnung liebt.

PRINZESSIN *(mit ihrer ganzen vorigen Munterkeit).*
O, still! Das klingt ja fürchterlich. – Und freilich
Scheint dieses Schicksal *Sie* vor allen andern,
Und vollends heute – heute zu verfolgen.
(Ihn bei der Hand fassend, mit einschmeichelndem Interesse)

Sie sind nicht fröhlich, guter Prinz. – Sie leiden –
Bei Gott, Sie leiden ja wohl gar. Ists möglich?
Und warum leiden, Prinz? bei diesem lauten
Berufe zum Genuß der Welt, bei allen
Geschenken der verschwendrischen Natur
Und allem Anspruch auf des Lebens Freuden?
Sie – eines großen Königs Sohn, und *mehr*,
Weit mehr als das, schon in der Fürstenwiege
Mit Gaben ausgestattet, die sogar
Auch Ihres Ranges Sonnenglanz verdunkeln?
Sie – der im ganzen strengen Rat der Weiber
Bestochne Richter sitzen hat, der Weiber,
Die über Männerwelt und Männerruhm
Ausschließend ohne Widerspruch entscheiden?
Der, wo er nur *bemerkte*, schon erobert,
Entzündet, wo er kalt geblieben, wo
Er glühen will, mit Paradiesen spielen
Und Götterglück verschenken muß – der Mann,
Den die Natur zum Glück von Tausenden
Und *wenigen* mit gleichen Gaben schmückte,
Er selber sollte elend sein? – O Himmel!
Der du ihm alles, alles gabst, warum,
Warum denn nur die Augen ihm versagen,
Womit er seine Siege sieht?

CARLOS *(der die ganze Zeit in die tiefste Zerstreuung versunken war, wird durch das Stillschweigen der Prinzessin plötzlich zu sich selbst gebracht und fährt in die Höhe).* Vortrefflich!
Ganz unvergleichlich, Fürstin! Singen Sie
Mir diese Stelle doch noch einmal.

PRINZESSIN *(sieht ihn erstaunt an).* Carlos,
Wo waren Sie indessen?

CARLOS *(springt auf).* Ja, bei Gott!
Sie mahnen mich zur rechten Zeit. – Ich muß,
Muß fort – muß eilends fort.

PRINZESSIN *(hält ihn zurück).* Wohin?

CARLOS *(in schrecklicher Beängstigung).* Hinunter

Ins Freie. – Lassen Sie mich los – Prinzessin,
Mir wird, als rauchte hinter mir die Welt
In Flammen auf –

PRINZESSIN *(hält ihn mit Gewalt zurück).*
Was haben Sie? Woher
Dies fremde, unnatürliche Betragen?
(Carlos bleibt stehen und wird nachdenkend. Sie ergreift diesen Augenblick, ihn zu sich auf den Sofa zu ziehen)
Sie brauchen Ruhe, lieber Karl – Ihr Blut
Ist jetzt in Aufruhr – setzen Sie sich zu mir –
Weg mit den schwarzen Fieberphantasien!
Wenn Sie sich selber offenherzig fragen,
Weiß dieser Kopf, was dieses Herz beschwert?
Und wenn ers nun auch wüßte – sollte denn
Von allen Rittern dieses Hofs nicht *einer*,
Von allen Damen keine – Sie zu heilen,
Sie zu verstehen, wollt ich sagen – keine
Von allen würdig sein?

CARLOS *(flüchtig, gedankenlos).*
Vielleicht die Fürstin
Von Eboli?

PRINZESSIN *(freudig rasch).*
Wahrhaftig?

CARLOS. Geben Sie
Mir eine Bittschrift – ein Empfehlungsschreiben
An meinen Vater. Geben Sie! Man spricht,
Sie gelten viel.

PRINZESSIN. Wer spricht das? (Ha, so war es
Der Argwohn, der dich stumm gemacht!)

CARLOS. Wahrscheinlich
Ist die Geschichte schon herum. Ich habe
Den schnellen Einfall, nach Brabant zu gehn,
Um – bloß um meine Sporen zu verdienen.
Das will mein Vater nicht. – Der gute Vater
Besorgt, wenn ich Armeen kommandierte –
Mein Singen könnte drunter leiden.

PRINZESSIN. Carlos!
Sie spielen falsch. Gestehen Sie, Sie wollen
In dieser Schlangenwindung mir entgehn.
Hieher gesehen, Heuchler! Aug in Auge!
Wer nur von Rittertaten träumt – wird *der*,
Gestehen Sie – wird *der* auch wohl so tief
Herab sich lassen, Bänder, die den Damen
Entfallen sind, begierig wegzustehlen
Und – Sie verzeihn –
(indem sie mit einer leichten Fingerbewegung seine Hemdkrause wegschnellt und eine Bandschleife, die da verborgen war, wegnimmt)
so kostbar zu verwahren?
CARLOS *(mit Befremdung zurücktretend)*.
Prinzessin! – Nein, das geht zu weit. – Ich bin
Verraten. Sie betrügt man nicht. – Sie sind
Mit Geistern, mit Dämonen einverstanden.
PRINZESSIN. Darüber scheinen Sie erstaunt? Darüber?
Was soll die Wette gelten, Prinz, ich rufe
Geschichten in Ihr Herz zurück, Geschichten –
Versuchen Sie es, fragen Sie mich aus.
Wenn selbst der Laune Gaukelein, ein Laut,
Verstümmelt in die Luft gehaucht, ein Lächeln,
Von schnellem Ernste wieder ausgelöscht,
Wenn selber schon Erscheinungen, Gebärden,
Wo Ihre Seele ferne war, mir nicht
Entgangen sind, urteilen Sie, ob ich
Verstand, wo Sie verstanden werden wollten?
CARLOS. Nun, das ist wahrlich viel gewagt. – Die Wette
Soll gelten, Fürstin. Sie versprechen mir
Entdeckungen in meinem eignen Herzen,
Um die ich selber nie gewußt.
PRINZESSIN *(etwas empfindlich und ernsthaft)*. Nie, Prinz?
Besinnen Sie sich besser. Sehn Sie um sich. –
Dies Kabinett ist keines von den Zimmern
Der Königin, wo man das bißchen Maske
Noch allenfalls zu loben fand. – Sie stutzen?

Sie werden plötzlich lauter Glut? – O freilich,
Wer sollte wohl so scharfklug, so vermessen,
So müßig sein, den Carlos zu belauschen,
Wenn Carlos unbelauscht sich glaubt? – Wer sahs,
Wie er beim letzten Hofball seine Dame,
Die Königin, im Tanze stehenließ
Und mit Gewalt ins nächste Paar sich drängte,
Statt seiner königlichen Tänzerin
Der Fürstin Eboli die Hand zu reichen?
Ein Irrtum, Prinz, den der Monarch sogar,
Der eben jetzt erschienen war, bemerkte!

CARLOS *(mit ironischem Lächeln).*
Auch sogar *der?* Ja freilich, gute Fürstin,
Für *den* besonders war das nicht.

PRINZESSIN. So wenig
Als jener Auftritt in der Schloßkapelle,
Worauf sich wohl Prinz Carlos selbst nicht mehr
Besinnen wird. Sie lagen zu den Füßen
Der heilgen Jungfrau in Gebet ergossen,
Als plötzlich – konnten Sie dafür? – die Kleider
Gewisser Damen hinter Ihnen rauschten.
Da fing Don Philipps heldenmütger Sohn,
Gleich einem Ketzer vor dem heilgen Amte,
Zu zittern an; auf seinen bleichen Lippen
Starb das vergiftete Gebet – im Taumel
Der Leidenschaft – es war ein Possenspiel
Zum Rühren, Prinz – ergreifen Sie die Hand,
Der Mutter Gottes heilge, kalte Hand,
Und Feuerküsse regnen auf den Marmor.

CARLOS. Sie tun mir unrecht, Fürstin. Das war Andacht.

PRINZESSIN. Ja, dann ists etwas andres, Prinz – dann freilich
Wars damals auch nur Furcht vor dem Verluste,
Als Carlos mit der Königin und mir
Beim Spielen saß und mit bewunderswerter
Geschicklichkeit mir diesen Handschuh stahl –
(Carlos springt bestürzt auf)

Den er zwar gleich nachher so artig war
Statt einer Karte wieder auszuspielen.

CARLOS. O Gott – Gott – Gott! Was hab ich da gemacht?

PRINZESSIN. Nichts, was Sie widerrufen werden, hoff ich.
Wie froh erschrak ich, als mir unvermutet
Ein Briefchen in die Finger kam, das Sie
In diesen Handschuh zu verstecken wußten.
Es war die rührendste Romanze, Prinz,
Die –

CARLOS *(ihr rasch ins Wort fallend)*.
Poesie! – Nichts weiter. – Mein Gehirn
Treibt öfters wunderbare Blasen auf,
Die schnell, wie sie entstanden sind, zerspringen.
Das war es alles. Schweigen wir davon.

PRINZESSIN *(vor Erstaunen von ihm weggehend und ihn eine Zeitlang aus der Entfernung beobachtend)*.
Ich bin erschöpft – all meine Proben gleiten
Von diesem schlangenglatten Sonderling.
(Sie schweigt einige Augenblicke)
Doch wie? – Wärs ungeheurer Männerstolz,
Der nur, sich desto süßer zu ergetzen,
Die Blödigkeit als Larve brauchte? – Ja?
(Sie nähert sich dem Prinzen wieder und betrachtet ihn zweifelhaft)
Belehren *Sie* mich endlich, Prinz – Ich stehe
Vor einem zauberisch verschloßnen Schrank,
Wo alle meine Schlüssel mich betrügen.

CARLOS. Wie ich vor Ihnen.

PRINZESSIN *(Sie verläßt ihn schnell, geht einigemal stillschweigend im Kabinett auf und nieder und scheint über etwas Wichtiges nachzudenken. Endlich nach einer großen Pause ernsthaft und feierlich)*.
Endlich sei es denn –
Ich muß einmal zu reden mich entschließen.
Zu meinem Richter wähl ich Sie. Sie sind
Ein edler Mensch – ein Mann, sind Fürst und Ritter.
An Ihren Busen werf ich mich. Sie werden
Mich retten, Prinz, und, wo ich ohne Rettung

Verloren bin, teilnehmend um mich weinen.
(Der Prinz rückt näher, mit erwartungsvollem, teilnehmendem Erstaunen)
Ein frecher Günstling des Monarchen buhlt
Um meine Hand – Ruy Gomez, Graf von Silva –
Der König will, schon ist man handelseinig,
Ich bin der Kreatur verkauft.

CARLOS *(heftig ergriffen)*. Verkauft?
Und wiederum verkauft? und wiederum
Von dem berühmten Handelsmann in Süden?

PRINZESSIN. Nein, hören Sie erst alles. Nicht genug,
Daß man der Politik mich hingeopfert,
Auch meiner Unschuld stellt man nach – Da, hier!
Dies Blatt kann diesen Heiligen entlarven.
(Carlos nimmt das Papier und hängt voll Ungeduld an ihrer Erzählung, ohne sich Zeit zu nehmen, es zu lesen)
Wo soll ich Rettung finden, Prinz? Bis jetzt
War es mein Stolz, der meine Tugend schützte;
Doch endlich –

CARLOS. Endlich fielen Sie? Sie fielen?
Nein, nein! um Gottes willen, nein!

PRINZESSIN *(stolz und edel)*. Durch *wen*?
Armselige Vernünftelei! Wie schwach
Von diesen starken Geistern! Weibergunst,
Der Liebe Glück der Ware gleich zu achten,
Worauf geboten werden kann! Sie ist
Das einzige auf diesem Rund der Erde,
Was keinen Käufer leidet als sich selbst.
Die Liebe ist der Liebe Preis. Sie ist
Der unschätzbare Diamant, den ich
Verschenken oder, ewig ungenossen,
Verscharren muß – dem großen Kaufmann gleich,
Der, ungerührt von des Rialto Gold,
Und Königen zum Schimpfe, seine Perle
Dem reichen Meere wiedergab, zu stolz,
Sie *unter* ihrem Werte loszuschlagen.

CARLOS. (Beim wunderbaren Gott! – Das Weib ist schön!)

PRINZESSIN. Man nenn es Grille – Eitelkeit: gleichviel.
Ich *teile* meine Freuden nicht. Dem Mann,
Dem einzigen, den ich mir auserlesen,
Geb ich für alles alles hin. Ich schenke
Nur einmal, aber ewig. Einen nur
Wird meine Liebe glücklich machen – einen –
Doch diesen einzigen zum Gott. Der Seelen
Entzückender Zusammenklang – ein Kuß –
Der Schäferstunde schwelgerische Freuden –
Der Schönheit hohe, himmlische Magie
Sind *eines* Strahles schwesterliche Farben,
Sind *einer* Blume Blätter nur. Ich sollte,
Ich Rasende! ein abgerißnes Blatt
Aus dieser Blume schönem Kelch verschenken?
Ich selbst des Weibes hohe Majestät,
Der Gottheit großes Meisterstück, vestümmeln,
Den Abend eines Prassers zu versüßen?

CARLOS. (Unglaublich! Wie? ein solches Mädchen hatte
Madrid, und ich – und ich erfahr es heute
Zum erstenmal?)

PRINZESSIN. Längst hätt ich diesen Hof
Verlassen, diese Welt verlassen, hätte
In heilgen Mauern mich begraben; doch
Ein einzig Band ist noch zurück, ein Band,
Das mich an diese Welt allmächtig bindet.
Ach, ein Phantom vielleicht! doch mir so wert!
Ich liebe und bin – nicht geliebt.

CARLOS *(voll Feuer auf sie zugehend).* Sie sinds!
So wahr ein Gott im Himmel wohnt. Ich schwör es.
Sie sinds, und unaussprechlich.

PRINZESSIN. Sie? Sie schwörens?
O, das war meines Engels Stimme! Ja,
Wenn freilich Sie es schwören, Karl, dann glaub ichs,
Dann bin ichs.

CARLOS *(der sie voll Zärtlichkeit in die Arme schließt).*
Süßes, seelenvolles Mädchen!

Anbetungswürdiges Geschöpf! – Ich stehe
Ganz Ohr – ganz Auge – ganz Entzücken – ganz
Bewunderung. – Wer hätte dich gesehn,
Wer unter diesem Himmel dich gesehn
Und rühmte sich – er habe nie geliebt? –
Doch hier an König Philipps Hof? Was hier?
Was, schöner Engel, willst du hier? bei Pfaffen
Und Pfaffenzucht? Das ist kein Himmelsstrich
Für solche Blumen. – Möchten sie sie brechen?
Sie möchten – o, ich glaub es gern. – Doch nein!
So wahr ich Leben atme, nein! – Ich schlinge
Den Arm um dich, auf meinen Armen trag ich
Durch eine teufelvolle Hölle dich!
Ja – laß mich deinen Engel sein. –

PRINZESSIN *(mit dem vollen Blicke der Liebe).*
O Carlos!
Wie wenig hab ich Sie gekannt! Wie reich
Und grenzenlos belohnt Ihr schönes Herz
Die schwere Müh, es zu begreifen!
(Sie nimmt seine Hand und will sie küssen)

CARLOS *(der sie zurückzieht).* Fürstin,
Wo sind Sie jetzt?

PRINZESSIN *(mit Feinheit und Grazie, indem sie starr in seine Hand sieht).*
Wie schön ist diese Hand!
Wie reich ist sie! – Prinz, diese Hand hat noch
Zwei kostbare Geschenke zu vergeben –
Ein Diadem und Carlos' Herz – und beides
Vielleicht an *eine* Sterbliche? – An *eine*?
Ein großes, göttliches Geschenk! – Beinahe
Für *eine* Sterbliche zu groß! – Wie, Prinz?
Wenn Sie zu einer Teilung sich entschlössen?
Die Königinnen lieben schlecht – ein Weib,
Das lieben kann, versteht sich schlecht auf Kronen:
Drum besser, Prinz, Sie teilen, und gleich jetzt,
Gleich jetzt – Wie? Oder hätten Sie wohl schon?
Sie hätten wirklich? O, dann um so besser!

Und kenn ich diese Glückliche?

CARLOS. Du sollst.

Dir, Mädchen, dir entdeck ich mich – der Unschuld,
Der lautern, unentheiligten Natur
Entdeck ich mich. An diesem Hof bist du
Die Würdigste, die Einzige, die Erste,
Die meine Seele ganz versteht. – Ja denn!
Ich leugn es nicht – ich liebe!

PRINZESSIN. Böser Mensch!

So schwer ist das Geständnis dir geworden?
Beweinenswürdig mußt ich sein, wenn du
Mich liebenswürdig finden solltest?

CARLOS *(stutzt)*. Was?

Was ist das?

PRINZESSIN. Solches Spiel mit mir zu treiben!

O wahrlich, Prinz, es war nicht schön. Sogar
Den Schlüssel zu verleugnen!

CARLOS. Schlüssel! Schlüssel!

(Nach einem dumpfen Besinnen)

Ja so – so wars. – Nun merk ich – – O mein Gott!

(Seine Knie wanken, er hält sich an einen Stuhl und verhüllt das Gesicht)

PRINZESSIN *(Eine lange Stille von beiden Seiten. Die Fürstin schreit laut und fällt)*.

Abscheulich! Was hab ich getan?

CARLOS *(sich aufrichtend, im Ausbruch des heftigsten Schmerzes)*.

So tief

Herabgestürzt von allen meinen Himmeln! –
O das ist schrecklich!

PRINZESSIN *(das Gesicht in das Kissen verbergend)*.

Was entdeck ich? Gott!

CARLOS *(vor ihr niedergeworfen)*.

Ich bin nicht schuldig, Fürstin – Leidenschaft –
Ein unglückselger Mißverstand – Bei Gott!
Ich bin nicht schuldig.

PRINZESSIN *(stößt ihn von sich)*.

Weg aus meinen Augen,

Um Gottes willen –

CARLOS. Nimmermehr! In dieser
Entsetzlichen Erschüttrung Sie verlassen?

PRINZESSIN *(ihn mit Gewalt wegdrängend).*
Aus Großmut, aus Barmherzigkeit, hinaus
Von meinen Augen! – Wollen Sie mich morden?
Ich hasse Ihren Anblick!
(Carlos will gehen)
Meinen Brief
Und meinen Schlüssel geben Sie mir wieder.
Wo haben Sie den andern Brief?

CARLOS. Den andern?
Was denn für einen andern?

PRINZESSIN. Den vom König.

CARLOS *(zusammenschreckend).*
Von *wem*?

PRINZESSIN. Den Sie vorhin von mir bekamen.

CARLOS. Vom König? und an wen? an Sie?

PRINZESSIN. O Himmel!
Wie schrecklich hab ich mich verstrickt! Den Brief!
Heraus damit! ich muß ihn wiederhaben.

CARLOS. Vom König Briefe, und an Sie?

PRINZESSIN. Den Brief!
Im Namen aller Heiligen!

CARLOS. Der einen
Gewissen mir entlarven sollte – diesen?

PRINZESSIN. Ich bin des Todes! – Geben Sie!

CARLOS. Der Brief –

PRINZESSIN *(in Verzweiflung die Hände ringend).*
Was hab ich Unbesonnene gewagt?

CARLOS. Der Brief – der kam vom König? – Ja, Prinzessin,
Das ändert freilich alles schnell. – *Das* ist
(den Brief frohlockend emporhaltend)
Ein unschätzbarer – schwerer – teurer Brief,
Den alle Kronen Philipps einzulösen
Zu leicht, zu nichtsbedeutend sind. – *Den* Brief

Behalt ich. *(Er geht)*

PRINZESSIN *(wirft sich ihm in den Weg).*

Großer Gott, ich bin verloren!

Neunter Auftritt

Die Prinzessin allein

(Sie steht noch betäubt, außer Fassung; nachdem er hinaus ist, eilt sie ihm nach und will ihn zurückrufen)

PRINZESSIN. Prinz, noch ein Wort! Prinz, hören Sie! – Er geht!
Auch das noch! Er verachtet mich. – Da steh ich
In fürchterlicher Einsamkeit – verstoßen,
Verworfen –
(Sie sinkt auf einen Sessel. Nach einer Pause)
Nein! Verdrungen nur, verdrungen
Von einer Nebenbuhlerin. Er liebt.
Kein Zweifel mehr. Er hat es selbst bekannt.
Doch *wer* ist diese Glückliche? – Soviel
Ist offenbar – er liebt, was er nicht sollte.
Er fürchtet die Entdeckung. Vor dem König
Verkriecht sich seine Leidenschaft – Warum
Vor diesem, der sie wünschte? – Oder ists
Der Vater nicht, was er im Vater fürchtet?
Als ihm des Königs buhlerische Absicht
Verraten war – da jauchzten seine Mienen,
Frohlockt' er wie ein Glücklicher ... Wie kam es,
Daß seine strenge Tugend hier verstummte?
Hier? Eben hier? – Was kann denn er dabei,
Er zu gewinnen haben, wenn der König
Der Königin die –
(Sie hält plötzlich ein, von einem Gedanken überrascht. – Zu gleicher Zeit reißt sie die Schleife, die ihr Carlos gegeben hat, von dem Busen, betrachtet sie schnell und erkennt sie)
O, ich Rasende!
Jetzt endlich, jetzt – Wo waren meine Sinne?

Jetzt gehen mir die Augen auf – Sie hatten
Sich lang geliebt, eh der Monarch sie wählte.
Nie ohne *sie* sah mich der Prinz. – Sie also,
Sie war gemeint, wo ich so grenzenlos,
So warm, so wahr mich angebetet glaubte?
O, ein Betrug, der ohne Beispiel ist!
Und meine Schwäche hab ich ihr verraten –
(Stillschweigen)
Daß er ganz ohne Hoffnung lieben sollte!
Ich kanns nicht glauben. – Hoffnungslose Liebe
Besteht in diesem Kampfe nicht. Zu schwelgen,
Wo unerhört der glänzendste Monarch
Der Erde schmachtet – Wahrlich! solche Opfer
Bringt hoffnungslose Liebe nicht. Wie feurig
War nicht sein Kuß! Wie zärtlich drückt er mich,
Wie zärtlich an sein schlagend Herz! – Die Probe
War fast zu kühn für die romantsche Treue,
Die nicht erwidert werden soll – Er nimmt
Den Schlüssel an, den, wie er sich beredet,
Die Königin ihm zugeschickt – er glaubt
An diesen Riesenschritt der Liebe – kommt,
Kommt wahrlich, kommt! – So traut er Philipps Frau
Die rasende Entschließung zu. – Wie kann er,
Wenn hier nicht große Proben ihn ermuntern?
Es ist am Tag. Er wird erhört. Sie liebt!
Beim Himmel, diese Heilige empfindet!
Wie fein ist sie! ... Ich zitterte, ich selbst,
Vor dem erhabnen Schreckbild dieser Tugend.
Ein höhres Wesen ragt sie neben mir,
In ihrem Glanz erlösch ich. Ihrer Schönheit
Mißgönnt ich diese hohe Ruhe, frei
Von jeder Wallung sterblicher Naturen.
Und diese Ruhe war nur Schein? Sie hätte
An beiden Tafeln schwelgen wollen? Hätte
Den Götterschein der Tugend schaugetragen
Und doch zugleich des Lasters heimliche

Entzückungen zu naschen sich erdreistet?
Das durfte sie? Das sollte ungerochen
Der Gauklerin gelungen sein? Gelungen,
Weil sich kein Rächer meldet? – Nein, bei Gott!
Ich betete sie an – Das fordert Rache!
Der König wisse den Betrug – Der König?
(Nach einigem Besinnen)
Ja, recht – das ist ein Weg zu seinem Ohre. *(Sie geht ab)*

Ein Zimmer im königlichen Palaste

Zehnter Auftritt

Herzog von Alba. Pater Domingo

DOMINGO. Was wollten Sie mir sagen?
ALBA. Eine wichtge
Entdeckung, die ich heut gemacht, worüber
Ich einen Aufschluß haben möchte.
DOMINGO. Welche
Entdeckung? Wovon reden Sie?
ALBA. Prinz Carlos
Und ich begegnen diesen Mittag uns
Im Vorgemach der Königin. Ich werde
Beleidigt. Wir erhitzen uns. Der Streit
Wird etwas laut. Wir greifen zu den Schwertern.
Die Königin auf das Getöse öffnet
Das Zimmer, wirft sich zwischen uns und sieht
Mit einem Blick despotischer Vertrautheit
Den Prinzen an. – Es war ein einzger Blick. –
Sein Arm erstarrt – er fliegt an meinen Hals –
Ich fühle einen heißen Kuß – er ist
Verschwunden.
DOMINGO *(nach einigem Stillschweigen)*.
Das ist sehr verdächtig. – Herzog,
Sie mahnen mich an etwas. – – Ähnliche

Gedanken, ich gesteh es, keimten längst
In meiner Brust. – Ich flohe diese Träume –
Noch hab ich niemand sie vertraut. Es gibt
Zweischneidge Klingen, ungewisse Freunde –
Ich fürchte diese. Schwer zu unterscheiden,
Noch schwerer zu ergründen sind die Menschen.
Entwischte Worte sind beleidigte
Vertraute – drum begrub ich mein Geheimnis,
Bis es die Zeit ans Licht hervorgewälzt.
Gewisse Dienste Königen zu leisten,
Ist mißlich, Herzog – ein gewagter Wurf,
Der, fehlt er seine Beute, auf den Schützen
Zurücke prallt. – Ich wollte, was ich sage,
Auf eine Hostie beschwören – doch
Ein Augenzeugnis, ein erhaschtes Wort,
Ein Blatt Papier fällt schwerer in die Waage
Als mein lebendigstes Gefühl. – Verwünscht,
Daß wir auf span'schem Boden stehn!

ALBA. Warum
Auf diesem nicht?

DOMINGO. An jedem andern Hofe
Kann sich die Leidenschaft vergessen. Hier
Wird sie gewarnt von ängstlichen Gesetzen.
Die span'schen Königinnen haben Müh
Zu sündigen – ich glaub es – doch zum Unglück
Nur da – gerade *da* nur, wo es uns
Am besten glückte, sie zu überraschen.

ALBA. Hören Sie weiter – Carlos hatte heut
Gehör beim König. Eine Stunde währte
Die Audienz. Er bat um die Verwaltung
Der Niederlande. Laut und heftig bat er;
Ich hört es in dem Kabinett. Sein Auge
War rot geweint, als ich ihm an der Türe
Begegnete. Den Mittag drauf erscheint er
Mit einer Miene des Triumphs. Er ist
Entzückt, daß mich der König vorgezogen.

Er dankt es ihm. Die Sachen stehen anders,
Sagt er, und besser. Heucheln konnt er nie.
Wie soll ich diese Widersprüche reimen?
Der Prinz frohlockt, hintangesetzt zu sein,
Und mir erteilt der König eine Gnade
Mit allen Zeichen seines Zorns! – Was muß
Ich glauben? Wahrlich, diese neue Würde
Sieht einer Landsverweisung ähnlicher
Als einer Gnade.

DOMINGO. Dahin also wär es
Gekommen? Dahin? Und ein Augenblick
Zertrümmerte, was wir in Jahren bauten? –
Und Sie so ruhig? so gelassen? – Kennen
Sie diesen Jüngling? Ahnden Sie, was uns
Erwartet, wenn er mächtig wird? – Der Prinz –
– Ich bin sein Feind nicht. Andre Sorgen nagen
An meiner Ruhe, Sorgen für den Thron,
Für Gott und seine Kirche. – Der Infant
(Ich kenn ihn – ich durchdringe seine Seele)
Hegt einen schrecklichen Entwurf – Toledo –
Den rasenden Entwurf, Regent zu sein
Und unsern heilgen Glauben zu entbehren. –
Sein Herz entglüht für eine neue Tugend,
Die, stolz und sicher und sich selbst genug,
Von keinem Glauben betteln will. – Er *denkt!*
Sein Kopf entbrennt von einer seltsamen
Chimäre – er verehrt den Menschen – Herzog,
Ob er zu unserm König taugt?

ALBA. Phantomen!
Was sonst? Vielleicht auch jugendlicher Stolz,
Der eine Rolle spielen möchte. – Bleibt
Ihm eine andre Wahl? Das geht vorbei,
Trifft ihn einmal die Reihe zu befehlen.

DOMINGO. Ich zweifle. – Er ist stolz auf seine Freiheit,
Des Zwanges ungewohnt, womit man Zwang
Zu kaufen sich bequemen muß. – Taugt er

Auf unsern Thron? Der kühne Riesengeist
Wird unsrer Staatskunst Linien durchreißen.
Umsonst versucht ichs, diesen trotzgen Mut
In dieser Zeiten Wollust abzumatten;
Er überstand die Probe – Schrecklich ist
In diesem Körper dieser Geist – und Philipp
Wird sechzig Jahr alt.

ALBA. Ihre Blicke reichen
Sehr weit.

DOMINGO. Er und die Königin sind eins.
Schon schleicht, verborgen zwar, in beider Brust
Das Gift der Neuerer; doch bald genug,
Gewinnt es Raum, wird es den Thron ergreifen.
Ich kenne diese Valois. – Fürchten wir
Die ganze Rache dieser stillen Feindin,
Wenn Philipp Schwächen sich erlaubt. Noch ist
Das Glück uns günstig. Kommen wir zuvor.
In *eine* Schlinge stürzen beide. – Jetzt
Ein solcher Wink dem Könige gegeben,
Bewiesen oder nicht bewiesen – viel
Ist schon gewonnen, wenn er wankt. Wir selbst,
Wir zweifeln beide nicht. Zu überzeugen
Fällt keinem Überzeugten schwer. Es kann
Nicht fehlen, wir entdecken mehr, sind wir
Vorher gewiß, daß wir entdecken müssen.

ALBA. Doch nun die wichtigste von allen Fragen!
Wer nimmts auf sich, den König zu belehren?

DOMINGO. Noch Sie, noch ich. Erfahren Sie also,
Was lange schon, des großen Planes voll,
Mein stiller Fleiß dem Ziele zugetrieben.
Noch mangelt, unser Bündnis zu vollenden,
Die dritte, wichtigste Person – Der König
Liebt die Prinzessin Eboli. Ich nähre
Die Leidenschaft, die meinen Wünschen wuchert.
Ich bin sein Abgesandter – unserm Plane
Erzieh ich sie. – In dieser jungen Dame,

Gelingt mein Werk, soll eine Bundsverwandtin,
Soll eine Königin uns blühn. Sie selbst
Hat jetzt in dieses Zimmer mich berufen.
Ich hoffe alles. – Jene Lilien
Von Valois zerknickt ein span'sches Mädchen
Vielleicht in *einer* Mitternacht.

ALBA. Was hör ich?
Ists Wahrheit, was ich jetzt gehört? – Beim Himmel!
Das überrascht mich! Ja, *der* Streich vollendet!
Dominikaner, ich bewundre dich.
Jetzt haben wir gewonnen –

DOMINGO. Still! Wer kommt? –
Sie ists – sie selbst.

ALBA. Ich bin im nächsten Zimmer,
Wenn man –

DOMINGO. Schon recht. Ich rufe Sie.
(Der Herzog von Alba geht ab)

Eilfter Auftritt

Die Prinzessin. Domingo

DOMINGO. Zu Ihren
Befehlen, gnädge Fürstin.

PRINZESSIN *(dem Herzog neugierig nachsehend).*
Sind wir etwa
Nicht ganz allein? Sie haben, wie ich sehe,
Noch einen Zeugen bei sich?

DOMINGO. Wie?

PRINZESSIN. Wer war es,
Der eben jetzt von Ihnen ging?

DOMINGO. Der Herzog
Von Alba, gnädge Fürstin, der nach mir
Um die Erlaubnis bittet, vorgelassen
Zu werden.

PRINZESSIN. Herzog Alba? Was will der?

Was kann er wollen? Wissen Sie vielleicht
Es mir zu sagen?

DOMINGO. Ich? und eh ich weiß,
Was für ein Vorfall von Bedeutung mir
Das lang entbehrte Glück verschafft, der Fürstin
Von Eboli mich wiederum zu nähern?
(Pause, worin er ihre Antwort erwartet)
Ob sich ein Umstand endlich vorgefunden,
Der für des Königs Wünsche spricht? ob ich
Mit Grund gehofft, daß beßre Überlegung
Mit einem Anerbieten Sie versöhnt,
Das Eigensinn, das Laune bloß verworfen?
Ich komme voll Erwartung –

PRINZESSIN. Brachten Sie
Dem König meine letzte Antwort?

DOMINGO. Noch
Verschob ichs, ihn so tödlich zu verwunden.
Noch, gnädge Fürstin, ist es Zeit. Es steht
Bei Ihnen, sie zu mildern.

PRINZESSIN. Melden Sie
Dem König, daß ich ihn erwarte.

DOMINGO. Darf
Ich das für Wahrheit nehmen, schöne Fürstin?

PRINZESSIN. Für Scherz doch nicht? Bei Gott! Sie machen mir
Ganz bange. – Wie? Was hab ich denn getan,
Wenn sogar Sie – Sie selber sich entfärben?

DOMINGO. Prinzessin, diese Überraschung – kaum
Kann ich es fassen –

PRINZESSIN. Ja, hochwürdger Herr,
Das sollen Sie auch nicht. Um alle Güter
Der Welt möcht ich nicht haben, daß Sies faßten.
Genug für Sie, daß es so ist. Ersparen
Sie sich die Mühe, zu ergrübeln, wessen
Beredsamkeit Sie diese Wendung danken.
Zu Ihrem Trost setz ich hinzu: *Sie* haben
Nicht teil an dieser Sünde. Auch wahrhaftig

Die Kirche nicht; obschon Sie mir bewiesen,
Daß Fälle möglich wären, wo die Kirche
Sogar die *Körper* ihrer jungen Töchter
Für höhre Zwecke zu gebrauchen wüßte.
Auch diese nicht. – Dergleichen fromme Gründe,
Ehrwürdger Herr, sind mir zu hoch –

DOMINGO. Sehr gerne,
Prinzessin, nehm ich sie zurück, sobald
Sie überflüssig waren.

PRINZESSIN. Bitten Sie
Von meinetwegen den Monarchen, ja
In dieser Handlung mich nicht zu verkennen.
Was ich gewesen, bin ich noch. Die Lage
Der Dinge nur hat seitdem sich verwandelt.
Als ich sein Anerbieten mit Entrüstung
Zurücke stieß, da glaubt ich im Besitze
Der schönsten Königin ihn *glücklich* – glaubte
Die treue Gattin meines Opfers wert.
Das glaubt ich damals – damals. Freilich jetzt,
Jetzt weiß ichs besser.

DOMINGO. Fürstin, weiter, weiter.
Ich hör es, wir verstehen uns.

PRINZESSIN. Genug,
Sie ist erhascht. Ich schone sie nicht länger.
Die schlaue Diebin ist erhascht. Den König,
Ganz Spanien und mich hat sie betrogen.
Sie liebt. Ich weiß es, daß sie liebt. Ich bringe
Beweise, die sie zittern machen sollen.
Der König ist betrogen – doch, bei Gott!
Er sei es ungerochen nicht! Die Larve
Erhabner, übermenschlicher Entsagung
Reiß ich ihr ab, daß alle Welt die Stirne
Der Sünderin erkennen soll. Es kostet
Mir einen ungeheuren Preis, doch – das
Entzückt mich, das ist mein Triumph – doch *ihr*
Noch einen größern.

DOMINGO. Nun ist alles reif.
Erlauben Sie, daß ich den Herzog rufe.
(Er geht hinaus)
PRINZESSIN *(erstaunt)*. Was wird das?

Zwölfter Auftritt

Die Prinzessin. Herzog Alba. Domingo

DOMINGO *(der den Herzog hereinführt)*.
Unsre Nachricht, Herzog Alba,
Kommt hier zu spät. Die Fürstin Eboli
Entdeckt uns ein Geheimnis, das sie eben
Von uns erfahren sollte.
ALBA. Mein Besuch
Wird dann um so viel minder sie befremden.
Ich traue *meinen* Augen nicht. Dergleichen
Entdeckungen verlangen Weiberblicke.
PRINZESSIN. Sie sprechen von Entdeckungen? –
DOMINGO. Wir wünschten
Zu wissen, gnädge Fürstin, welchen Ort
Und welche beßre Stunde Sie –
PRINZESSIN. Auch das!
So will ich morgen mittag Sie erwarten.
Ich habe Gründe, dieses strafbare
Geheimnis länger nicht zu bergen – es
Nicht länger mehr dem König zu entziehn.
ALBA. Das war es, was mich hergeführt. Sogleich
Muß der Monarch es wissen. Und durch Sie,
Durch *Sie*, Prinzessin, muß er das. Wem sonst,
Wem sollt er lieber glauben als der strengen,
Der wachsamen Gespielin seines Weibes?
DOMINGO. Wem mehr als Ihnen, die, sobald sie will,
Ihn unumschränkt beherrschen kann?
ALBA. Ich bin
Erklärter Feind des Prinzen.

DOMINGO. Eben das
Ist man gewohnt, von mir vorauszusetzen.
Die Fürstin Eboli ist frei. Wo *wir*
Verstummen müssen, zwingen Pflichten Sie
Zu reden, Pflichten Ihres Amts. Der König
Entflieht uns nicht, wenn Ihre Winke wirken,
Und dann vollenden wir das Werk.

ALBA. Doch bald,
Gleich jetzt muß das geschehn. Die Augenblicke
Sind kostbar. Jede nächste Stunde kann
Mir den Befehl zum Abmarsch bringen. –

DOMINGO *(sich nach einigem Überlegen zur Fürstin kehrend)*. Ob
Sich Briefe finden ließen? Briefe freilich
Von dem Infanten, aufgefangen, müßten
Hier Wirkung tun. – Laß sehen. – Nicht wahr? – Ja.
Sie schlafen doch – so deucht mir – in demselben
Gemache mit der Königin?

PRINZESSIN. Zunächst
An diesem. – Doch was soll mir das?

DOMINGO. Wer sich
Auf Schlösser gut verstände! – Haben Sie
Bemerkt, wo sie den Schlüssel zur Schatulle
Gewöhnlich zu bewahren pflegt?

PRINZESSIN *(nachdenkend)*. Das könnte
Zu etwas führen. – Ja – der Schlüssel wäre
Zu finden, denk ich. –

DOMINGO. Briefe wollen Boten – –
Der Königin Gefolg ist groß. – – Wer hier
Auf eine Spur geraten könnte! – – Gold
Vermag zwar viel –

ALBA. Hat niemand wahrgenommen,
Ob der Infant Vertraute hat?

DOMINGO. Nicht *einen*,
In ganz Madrid nicht *einen*.

ALBA. Das ist seltsam.

DOMINGO. Das dürfen Sie mir glauben. Er verachtet
Den ganzen Hof; ich habe meine Proben.

ALBA. Doch wie? Hier eben fällt mir ein, als ich
Von dem Gemach der Königin herauskam,
Stand der Infant bei einem ihrer Pagen;
Sie sprachen heimlich –

PRINZESSIN *(rasch einfallend)*.
Nicht doch, nein! Das war –
Das war von etwas anderm.

DOMINGO. Können *wir*
Das wissen? – Nein, der Umstand ist verdächtig. –
(Zum Herzog)
Und kannten Sie den Pagen?

PRINZESSIN. Kinderpossen!
Was wirds auch sonst gewesen sein? Genug,
Ich kenne das. – Wir sehn uns also wieder,
Eh ich den König spreche. – Unterdessen
Entdeckt sich viel.

DOMINGO *(sie auf die Seite führend)*.
Und der Monarch darf hoffen?
Ich darf es ihm verkündigen? Gewiß?
Und welche schöne Stunde seinen Wünschen
Erfüllung endlich bringen wird? Auch dies?

PRINZESSIN. In eingen Tagen werd ich krank; man trennt mich
Von der Person der Königin – das ist
An unserm Hofe Sitte, wie Sie wissen.
Ich bleibe dann auf meinem Zimmer.

DOMINGO. Glücklich!
Gewonnen ist das große Spiel. Trotz sei
Geboten allen Königinnen –

PRINZESSIN. Horch!
Man fragt nach mir – die Königin verlangt mich.
Auf Wiedersehen! *(Sie eilt ab)*

Dreizehnter Auftritt

Alba. Domingo

DOMINGO *(nach einer Pause, worin er die Prinzessin mit den Augen begleitet hat).* Herzog, diese Rosen
Und Ihre Schlachten –

ALBA. Und dein Gott – so will ich
Den Blitz erwarten, der uns stürzen soll! *(Sie gehen ab)*

In einem Kartäuserkloster

Vierzehnter Auftritt

Don Carlos. Der Prior

CARLOS *(zum Prior, indem er hereintritt).*
Schon dagewesen also? – Das beklag ich.

PRIOR. Seit heute morgen schon das dritte Mal.
Vor einer Stunde ging er weg –

CARLOS. Er will
Doch wiederkommen? Hinterließ er nicht?

PRIOR. Vor Mittag noch, versprach er.

CARLOS *(an ein Fenster und sich in der Gegend umsehend).*
Euer Kloster
Liegt weit ab von der Straße. – Dorthin zu
Sieht man noch Türme von Madrid. – Ganz recht,
Und hier fließt der Mansanares – Die Landschaft
Ist, wie ich sie mir wünsche. – Alles ist
Hier still, wie ein Geheimnis.

PRIOR. Wie der Eintritt
Ins andre Leben.

CARLOS. Eurer Redlichkeit,
Hochwürdger Herr, hab ich mein Kostbarstes,
Mein Heiligstes vertraut. Kein Sterblicher
Darf wissen oder nur vermuten, *wen*
Ich hier gesprochen und *geheim*. Ich habe

Sehr wichtge Gründe, vor der ganzen Welt
Den Mann, den ich erwarte, zu verleugnen:
Drum wählt ich dieses Kloster. Vor Verrätern,
Vor Überfall sind wir doch sicher? Ihr
Besinnt Euch doch, was Ihr mir zugeschworen?

PRIOR. Vertrauen Sie uns, gnädger Herr. Der Argwohn
Der Könige wird *Gräber* nicht durchsuchen.
Das Ohr der Neugier liegt nur an den Türen
Des Glückes und der Leidenschaft. Die Welt
Hört auf in diesen Mauern.

CARLOS. Denkt Ihr etwa,
Daß hinter diese Vorsicht, diese Furcht
Ein schuldiges Gewissen sich verkrieche?

PRIOR. Ich denke nichts.

CARLOS. Ihr irrt Euch, frommer Vater,
Ihr irrt Euch wahrlich. Mein Geheimnis zittert
Vor Menschen, aber nicht vor Gott.

PRIOR. Mein Sohn,
Das kümmert *uns* sehr wenig. Diese Freistatt
Steht dem Verbrechen offen wie der Unschuld.
Ob, was du vorhast, gut ist oder übel,
Rechtschaffen oder lasterhaft – das mache
Mit deinem eignen Herzen aus.

CARLOS *(mit Wärme)*. Was wir
Verheimlichen, kann euern Gott nicht schänden.
Es ist sein eignes, schönstes Werk. – Zwar Euch,
Euch kann ichs wohl entdecken.

PRIOR. Zu was Ende?
Erlassen Sie mirs, lieber Prinz. Die Welt
Und ihr Geräte liegt schon lange Zeit
Versiegelt da auf jene große Reise.
Wozu die kurze Frist vor meinem Abschied
Noch einmal es erbrechen? – Es ist wenig,
Was man zur Seligkeit bedarf. – Die Glocke
Zur Hora lautet. Ich muß beten gehn.

(Der Prior geht ab)

Funfzehnter Auftritt

Don Carlos. Der Marquis von Posa tritt herein

CARLOS. Ach, endlich einmal, endlich –
MARQUIS. Welche Prüfung
Für eines Freundes Ungeduld! Die Sonne
Ging zweimal auf und zweimal unter, seit
Das Schicksal meines Carlos sich entschieden,
Und jetzt, erst jetzt werd ich es hören. – Sprich,
Ihr seid versöhnt?
CARLOS. Wer?
MARQUIS. Du und König Philipp;
Und auch mit Flandern ists entschieden?
CARLOS. Daß
Der Herzog morgen dahin reist? – Das ist
Entschieden, ja.
MARQUIS. Das kann nicht sein. Das ist nicht.
Soll ganz Madrid belogen sein? Du hattest
Geheime Audienz, sagt man. Der König –
CARLOS. Blieb unbewegt. Wir sind getrennt auf immer,
Und mehr, als wirs schon waren –
MARQUIS. Du gehst *nicht*
Nach Flandern?
CARLOS. Nein! Nein! Nein!
MARQUIS. O meine Hoffnung!
CARLOS. Das nebenbei. O Roderich, seitdem
Wir uns verließen, was hab ich erlebt!
Doch jetzt vor allem deinen Rat! Ich muß
Sie sprechen –
MARQUIS. Deine Mutter? – Nein! – Wozu?
CARLOS. Ich habe Hoffnung. – Du wirst blaß? Sei ruhig.
Ich soll und werde glücklich sein. – Doch davon
Ein andermal. Jetzt schaffe Rat, wie ich
Sie sprechen kann. –
MARQUIS. Was soll das? Worauf gründet
Sich dieser neue Fiebertraum?

CARLOS. Nicht Traum!
Beim wundervollen Gott nicht! – Wahrheit, Wahrheit!
(Den Brief des Königs an die Fürstin Eboli hervorziehend)
In diesem wichtigen Papier enthalten!
Die Königin ist *frei*, vor Menschenaugen,
Wie vor des Himmels Augen frei. Da lies
Und höre auf, dich zu verwundern.

MARQUIS *(den Brief eröffnend).* Was?
Was seh ich? Eigenhändig vom Monarchen?
(Nachdem er ihn gelesen)
An wen ist dieser Brief?

CARLOS. An die Prinzessin
Von Eboli. – Vorgestern bringt ein Page
Der Königin von unbekannten Händen
Mir einen Brief und einen Schlüssel. Man
Bezeichnet mir im linken Flügel des
Palastes, den die Königin bewohnt,
Ein Kabinett, wo eine Dame mich
Erwarte, die ich längst geliebt. Ich folge
Sogleich dem Winke –

MARQUIS. Rasender, du folgst?

CARLOS. Ich kenne ja die Handschrift nicht – Ich kenne
Nur *eine* solche Dame. Wer als *sie*
Wird sich von Carlos angebetet wähnen?
Voll süßen Schwindels flieg ich nach dem Platze;
Ein göttlicher Gesang, der aus dem Innern
Des Zimmers mir entgegenschallt, dient mir
Zum Führer – ich eröffne das Gemach –
Und wen entdeck ich? – Fühle mein Entsetzen!

MARQUIS. O, ich errate alles.

CARLOS. Ohne Rettung
War ich verloren, Roderich, wär ich
In eines Engels Hände nicht gefallen.
Welch unglückselger Zufall! Hintergangen
Von meiner Blicke unvorsichtger Sprache,
Gab sie der süßen Täuschung sich dahin,

Sie selber sei der Abgott dieser Blicke.
Gerührt von meiner Seele stillen Leiden,
Beredet sich großmütig-unbesonnen
Ihr weiches Herz, mir Liebe zu erwidern.
Die Ehrfurcht schien mir Schweigen zu gebieten;
Sie hat die Kühnheit, es zu brechen – offen
Liegt ihre schöne Seele mir –

MARQUIS. So ruhig
Erzählst du das? – Die Fürstin Eboli
Durchschaute dich. Kein Zweifel mehr, sie drang
In deiner Liebe innerstes Geheimnis.
Du hast sie schwer beleidigt. Sie beherrscht
Den König.

CARLOS *(zuversichtlich)*.
Sie ist tugendhaft.

MARQUIS. Sie ists
Aus Eigennutz der Liebe. – Diese Tugend,
Ich fürchte sehr, ich kenne sie – wie wenig
Reicht sie empor zu jenem Ideale,
Das aus der Seele mütterlichem Boden,
In stolzer, schöner Grazie empfangen,
Freiwillig sproßt und ohne Gärtners Hülfe
Verschwenderische Blüten treibt! Es ist
Ein fremder Zweig, mit nachgeahmtem Süd
In einem rauhern Himmelsstrich getrieben;
Erziehung, Grundsatz, nenn es, wie du willst,
Erworbne Unschuld, dem erhitzten Blut
Durch List und schwere Kämpfe abgerungen,
Dem Himmel, der sie fordert und bezahlt,
Gewissenhaft sorgfältig angeschrieben.
Erwäge selbst! Wird sie der Königin
Es je vergeben können, daß ein Mann
An ihrer eignen, schwer erkämpften Tugend
Vorüberging, sich für Don Philipps Frau
In hoffnungslosen Flammen zu verzehren?

CARLOS. Kennst du die Fürstin so genau?

MARQUIS. Gewiß nicht.
Kaum daß ich zweimal sie gesehn. Doch nur
Ein Wort laß mich noch sagen: Mir kam vor,
Daß sie geschickt des Lasters Blößen mied,
Daß sie sehr gut um ihre Tugend *wußte*.
Dann sah ich auch die Königin. O Karl,
Wie anders alles, was ich hier bemerkte!
In angeborner stiller Glorie,
Mit sorgenlosem Leichtsinn, mit des Anstands
Schulmäßiger Berechnung unbekannt,
Gleich ferne von Verwegenheit und Furcht,
Mit festem Heldenschritte wandelt sie
Die schmale Mittelbahn des *Schicklichen*,
Unwissend, daß sie Anbetung erzwungen,
Wo sie von eignem Beifall nie geträumt.
Erkennt mein Karl auch hier in diesem Spiegel,
Auch jetzt noch seine Eboli? – Die Fürstin
Blieb standhaft, weil sie liebte; Liebe war
In ihre Tugend wörtlich einbedungen.
Du hast sie nicht belohnt – sie fällt.

CARLOS *(mit einiger Heftigkeit)*. Nein! Nein!
(Nachdem er heftig auf und nieder gegangen)
Nein, sag ich dir. – O wüßte Roderich,
Wie trefflich es ihn kleidet, seinem Karl
Der Seligkeiten göttlichste, den Glauben
An menschliche Vortrefflichkeit, zu stehlen!

MARQUIS. Verdien ich das? – Nein, Liebling meiner Seele,
Das wollt ich nicht, bei Gott im Himmel nicht! –
O, diese Eboli – sie wär ein Engel,
Und ehrerbietig, wie du selbst, stürzt ich
Vor ihrer Glorie mich nieder, hätte
Sie – dein Geheimnis nicht erfahren.

CARLOS. Sieh,
Wie eitel deine Furcht ist! Hat sie andre
Beweise wohl, als die sie selbst beschämen?
Wird sie der Rache trauriges Vergnügen

Mit ihrer Ehre kaufen?

MARQUIS. Ein Erröten
Zurückzunehmen, haben manche schon
Der Schande sich geopfert.

CARLOS *(mit Heftigkeit aufstehend)*.
Nein, das ist
Zu hart, zu grausam! Sie ist stolz und edel;
Ich kenne sie und fürchte nichts. Umsonst
Versuchst du, meine Hoffnungen zu schrecken.
Ich spreche meine Mutter.

MARQUIS. Jetzt? Wozu?

CARLOS. Ich habe nun nichts mehr zu schonen – ich muß
Mein Schicksal wissen. Sorge nur, wie ich
Sie sprechen kann.

MARQUIS. Und diesen Brief willst du
Ihr zeigen? Wirklich, willst du das?

CARLOS. Befrage
Mich darum nicht. Das Mittel jetzt, das Mittel,
Daß ich sie spreche!

MARQUIS *(mit Bedeutung)*.
Sagtest du mir nicht,
Du *liebtest* deine Mutter? – Du bist willens,
Ihr diesen Brief zu zeigen?
(Carlos sieht zur Erde und schweigt)
Karl, ich lese
In deinen Mienen etwas – mir ganz neu –
Ganz fremd bis diesen Augenblick. – Du wendest
Die Augen von mir? *Warum* wendest du
Die Augen von mir? So ists wahr? – Ob ich
Denn wirklich recht gelesen? Laß doch sehn –
(Carlos gibt ihm den Brief. Der Marquis zerreißt ihn)

CARLOS. Was? Bist du rasend?
(Mit gemäßigter Empfindlichkeit)
Wirklich – ich gesteh es –
An diesem Briefe lag mir viel.

MARQUIS. So schien es.

Darum zerriß ich ihn.
(Der Marquis ruht mit einem durchdringenden Blick auf dem Prinzen, der ihn zweifelhaft ansieht. Langes Stillschweigen)
Sprich doch – was haben
Entweihungen des königlichen Bettes
Mit deiner – deiner Liebe denn zu schaffen?
War Philipp dir gefährlich? Welches Band
Kann die verletzten Pflichten des Gemahls
Mit deinen kühnern Hoffnungen verknüpfen?
Hat er gesündigt, wo du liebst? Nun freilich
Lern ich dich fassen. O, wie schlecht hab ich
Bis jetzt auf deine Liebe mich verstanden!

CARLOS. Wie, Roderich? Was glaubst du?

MARQUIS. O, ich fühle,
Wovon ich mich entwöhnen muß. Ja, einst,
Einst wars ganz anders. Da warst du so reich,
So warm, so reich! Ein ganzer Weltkreis hatte
In deinem weiten Busen Raum. Das alles
Ist nun dahin, von *einer* Leidenschaft,
Von einem kleinen Eigennutz verschlungen.
Dein Herz ist ausgestorben. Keine Träne
Dem ungeheuern Schicksal der Provinzen,
Nicht einmal eine Träne mehr! – O Karl,
Wie arm bist du, wie bettelarm geworden,
Seitdem du niemand liebst als dich!

CARLOS *(wirft sich in einen Sessel. – Nach einer Pause mit kaum unterdrücktem Weinen).* Ich weiß,
Daß du mich nicht mehr achtest.

MARQUIS. Nicht so, Karl!
Ich kenne diese Aufwallung. Sie war
Verirrung lobenswürdiger Gefühle.
Die Königin gehörte dir, war dir
Geraubt von dem Monarchen – doch bis jetzt
Mißtrautest du bescheiden deinen Rechten.
Vielleicht war Philipp ihrer wert. Du wagtest
Nur leise noch, das Urteil ganz zu sprechen.

Der Brief entschied. Der Würdigste warst du.
Mit stolzer Freude sahst du nun das Schicksal
Der Tyrannei, des Raubes überwiesen.
Du jauchztest, der Beleidigte zu sein;
Denn Unrecht leiden schmeichelt großen Seelen.
Doch hier verirrte deine Phantasie,
Dein Stolz empfand *Genugtuung* – dein Herz
Versprach sich *Hoffnung*. Sieh, ich wußt es wohl,
Du hattest diesmal selbst dich mißverstanden.

CARLOS *(gerührt)*. Nein, Roderich, du irrest sehr. Ich dachte
So edel nicht, bei weitem nicht, als du
Mich gerne glauben machen möchtest.

MARQUIS. Bin
Ich denn so wenig hier bekannt? Sieh, Karl,
Wenn du verirrest, such ich allemal
Die Tugend unter Hunderten zu raten,
Die ich des Fehlers zeihen kann. Doch nun
Wir besser uns verstehen, seis! Du sollst
Die Königin jetzt sprechen, mußt sie sprechen. –

CARLOS *(ihm um den Hals fallend)*. O, wie erröt ich neben dir!

MARQUIS. Du hast
Mein Wort. Nun überlaß mir alles andre.
Ein wilder, kühner, glücklicher Gedanke
Steigt auf in meiner Phantasie. – Du sollst
Ihn hören, Karl, aus einem schönern Munde.
Ich dränge mich zur Königin. Vielleicht,
Daß morgen schon der Ausgang sich erwiesen.
Bis dahin, Karl, vergiß nicht, daß »ein Anschlag,
Den höhere Vernunft gebar, das Leiden
Der Menschheit drängt, zehntausendmal vereitelt,
Nie aufgegeben werden darf«. – Hörst du?
Erinnre dich an Flandern!

CARLOS. Alles, alles,
Was *du* und hohe Tugend mir gebieten.

MARQUIS *(geht an ein Fenster)*. Die Zeit ist um. Ich höre dein Gefolge.
(Sie umarmen sich) Jetzt wieder Kronprinz und Vasall.

CARLOS. Du fährst
Sogleich zur Stadt?
MARQUIS. Sogleich.
CARLOS. Halt! noch ein Wort!
Wie leicht war das vergessen! – Eine Nachricht,
Dir äußerst wichtig: – »Briefe nach Brabant
Erbricht der König.« Sei auf deiner Hut!
Die Post des Reichs, ich weiß es, hat geheime
Befehle –
MARQUIS. Wie erfuhrst du das?
CARLOS. Don Raimond
Von Taxis ist mein guter Freund.
MARQUIS *(nach einigem Stillschweigen)*. Auch das!
So nehmen sie den Umweg über Deutschland.
(Sie gehen ab zu verschiedenen Türen)

DRITTER AKT

Das Schlafzimmer des Königs

Erster Auftritt

(Auf dem Nachttische zwei brennende Lichter. Im Hintergrunde des Zimmers einige Pagen auf den Knien, eingeschlafen. Der König, von oben herab halb ausgekleidet, steht vor dem Tische, einen Arm über den Sessel gebeugt, in einer nachdenkenden Stellung. Vor ihm liegt ein Medaillon und Papiere)

KÖNIG. Daß sie sonst Schwärmerin gewesen – wer
Kanns leugnen? Nie konnt *ich* ihr Liebe geben,
Und dennoch – schien sie Mangel je zu fühlen?
So ists erwiesen, sie ist falsch. *(Hier macht er eine Bewegung, die ihn zu sich selbst bringt. Er sieht mit Befremdung auf)*
Wo war ich?
Wacht denn hier niemand als der König? Was?
Die Lichter schon herabgebrannt? doch nicht
Schon Tag? – Ich bin um meinen Schlummer. Nimm

Ihn für empfangen an, Natur. Ein König hat
Nicht Zeit, verlorne Nächte nachzuholen;
Jetzt bin ich wach, und Tag soll sein.
(Er löscht die Lichter aus und öffnet eine Fenstergardine. – Indem er auf und nieder geht, bemerkt er die schlafenden Knaben und bleibt eine Zeitlang schweigend vor ihnen stehen; darauf zieht er die Glocke)
Schläfts irgend
Vielleicht in meinem Vorsaal auch?

Zweiter Auftritt

Der König. Graf Lerma

LERMA *(mit Bestürzung, da er den König gewahr wird)*. Befinden
Sich Ihre Majestät nicht wohl?
KÖNIG. Im linken
Pavillon war Feuer. Hörtet Ihr
Den Lärmen nicht?
LERMA. Nein, Ihre Majestät.
KÖNIG. Nein? Wie? Und also hätt ich nur geträumt?
Das kann von ungefähr nicht kommen. Schläft
Auf jenem Flügel nicht die Königin?
LERMA. Ja, Ihre Majestät.
KÖNIG. Der Traum erschreckt mich.
Man soll die Wachen künftig dort verdoppeln,
Hört Ihr? sobald es Abend wird – doch ganz,
Ganz insgeheim. – Ich will nicht haben, daß –
Ihr prüft mich mit den Augen?
LERMA. Ich entdecke
Ein brennend Auge, das um Schlummer bittet.
Darf ich es wagen, Ihro Majestät
An ein kostbares Leben zu erinnern,
An Völker zu erinnern, die die Spur
Durchwachter Nacht mit fürchtender Befremdung
In solchen Mienen lesen würden? – Nur
Zwei kurze Morgenstunden Schlafes –

KÖNIG *(mit zerstörten Blicken).* Schlaf?
Schlaf find ich in Eskurial. – Solange
Der König schläft, ist er um seine Krone,
Der Mann um seines Weibes Herz – Nein, nein!
Es ist Verleumdung – War es nicht ein Weib,
Ein Weib, das mir es flüsterte? Der Name
Des Weibes heißt Verleumdung. Das Verbrechen
Ist nicht gewiß, bis mirs ein Mann bekräftigt.
(Zu den Pagen, welche sich unterdessen ermuntert haben)
Ruft Herzog Alba!
(Pagen gehen) Tretet näher, Graf!
Ists wahr? *(Er bleibt forschend vor dem Grafen stehen)*
O eines Pulses Dauer nur
Allwissenheit! – Schwört mir, ists wahr? Ich bin
Betrogen? Bin ichs? Ist es wahr?

LERMA. Mein großer,
Mein bester König –

KÖNIG *(zurückfahrend).* König! König nur
Und wieder König! – Keine beßre Antwort
Als leeren, hohlen Widerhall? Ich schlage
An diesen Felsen und will Wasser, Wasser
Für meinen heißen Fieberdurst – er gibt
Mir glühend Gold.

LERMA. Was wäre wahr, mein König?

KÖNIG. Nichts. Nichts. Verlaßt mich. Geht.
(Der Graf will sich entfernen, er ruft ihn noch einmal zurück)
Ihr seid vermählt?
Seid Vater? Ja?

LERMA. Ja, Ihre Majestät.

KÖNIG. Vermählt und könnt es wagen, eine Nacht
Bei Eurem Herrn zu wachen? Euer Haar
Ist silbergrau, und Ihr errötet nicht,
An Eures Weibes Redlichkeit zu glauben?
O, geht nach Hause. Eben trefft Ihr sie
In Eures Sohns blutschändrischer Umarmung.
Glaubt Eurem König, geht – Ihr steht bestürzt?

Ihr seht mich mit Bedeutung an? – weil ich,
Ich selber etwa graue Haare trage?
Unglücklicher, besinnt Euch. Königinnen
Beflecken ihre Tugend nicht. Ihr seid
Des Todes, wenn Ihr zweifelt –

LERMA *(mit Hitze).* Wer kann das?
In allen Staaten meines Königs, wer
Ist frech genug, mit giftigem Verdacht
Die engelreine Tugend anzuhauchen?
Die beste Königin so tief –

KÖNIG. Die beste?
Und Eure beste also auch? Sie hat
Sehr warme Freunde um mich her, find ich.
Das muß ihr viel gekostet haben – mehr,
Als mir bekannt ist, daß sie geben kann.
Ihr seid entlassen. Laßt den Herzog kommen.

LERMA. Schon hör ich ihn im Vorsaal – *(Im Begriff zu gehen)*

KÖNIG *(mit gemildertem Tone).* Graf! – Was Ihr
Vorhin bemerkt, ist doch wohl wahr gewesen.
Mein Kopf glüht von durchwachter Nacht. – Vergeßt,
Was ich im wachen Traum gesprochen. Hört Ihr?
Vergeßt es. Ich bin Euer gnädger König.

(Er reicht ihm die Hand zum Kusse. Lerma geht und öffnet dem Herzog von Alba die Türe)

Dritter Auftritt

Der König und Herzog von Alba

ALBA *(nähert sich dem König mit ungewisser Miene).*
Ein mir so überraschender Befehl –
Zu dieser außerordentlichen Stunde?
(Er stutzt, wie er den König genauer betrachtet)
Und dieser Anblick –

KÖNIG *(hat sich niedergesetzt und das Medaillon auf dem Tische ergriffen. Er sieht den Herzog eine lange Zeit stillschweigend an).* Also wirklich wahr?

Ich habe keinen treuen Diener?

ALBA *(steht betreten still)*. Wie?

KÖNIG. Ich bin aufs tödlichste gekränkt – man weiß es,
Und niemand, der mich warnte!

ALBA *(mit einem Blick des Erstaunens)*.
Eine Kränkung,
Die meinem König gilt und meinem Aug
Entging?

KÖNIG *(zeigt ihm die Briefe)*. Erkennt Ihr diese Hand?

ALBA. Es ist
Don Carlos' Hand. –

KÖNIG *(Pause, worin er den Herzog scharf beobachtet)*.
Vermutet Ihr noch nichts?
Ihr habt vor seinem Ehrgeiz mich gewarnt?
Wars nur sein Ehrgeiz, dieser nur, wovor
Ich zittern sollte?

ALBA. Ehrgeiz ist ein großes –
Ein weites Wort, worin unendlich viel
Noch liegen kann.

KÖNIG. Und wißt Ihr nichts Besonders
Mir zu entdecken?

ALBA *(nach einigem Stillschweigen mit verschlossener Miene)*.
Ihre Majestät
Vertrauten meiner Wachsamkeit das Reich.
Dem Reiche bin ich mein geheimstes Wissen
Und meine Einsicht schuldig. Was ich sonst
Vermute, denke oder weiß, gehört
Mir eigen zu. Es sind geheiligte
Besitzungen, die der verkaufte Sklave
Wie der Vasall den Königen der Erde
Zurückzuhalten Vorrecht hat – Nicht alles,
Was klar vor *meiner* Seele steht, ist reif
Genug für meinen König. Will er doch
Befriedigt sein, so muß ich bitten, nicht
Als Herr zu fragen.

KÖNIG *(gibt ihm die Briefe)*. Lest.

ALBA *(liest und wendet sich erschrocken gegen den König).*
Wer war
Der Rasende, dies unglückselge Blatt
In meines Königs Hand zu geben?

KÖNIG. Was?
So wißt Ihr, wen der Inhalt meint? – Der Name
Ist, wie ich weiß, auf dem Papier vermieden.

ALBA *(betroffen zurücktretend).* Ich war zu schnell.

KÖNIG. Ihr wißt?

ALBA *(nach einigem Bedenken).* Es ist heraus.
Mein Herr befiehlt – ich darf nicht mehr zurücke –
Ich leugn es nicht – ich kenne die Person.

KÖNIG *(aufstehend in einer schrecklichen Bewegung).*
O einen neuen Tod hilf mir erdenken,
Der Rache fürchterlicher Gott! – So klar,
So weltbekannt, so laut ist das Verständnis,
Daß man, des Forschens Mühe überhoben,
Schon auf den ersten Blick es rät – Das ist
Zuviel! Das hab ich nicht gewußt! Das nicht!
Ich also bin der letzte, der es findet!
Der letzte durch mein ganzes Reich –

ALBA *(wirft sich dem König zu Füßen).* Ja, ich bekenne
Mich schuldig, gnädigster Monarch. Ich schäme
Mich einer feigen Klugheit, die mir da
Zu schweigen riet, wo meines Königs Ehre,
Gerechtigkeit und Wahrheit laut genug
Zu reden mich bestürmten – Weil doch alles
Verstummen will – weil die Bezauberung
Der Schönheit aller Männer Zungen bindet,
So seis gewagt, ich rede; weiß ich gleich,
Daß eines Sohns einschmeichelnde Beteurung,
Daß die verführerischen Reizungen,
Die Tränen der Gemahlin –

KÖNIG *(rasch und heftig).* Stehet auf.
Ihr habt mein königliches Wort – Steht auf.
Sprecht unerschrocken.

ALBA *(aufstehend).* Ihre Majestät
Besinnen sich vielleicht noch jenes Vorfalls
Im Garten zu Aranjuez. Sie fanden
Die Königin von allen ihren Damen
Verlassen – mit zerstörtem Blick – allein
In einer abgelegnen Laube.

KÖNIG. Ha!
Was werd ich hören? Weiter!

ALBA. Die Marquisin
Von Mondekar ward aus dem Reich verbannt,
Weil sie Großmut genug besaß, sich schnell
Für ihre Königin zu opfern – Jetzt
Sind wir berichtet – Die Marquisin hatte
Nicht mehr getan, als ihr befohlen worden.
Der Prinz war dort gewesen.

KÖNIG *(schrecklich auffahrend).* Dort gewesen?
Doch also –

ALBA. Eines Mannes Spur im Sande,
Die von dem linken Eingang dieser Laube
Nach einer Grotte sich verlor, wo noch
Ein Schnupftuch lag, das der Infant vermißte,
Erweckte gleich Verdacht. Ein Gärtner hatte
Dem Prinzen dort begegnet, und das war,
Beinah auf die Minute ausgerechnet,
Dieselbe Zeit, wo Eure Majestät
Sich in der Laube zeigten.

KÖNIG *(aus einem finstern Nachsinnen zurückkommend).* Und sie weinte,
Als ich Befremdung blicken ließ! Sie machte
Vor meinem ganzen Hofe mich erröten!
Erröten vor mir selbst – Bei Gott! Ich stand
Wie ein Gerichteter vor ihrer Tugend –
(Eine lange und tiefe Stille. Er setzt sich nieder und verhüllt das Gesicht)
Ja, Herzog Alba – Ihr habt recht – Das könnte
Zu etwas Schrecklichem mich führen – Laßt
Mich einen Augenblick allein.

ALBA. Mein König,

Selbst das entscheidet noch nicht ganz –

KÖNIG *(nach den Papieren greifend).* Auch das nicht?
Und das? Und wieder das? Und dieser laute
Zusammenklang verdammender Beweise?
O, es ist klärer als das Licht – Was ich
Schon lange Zeit vorausgewußt – Der Frevel
Begann schon da, als ich von Euern Händen
Sie in Madrid zuerst empfing – Noch seh ich
Mit diesem Blick des Schreckens, geisterbleich,
Auf meinen grauen Haaren sie verweilen.
Da fing es an, das falsche Spiel!

ALBA. Dem Prinzen
Starb eine Braut in seiner jungen Mutter.
Schon hatten sie mit Wünschen sich gewiegt,
In feurigen Empfindungen verstanden,
Die ihr der neue Stand verbot. Die Furcht
War schon besiegt, die Furcht, die sonst das erste
Geständnis zu begleiten pflegt, und kühner
Sprach die Verführung in vertrauten Bildern
Erlaubter Rückerinnerung. Verschwistert
Durch Harmonie der Meinung und der Jahre,
Durch gleichen Zwang erzürnt, gehorchten sie
Den Wallungen der Leidenschaft so dreister.
Die Politik griff ihrer Neigung vor;
Ist es zu glauben, mein Monarch, daß sie
Dem Staatsrat diese Vollmacht zuerkannte?
Daß sie die Lüsternheit bezwang, die Wahl
Des Kabinetts aufmerksamer zu prüfen?
Sie war gefaßt auf Liebe und empfing –
Ein Diadem.

KÖNIG *(beleidigt und mit Bitterkeit).* Ihr unterscheidet sehr –
Sehr weise, Herzog – Ich bewundre Eure
Beredsamkeit. Ich dank Euch.
(Aufstehend, kalt und stolz) Ihr habt recht;
Die Königin hat sehr gefehlt, mir Briefe
Von diesem Inhalt zu verbergen – mir

Die strafbare Erscheinung des Infanten
Im Garten zu verheimlichen. Sie hat
Aus falscher Großmut sehr gefehlt. Ich werde
Sie zu bestrafen wissen.
(Er zieht die Glocke) Wer ist sonst
Im Vorsaal? – Euer, Herzog Alba,
Bedarf ich nicht mehr. Tretet ab.

ALBA. Sollt ich
Durch meinen Eifer Eurer Majestät
Zum zweitenmal mißfallen haben?

KÖNIG *(zu einem Pagen, der hereintritt)*. Laßt
Domingo kommen. *(Der Page geht ab)*
Ich vergeb es Euch,
Daß Ihr beinahe zwei Minuten lang
Mich ein Verbrechen hättet fürchten lassen,
Das gegen *Euch* begangen werden kann. *(Alba entfernt sich)*

Vierter Auftritt

Der König. Domingo

KÖNIG *(geht einigemal auf und ab, sich zu sammeln)*.

DOMINGO *(tritt einige Minuten nach dem Herzog herein, nähert sich dem König, den er eine Zeitlang mit feierlicher Stille betrachtet)*.
Wie froh erstaun ich, Eure Majestät
So ruhig, so gefaßt zu sehn.

KÖNIG. Erstaunt Ihr –

DOMINGO. Der Vorsicht seis gedankt, daß meine Furcht
Doch also nicht gegründet war! Nun darf
Ich um so eher hoffen.

KÖNIG. Eure Furcht?
Was war zu fürchten?

DOMINGO. Ihre Majestät,
Ich darf nicht bergen, daß ich allbereits
Um ein Geheimnis weiß –

KÖNIG *(finster)*. Hab ich denn schon

Den Wunsch geäußert, es mit Euch zu teilen?
Wer kam so unberufen mir zuvor?
Sehr kühn, bei meiner Ehre!

DOMINGO. Mein Monarch,
Der Ort, der Anlaß, wo ich es erfahren,
Das Siegel, unter dem ich es erfahren,
Spricht wenigstens von dieser Schuld mich frei.
Am Beichtstuhl ward es mir vertraut – vertraut
Als Missetat, die das empfindliche
Gewissen der Entdeckerin belastet,
Und Gnade bei dem Himmel sucht. Zu spät
Beweint die Fürstin eine Tat, von der
Sie Ursach hat, die fürchterlichsten Folgen
Für ihre Königin zu ahnden.

KÖNIG. Wirklich?
Das gute Herz – Ihr habt ganz recht vermutet,
Weswegen ich Euch rufen ließ. Ihr sollt
Aus diesem dunkeln Labyrinth mich führen,
Worein ein blinder Eifer mich geworfen.
Von Euch erwart ich Wahrheit. Redet offen
Mit mir. Was soll ich glauben, was beschließen?
Von Eurem Amte fodr ich Wahrheit.

DOMINGO. Sire,
Wenn meines Standes Mildigkeit mir auch
Der Schonung süße Pflicht nicht auferlegte,
Doch würd ich Eure Majestät beschwören,
Um Ihrer Ruhe willen Sie beschwören,
Bei dem Entdeckten stillzustehn – das Forschen
In ein Geheimnis ewig aufzugeben,
Das niemals freudig sich entwickeln kann.
Was jetzt bekannt ist, kann vergeben werden.
Ein Wort des Königs – und die Königin
Hat nie gefehlt. Der Wille des Monarchen
Verleiht die Tugend wie das Glück – und nur
Die immer gleiche Ruhe meines Königs
Kann die Gerüchte mächtig niederschlagen,

Die sich die Lästerung erlaubt.

KÖNIG. Gerüchte?

Von mir? und unter meinem Volke?

DOMINGO. Lügen!

Verdammenswerte Lügen! Ich beschwör es.
Doch freilich gibt es Fälle, wo der Glaube
Des Volks, und wär er noch so unerwiesen,
Bedeutend wie die Wahrheit wird.

KÖNIG. Bei Gott!

Und hier gerade wär es –

DOMINGO. Guter Name

Ist das kostbare, einzge Gut, um welches
Die Königin mit einem Bürgerweibe
Wetteifern muß –

KÖNIG. Für den doch, will ich hoffen,

Hier nicht gezittert werden soll?

(Er ruht mit ungewissem Blick auf Domingo. Nach einigem Stillschweigen)

Kaplan,

Ich soll noch etwas Schlimmes von Euch hören.
Verschiebt es nicht. Schon lange les ich es
In diesem unglückbringenden Gesichte.
Heraus damit! Seis, was es wolle! Laßt
Nicht länger mich auf dieser Folter beben!
Was glaubt das Volk?

DOMINGO. Noch einmal, Sire, das Volk

Kann irren – und es irrt gewiß. Was es
Behauptet, darf den König nicht erschüttern –
Nur – *daß* es so weit schon sich wagen durfte,
Dergleichen zu behaupten –

KÖNIG. Was? Muß ich

So lang um einen Tropfen Gift Euch bitten?

DOMINGO. Das Volk denkt an den Monat noch zurücke,

Der Eure Königliche Majestät
Dem Tode nahe brachte – dreißig Wochen
Nach diesem liest es von der glücklichen
Entbindung –

(Der König steht auf und zieht die Glocke. Herzog von Alba tritt herein. Domingo betroffen) Ich erstaune, Sire!

KÖNIG *(dem Herzog Alba entgegengehend).* Toledo!
Ihr seid ein Mann. Schützt mich vor diesem Priester.

DOMINGO *(Er und Herzog Alba geben sich verlegene Blicke. Nach einer Pause).*
Wenn wir voraus es hätten wissen können,
Daß diese Nachricht an dem Überbringer
Geahndet werden sollte –

KÖNIG. Bastard sagt Ihr?
Ich war, sagt Ihr, vom Tode kaum erstanden,
Als sie sich Mutter fühlte? – Wie? Das war
Ja damals, wenn ich anders mich nicht irre,
Als Ihr den heiligen Dominikus
In allen Kirchen für das hohe Wunder lobtet,
Das er an mir gewirkt? – Was damals Wunder
Gewesen, ist es jetzt nicht mehr? So habt
Ihr damals oder heute mir gelogen.
An was verlangt Ihr, daß ich glauben soll?
O, ich durchschau Euch. Wäre das Komplott
Schon damals reif gewesen – ja, dann war
Der Heilige um seinen Ruhm.

ALBA. Komplott!

KÖNIG. Ihr solltet
Mit dieser beispiellosen Harmonie
Jetzt in derselben Meinung Euch begegnen
Und doch nicht einverstanden sein? Mich wollt
Ihr das bereden? Mich? Ich soll vielleicht
Nicht wahrgenommen haben, wie erpicht
Und gierig Ihr auf Euren Raub euch stürztet?
Mit welcher Wollust Ihr an meinem Schmerz,
An meines Zornes Wallung Euch geweidet?
Nicht merken soll ich, wie voll Eifer dort
Der Herzog brennt, der Gunst zuvorzueilen,
Die meinem Sohn beschieden war? Wie gerne
Der fromme Mann hier seinen kleinen Groll
Mit meines Zornes Riesenarm bewehrte?

Ich bin der Bogen, bildet Ihr Euch ein,
Den man nur spannen dürfe nach Gefallen? –
Noch hab ich meinen Willen auch – und wenn
Ich zweifeln soll, so laßt mich wenigstens
Bei Euch den Anfang machen.

ALBA. Diese Deutung
Hat unsre Treue nicht erwartet.

KÖNIG. Treue!
Die Treue warnt vor drohenden Verbrechen,
Die Rachgier spricht von den begangenen.
Laßt hören! Was gewann ich denn durch Eure
Dienstfertigkeit? – Ist, was Ihr vorgebt, wahr,
Was bleibt mir übrig als der Trennung Wunde?
Der Rache trauriger Triumph? – Doch nein,
Ihr fürchtet nur, Ihr gebt mir schwankende
Vermutungen – am Absturz einer Hölle
Laßt Ihr mich stehen und entflieht.

DOMINGO. Sind andre
Beweise möglich, wo das Auge selbst
Nicht überwiesen werden kann?

KÖNIG *(nach einer großen Pause, ernst und feierlich zu Domingo sich wendend).* Ich will
Die Großen meines Königreichs versammeln
Und selber zu Gerichte sitzen. Tretet
Heraus vor allen – habt Ihr Mut – und klaget
Als eine Buhlerin sie an! – Sie soll
Des Todes sterben – ohne Rettung – sie
Und der Infant soll sterben – aber – merkt Euch!
Kann sie sich reinigen – Ihr selbst! Wollt Ihr
Die Wahrheit durch ein solches Opfer ehren?
Entschließet Euch. Ihr wollt nicht? Ihr verstummt?
Ihr wollt nicht? – Das ist eines Lügners Eifer.

ALBA *(der stillschweigend in der Ferne gestanden, kalt und ruhig).*
Ich will es.

KÖNIG *(dreht sich erstaunt um und sieht den Herzog eine Zeitlang starr an).*
Das ist kühn! Doch mir fällt ein,

Daß Ihr in scharfen Schlachten Euer Leben
An etwas weit Geringeres gewagt –
Mit eines Würfelspielers Leichtsinn für
Des Ruhmes Unding es gewagt – Und was
Ist Euch das Leben? – Königliches Blut
Geb ich dem Rasenden nicht preis, der nichts
Zu hoffen hat, als ein geringes Dasein
Erhaben aufzugeben – Euer Opfer
Verwerf ich. Geht – geht, und im Audienzsaal
Erwartet meine weiteren Befehle. *(Beide gehen ab)*

Fünfter Auftritt

Der König allein

KÖNIG. Jetzt gib mir einen Menschen, gute Vorsicht –
Du hast mir viel gegeben. Schenke mir
Jetzt einen Menschen. Du – du bist allein,
Denn deine Augen prüfen das Verborgne,
Ich bitte dich um einen Freund; denn ich
Bin nicht wie du allwissend. Die Gehülfen,
Die du mir zugeordnet hast, was sie
Mir sind, weißt du. Was sie verdienen, haben
Sie mir gegolten. Ihre zahmen Laster,
Beherrscht vom Zaume, dienen meinen Zwecken,
Wie deine Wetter reinigen die Welt.
Ich brauche Wahrheit – Ihre stille Quelle
Im dunkeln Schutt des Irrtums aufzugraben,
Ist nicht das Los der Könige. Gib mir
Den seltnen Mann mit reinem, offnem Herzen,
Mit hellem Geist und unbefangnen Augen,
Der mir sie finden helfen kann – ich schütte
Die Lose auf; laß unter Tausenden,
Die um der Hoheit Sonnenscheibe flattern,
Den einzigen mich finden.
(Er öffnet eine Schatulle und nimmt eine Schreibtafel heraus. Nachdem er eine Zeitlang darin geblättert) Bloße Namen –

Nur Namen stehen hier, und nicht einmal
Erwähnung des Verdiensts, dem sie den Platz
Auf dieser Tafel danken – und was ist
Vergeßlicher als Dankbarkeit? Doch hier
Auf dieser andern Tafel les ich jede
Vergehung pünktlich beigeschrieben. Wie?
Das ist nicht gut. Braucht etwa das Gedächtnis
Der Rache dieser Hülfe noch?
(Liest weiter) Graf Egmont?
Was will der hier? – Der Sieg bei Saint Quentin
War längst verwirkt. Ich werf ihn zu den Toten.
(Er löscht diesen Namen aus und schreibt ihn auf die andre Tafel. Nachdem er weitergelesen)
Marquis von Posa? – Posa? – Posa? Kann
Ich dieses Menschen mich doch kaum besinnen!
Und zweifach angestrichen – ein Beweis,
Daß ich zu großen Zwecken ihn bestimmte!
Und, war es möglich? dieser Mensch entzog
Sich meiner Gegenwart bis jetzt? vermied
Die Augen seines königlichen Schuldners?
Bei Gott, im ganzen Umkreis meiner Staaten
Der einzge Mensch, der meiner nicht bedarf!
Besäß er Habsucht oder Ehrbegierde,
Er wäre längst vor meinem Thron erschienen.
Wag ichs mit diesem Sonderling? Wer mich
Entbehren kann, wird Wahrheit für mich haben. *(Er geht ab)*

Der Audienzsaal

Sechster Auftritt

Don Carlos im Gespräch mit dem Prinzen von Parma. Die Herzoge von Alba, Feria und Medina Sidonia. Graf von Lerma und noch andere Granden mit Schriften in der Hand. Alle den König erwartend

MEDINA SIDONIA *(von allen Umstehenden sichtbar vermieden, wendet sich zum Herzog von Alba, der allein und in sich gekehrt auf und ab geht).*

Sie haben ja den Herrn gesprochen, Herzog. –
Wie fanden Sie ihn aufgelegt?

ALBA. Sehr übel
Für Sie und Ihre Zeitungen.

MEDINA SIDONIA. Im Feuer
Des englischen Geschützes war mirs leichter
Als hier auf diesem Pflaster.
(Carlos, der mit stiller Teilnahme auf ihn geblickt hat, nähert sich ihm jetzt und drückt ihm die Hand) Warmen Dank
Für diese großmutsvolle Träne, Prinz.
Sie sehen, wie mich alles flieht. Nun ist
Mein Untergang beschlossen.

CARLOS. Hoffen Sie
Das Beste, Freund, von meines Vaters Gnade
Und Ihrer Unschuld.

MEDINA SIDONIA. Ich verlor ihm eine Flotte,
Wie keine noch im Meer erschien – Was ist
Ein Kopf wie dieser gegen siebenzig
Versunkne Gallionen? – Aber, Prinz –
Fünf Söhne, hoffnungsvoll wie Sie – das bricht
Mein Herz –

Siebenter Auftritt

Der König kommt angekleidet heraus. Die Vorigen
(Alle nehmen die Hüte ab und weichen zu beiden Seiten aus, indem sie einen halben Kreis um ihn bilden. Stillschweigen)

KÖNIG *(den ganzen Kreis flüchtig durchschauend).*
Bedeckt Euch!
(Don Carlos und der Prinz von Parma nähern sich zuerst und küssen dem König die Hand. Er wendet sich mit einiger Freundlichkeit zu dem letztern, ohne seinen Sohn bemerken zu wollen)
Eure Mutter, Neffe,
Will wissen, wie man in Madrid mit Euch
Zufrieden sei.

PARMA. Das frage sie nicht eher
Als nach dem Ausgang meiner ersten Schlacht.

KÖNIG. Gebt Euch zufrieden. Auch an Euch wird einst
Die Reihe sein, wenn diese Stämme brechen.
(Zum Herzog von Feria) Was bringt Ihr mir?

FERIA *(ein Knie vor dem König beugend)*. Der Großkomtur des Ordens
Von Calatrava starb an diesem Morgen.
Hier folgt sein Ritterkreuz zurück.

KÖNIG *(nimmt den Orden und sieht im ganzen Zirkel herum)*. Wer wird
Nach ihm am würdigsten es tragen?
(Er winkt Alba zu sich, welcher sich vor ihm auf ein Knie niederläßt, und hängt ihm den Orden um) Herzog,
Ihr seid mein erster Feldherr – seid nie *mehr*,
So wird Euch meine Gnade niemals fehlen.
(Er wird den Herzog von Medina Sidonia gewahr)
Sieh da, mein Admiral!

MEDINA SIDONIA *(nähert sich wankend und kniet vor dem Könige nieder, mit gesenktem Haupt)*. *Das*, großer König,
Ist alles, was ich von der spanschen Jugend
Und der Armada wiederbringe.

KÖNIG *(nach einem langen Stillschweigen)*. Gott
Ist über mir. – Ich habe gegen Menschen,
Nicht gegen Sturm und Klippen sie gesendet –
Seid mir willkommen in Madrid.
(Er reicht ihm die Hand zum Kusse) Und Dank,
Daß Ihr in Euch mir einen würdgen Diener
Erhalten habt! – Für diesen, meine Granden,
Erkenn ich ihn, will ich erkannt ihn wissen.
(Er gibt ihm einen Wink, aufzustehen und sich zu bedecken – dann wendet er sich gegen die andern) Was gibt es noch?
(Zu Don Carlos und dem Prinzen von Parma)
Ich dank Euch, meine Prinzen.
(Diese treten ab. Die noch übrigen Granden nähern sich und überreichen dem König kniend ihre Papiere. Er durchsieht sie flüchtig und reicht sie dem Herzog von Alba)
Legt das im Kabinett mir vor – Bin ich zu Ende?

(Niemand antwortet)
Wie kommt es denn, daß unter meinen Granden
Sich nie ein Marquis Posa zeigt? Ich weiß
Recht gut, daß dieser Marquis Posa mir
Mit Ruhm gedient. Er lebt vielleicht nicht mehr?
Warum erscheint er nicht?

LERMA. Der Chevalier
Ist kürzlich erst von Reisen angelangt,
Die er durch ganz Europa unternommen.
Soeben ist er in Madrid und wartet
Nur auf den öffentlichen Tag, sich zu
Den Füßen seines Oberherrn zu werfen.

ALBA. Marquis von Posa? – Recht! Das ist der kühne
Malteser, Ihre Majestät, von dem
Der Ruf die schwärmerische Tat erzählte.
Als auf des Ordensmeisters Aufgebot
Die Ritter sich auf ihrer Insel stellten,
Die Soliman belagern ließ, verschwand
Auf einmal von Alkalas hoher Schule
Der achtzehnjährge Jüngling. Ungerufen
Stand er vor La Valette. »Man kaufte mir
Das Kreuz«, sagt' er, »ich will es jetzt verdienen.«
Von jenen vierzig Rittern war er einer,
Die gegen Piali, Ulucciali
Und Mustafa und Hassem das Kastell
Sankt Elmo in drei wiederholten Stürmen
Am hohen Mittag hielten. Als es endlich
Erstiegen wird und um ihn alle Ritter
Gefallen, wirft er sich ins Meer und kommt
Allein erhalten an bei La Valette.
Zwei Monate darauf verläßt der Feind
Die Insel, und der Ritter kommt zurück,
Die angefangnen Studien zu enden.

FERIA. Und dieser Marquis Posa war es auch,
Der nachher die berüchtigte Verschwörung
In Katalonien entdeckt und bloß

Durch seine Fertigkeit allein der Krone
Die wichtigste Provinz erhielt.

KÖNIG. Ich bin
Erstaunt – Was ist das für ein Mensch, der *das*
Getan und unter dreien, die ich frage,
Nicht einen einzgen Neider hat? – Gewiß!
Der Mensch besitzt den ungewöhnlichsten
Charakter oder keinen – Wunders wegen
Muß ich ihn sprechen.
(Zum Herzog Alba) Nach gehörter Messe
Bringt ihn ins Kabinett zu mir.
(Der Herzog geht ab. Der König ruft Feria) Und Ihr
Nehmt meine Stelle im geheimen Rate. *(Er geht ab)*

FERIA. Der Herr ist heut sehr gnädig.

MEDINA SIDONIA. Sagen Sie:
Er ist ein Gott! – Er ist es mir gewesen.

FERIA. Wie sehr verdienen Sie Ihr Glück! Ich nehme
Den wärmsten Anteil, Admiral.

EINER VON DEN GRANDEN. Auch ich.

EIN ZWEITER. Ich wahrlich auch.

EIN DRITTER. Das Herz hat mir geschlagen.
Ein so verdienter General!

DER ERSTE. Der König
War gegen Sie nicht gnädig – nur gerecht.

LERMA *(im Abgehen zu Medina Sidonia)*.
Wie reich sind Sie auf einmal durch zwei Worte! *(Alle gehen ab)*

Das Kabinett des Königs

Achter Auftritt

Marquis von Posa und Herzog von Alba

MARQUIS *(im Hereintreten)*.
Mich will er haben? Mich? – Das kann nicht sein.
Sie irren sich im Namen – Und was will 2940

Er denn von mir?

ALBA. Er will Sie kennenlernen.

MARQUIS. Der bloßen Neugier wegen – O, dann schade
Um den verlornen Augenblick – das Leben
Ist so erstaunlich schnell dahin.

ALBA. Ich übergebe
Sie Ihrem guten Stern. Der König ist
In Ihren Händen. Nützen Sie, so gut
Sie können, diesen Augenblick, und sich,
Sich selber schreiben Sie es zu, geht er
Verloren. *(Er entfernt sich)*

Neunter Auftritt

Der Marquis allein

Wohl gesprochen, Herzog. Nützen
Muß man den Augenblick, der *einmal* nur
Sich bietet. Wahrlich, dieser Höfling gibt
Mir eine gute Lehre – wenn auch nicht
In seinem Sinne gut, doch in dem meinen.
(Nach einigem Auf- und Niedergehen)
Wie komm ich aber hieher? – Eigensinn
Des launenhaften Zufalls wär es nur,
Was mir mein Bild in *diesen* Spiegeln zeigt?
Aus einer Million gerade mich,
Den Unwahrscheinlichsten, ergriff und im
Gedächtnisse des Königs auferweckte?
Ein Zufall nur? Vielleicht auch mehr – Und was
Ist Zufall anders als der rohe Stein,
Der Leben annimmt unter Bildners Hand?
Den Zufall gibt die Vorsehung – zum Zwecke
Muß ihn der Mensch gestalten. – Was der König
Mit mir auch wollen mag, gleichviel! – Ich weiß,
Was ich – ich mit dem König soll – und wärs
Auch eine Feuerflocke Wahrheit nur,
In des Despoten Seele kühn geworfen –

Wie fruchtbar in der Vorsicht Hand! So könnte,
Was erst so grillenhaft mir schien, sehr zweckvoll
Und sehr besonnen sein. Sein oder nicht –
Gleichviel! In diesem Glauben will ich handeln.

(Er macht einige Gänge durch das Zimmer und bleibt endlich in ruhiger Betrachtung vor einem Gemälde stehen. Der König erscheint in dem angrenzenden Zimmer, wo er einige Befehle gibt. Alsdann tritt er herein, steht an der Türe still und sieht dem Marquis eine Zeitlang zu, ohne von ihm bemerkt zu werden)

Zehnter Auftritt

Der König und Marquis von Posa

(Dieser geht dem König, sobald er ihn gewahr wird, entgegen und läßt sich vor ihm auf ein Knie nieder, steht auf und bleibt ohne Zeichen der Verwirrung vor ihm stehen)

KÖNIG *(betrachtet ihn mit einem Blick der Verwunderung).*
Mich schon gesprochen also?

MARQUIS. Nein.

KÖNIG. Ihr machtet
Um meine Krone Euch verdient. Warum
Entziehet Ihr Euch meinem Dank? In meinem
Gedächtnis drängen sich der Menschen viel.
Allwissend ist nur Einer. Euch kams zu,
Das Auge Eures Königes zu suchen.
Weswegen tatet Ihr das nicht?

MARQUIS. Es sind
Zween Tage, Sire, daß ich ins Königreich
Zurückgekommen.

KÖNIG. Ich bin nicht gesonnen,
In meiner Diener Schuld zu stehn – Erbittet
Euch eine Gnade.

MARQUIS. Ich genieße die Gesetze.

KÖNIG. Dies Recht hat auch der Mörder.

MARQUIS. Wieviel mehr

Der gute Bürger! – Sire, ich bin zufrieden.
KÖNIG *(vor sich)*. Viel Selbstgefühl und kühner Mut, bei Gott!
Doch das war zu erwarten – Stolz will ich
Den Spanier. Ich mag es gerne leiden,
Wenn auch der Becher überschäumt – Ihr tratet
Aus meinen Diensten, hör ich?
MARQUIS. Einem Bessern
Den Platz zu räumen, zog ich mich zurücke.
KÖNIG. Das tut mir leid. Wenn solche Köpfe feiern,
Wieviel Verlust für meinen Staat – Vielleicht
Befürchtet Ihr, die Sphäre zu verfehlen,
Die Eures Geistes würdig ist.
MARQUIS. O nein!
Ich bin gewiß, daß der erfahrne Kenner,
In Menschenseelen, seinem Stoff, geübt,
Beim ersten Blicke wird gelesen haben,
Was ich ihm taugen kann, was nicht. Ich fühle
Mit demutsvoller Dankbarkeit die Gnade,
Die Eure Königliche Majestät
Durch diese stolze Meinung auf mich häufen;
Doch – *(Er hält inne)*
KÖNIG. Ihr bedenket Euch?
MARQUIS. Ich bin – ich muß
Gestehen, Sire – sogleich nicht vorbereitet,
Was ich als Bürger dieser Welt gedacht,
In Worte Ihres Untertans zu kleiden. –
Denn damals, Sire, als ich auf immer mit
Der Krone aufgehoben, glaubt ich mich
Auch der Notwendigkeit entbunden, ihr
Von diesem Schritte Gründe anzugeben.
KÖNIG. So schwach sind diese Gründe? Fürchtet Ihr,
Dabei zu wagen?
MARQUIS. Wenn ich Zeit gewinne,
Sie zu erschöpfen, Sire – mein Leben höchstens.
Die Wahrheit aber setz ich aus, wenn Sie
Mir diese Gunst verweigern. Zwischen Ihrer

Ungnade und Geringschätzung ist mir
Die Wahl gelassen – Muß ich mich entscheiden,
So will ich ein Verbrecher lieber als
Ein Tor von Ihren Augen gehen.

KÖNIG *(mit erwartender Miene).* Nun?

MARQUIS. – Ich kann nicht Fürstendiener sein.
(Der König sieht ihn mit Erstaunen an) Ich will
Den Käufer nicht betrügen, Sire. – Wenn Sie
Mich anzustellen würdigen, so wollen
Sie nur die vorgewogne Tat. Sie wollen
Nur meinen Arm und meinen Mut im Felde,
Nur meinen Kopf im Rat. Nicht meine Taten,
Der Beifall, den sie finden an dem Thron,
Soll meiner Taten Endzweck sein. Mir aber,
Mir hat die Tugend eignen Wert. Das Glück,
Das der Monarch mit meinen Händen pflanzte,
Erschüf ich selbst, und Freude wäre mir
Und eigne Wahl, was mir nur Pflicht sein sollte.
Und ist das Ihre Meinung? Können Sie
In Ihrer Schöpfung fremde Schöpfer dulden?
Ich aber soll zum Meißel mich erniedern,
Wo ich der Künstler könnte sein? – Ich liebe
Die Menschheit, und in Monarchien darf
Ich niemand lieben als mich selbst.

KÖNIG. Dies Feuer
Ist lobenswert. Ihr möchtet Gutes stiften.
Wie Ihr es stiftet, kann dem Patrioten
Dem Weisen gleich viel heißen. Suchet Euch
Den Posten aus in meinen Königreichen,
Der Euch berechtigt, diesem edeln Triebe
Genug zu tun.

MARQUIS. Ich finde keinen.

KÖNIG. Wie?

MARQUIS. Was Eure Majestät durch meine Hand
Verbreiten – ist das Menschenglück? – Ist das
Dasselbe Glück, das meine reine Liebe

Den Menschen gönnt? – Vor diesem Glücke würde
Die Majestät erzittern – Nein! Ein neues
Erschuf der Krone Politik – ein Glück,
Das *sie* noch reich genug ist auszuteilen,
Und in dem Menschenherzen neue Triebe,
Die sich von diesem Glücke stillen lassen.
In ihren Münzen läßt sie Wahrheit schlagen,
Die Wahrheit, die sie dulden kann. Verworfen
Sind alle Stempel, die nicht diesem gleichen.
Doch was der Krone frommen kann – ist das
Auch mir genug? Darf meine Bruderliebe
Sich zur Verkürzung meines Bruders borgen?
Weiß ich ihn glücklich – eh er denken darf?
Mich wählen Sie nicht, Sire, Glückseligkeit,
Die *Sie* uns prägen, auszustreun. Ich muß
Mich weigern, diese Stempel auszugeben. –
Ich kann nicht Fürstendiener sein.

KÖNIG *(etwas rasch)*. Ihr seid
Ein Protestant.

MARQUIS *(nach einigem Bedenken)*. Ihr Glaube, Sire, ist auch
Der meine.
(Nach einer Pause) Ich werde mißverstanden.
Das war es, was ich fürchtete. Sie sehen
Von den Geheimnissen der Majestät
Durch meine Hand den Schleier weggezogen.
Wer sichert Sie, daß mir noch heilig heiße,
Was mich zu schrecken aufgehört? Ich bin
Gefährlich, weil ich über mich gedacht. –
Ich bin es nicht, mein König. Meine Wünsche
Verwesen hier.
(Die Hand auf die Brust gelegt) Die lächerliche Wut
Der Neuerung, die nur der Ketten Last,
Die sie nicht ganz zerbrechen kann, vergrößert,
Wird *mein* Blut nie erhitzen. Das Jahrhundert
Ist meinem Ideal nicht reif. Ich lebe
Ein Bürger derer, welche kommen werden.

Kann ein Gemälde Ihre Ruhe trüben? –
Ihr Atem löscht es aus.

KÖNIG. Bin ich der erste,
Der Euch von dieser Seite kennt?

MARQUIS. Von dieser –
Ja!

KÖNIG *(steht auf, macht einige Schritte und bleibt dem Marquis gegenüber stehen. Vor sich).* Neu zum wenigsten ist dieser Ton!
Die Schmeichelei erschöpft sich. Nachzuahmen
Erniedrigt einen Mann von Kopf. – Auch einmal
Die Probe von dem Gegenteil. Warum nicht?
Das Überraschende macht Glück. – Wenn Ihr
Es so verstehet, gut, so will ich mich
Auf eine neue Kronbedienung richten –
Den starken Geist. –

MARQUIS. Ich höre, Sire, wie klein,
Wie niedrig Sie von Menschenwürde denken,
Selbst in des freien Mannes Sprache nur
Den Kunstgriff eines Schmeichlers sehen, und
Mir deucht, ich weiß, wer Sie dazu berechtigt.
Die Menschen zwangen Sie dazu; *die* haben
Freiwillig ihres Adels sich begeben,
Freiwillig sich auf diese niedre Stufe
Herabgestellt. Erschrocken fliehen sie
Vor dem Gespenste ihrer innern Größe,
Gefallen sich in ihrer Armut, schmücken
Mit feiger Weisheit ihre Ketten aus,
Und Tugend nennt man, sie mit Anstand tragen.
So überkamen Sie die Welt. So ward
Sie Ihrem großen Vater überliefert.
Wie könnten Sie in dieser traurigen
Verstümmlung – Menschen ehren?

KÖNIG. Etwas Wahres
Find ich in diesen Worten.

MARQUIS. Aber schade!
Da Sie den Menschen aus des Schöpfers Hand

In Ihrer Hände Werk verwandelten
Und dieser neugegoßnen Kreatur
Zum Gott sich gaben – da versahen Sie's
In etwas nur: Sie blieben selbst noch Mensch –
Mensch aus des Schöpfers Hand. *Sie* fuhren fort,
Als Sterblicher zu leiden, zu begehren;
Sie brauchen Mitgefühl – und einem Gott
Kann man nur opfern – zittern – zu ihm beten!
Bereuenswerter Tausch! Unselige
Verdrehung der Natur! – Da Sie den Menschen
Zu Ihrem Saitenspiel herunterstürzten,
Wer teilt mit Ihnen Harmonie?

KÖNIG. (Bei Gott,
Er greift in meine Seele!)

MARQUIS. Aber Ihnen
Bedeutet dieses Opfer nichts. Dafür
Sind Sie auch einzig – Ihre eigne Gattung –
Um diesen Preis sind Sie ein Gott. – Und schrecklich,
Wenn das *nicht* wäre – wenn für diesen Preis,
Für das zertretne Glück von Millionen,
Sie nichts gewonnen hätten! wenn die Freiheit,
Die Sie vernichteten, das einzge wäre,
Das Ihre Wünsche reifen kann? – Ich bitte,
Mich zu entlassen, Sire. Mein Gegenstand
Reißt mich dahin. Mein Herz ist voll – der Reiz
Zu mächtig, vor dem Einzigen zu stehen,
Dem ich es öffnen möchte.
(Der Graf von Lerma tritt herein und spricht einige Worte leise mit dem König. Dieser gibt ihm einen Wink, sich zu entfernen, und bleibt in seiner vorigen Stellung sitzen)

KÖNIG *(zum Marquis, nachdem Lerma weggegangen).*
Redet aus!

MARQUIS *(nach einigem Stillschweigen).*
Ich fühle, Sire, – den ganzen Wert –

KÖNIG. Vollendet!
Ihr hattet mir noch mehr zu sagen.

MARQUIS. Sire!
Jüngst kam ich an von Flandern und Brabant. –
So viele reiche, blühende Provinzen!
Ein kräftiges, ein großes Volk – und auch
Ein gutes Volk – und Vater dieses Volkes!
Das, dacht ich, das muß göttlich sein! – Da stieß
Ich auf verbrannte menschliche Gebeine –
(Hier schweigt er still; seine Augen ruhen auf dem König, der es versucht, diesen Blick zu erwidern, aber betroffen und verwirrt zur Erde sieht)
Sie haben recht. *Sie* müssen. Daß Sie *können*,
Was Sie zu müssen eingesehn, hat mich
Mit schauernder Bewunderung durchdrungen.
O schade, daß, in seinem Blut gewälzt,
Das Opfer wenig dazu taugt, dem Geist
Des Opferers ein Loblied anzustimmen!
Daß Menschen nur – nicht Wesen höhrer Art –
Die Weltgeschichte schreiben! – Sanftere
Jahrhunderte verdrängen Philipps Zeiten;
Die bringen mildre Weisheit; Bürgerglück
Wird dann versöhnt mit Fürstengröße wandeln,
Der karge Staat mit seinen Kindern geizen,
Und die Notwendigkeit wird menschlich sein.
KÖNIG. Wann, denkt Ihr, würden diese menschlichen
Jahrhunderte erscheinen, hätt ich vor
Dem Fluch des jetzigen gezittert? Sehet
In meinem Spanien Euch um. Hier blüht
Des Bürgers Glück in nie bewölktem Frieden;
Und *diese Ruhe* gönn ich den Flamändern.
MARQUIS *(schnell)*. Die Ruhe eines Kirchhofs! Und Sie hoffen
Zu endigen, was Sie begannen? hoffen,
Der Christenheit gezeitigte Verwandlung,
Den allgemeinen Frühling aufzuhalten,
Der die Gestalt der Welt verjüngt? *Sie* wollen
Allein in ganz Europa – sich dem Rade
Des Weltverhängnisses, das unaufhaltsam
In vollem Laufe rollt, entgegenwerfen?

Mit Menschenarm in seine Speichen fallen?
Sie werden nicht! Schon flohen Tausende
Aus Ihren Ländern froh und arm. Der Bürger,
Den Sie verloren für den Glauben, war
Ihr edelster. Mit offnen Mutterarmen
Empfängt die Fliehenden Elisabeth,
Und fruchtbar blüht durch Künste unsres Landes
Britannien. Verlassen von dem Fleiß
Der neuen Christen, liegt Grenada öde,
Und jauchzend sieht Europa seinen Feind
An selbstgeschlagnen Wunden sich verbluten.
(Der König ist bewegt; der Marquis bemerkt es und tritt einige Schritte näher)
Sie wollen pflanzen für die Ewigkeit,
Und säen Tod? Ein so erzwungnes Werk
Wird seines Schöpfers Geist nicht überdauern.
Dem Undank haben Sie gebaut – umsonst
Den harten Kampf mit der Natur gerungen,
Umsonst ein großes königliches Leben
Zerstörenden Entwürfen hingeopfert.
Der Mensch ist mehr, als Sie von ihm gehalten.
Des langen Schlummers Bande wird er brechen
Und wiederfordern sein geheiligt Recht.
Zu einem *Nero* und *Busiris* wirft
Er Ihren Namen, und – das schmerzt mich; denn
Sie waren gut.

KÖNIG. Wer hat Euch dessen so
Gewiß gemacht?

MARQUIS *(mit Feuer)*. Ja, beim Allmächtigen!
Ja – ja – ich wiederhol es. Geben Sie,
Was Sie uns nahmen, wieder! Lassen Sie,
Großmütig wie der Starke, Menschenglück
Aus Ihrem Füllhorn strömen – Geister reifen
In Ihrem Weltgebäude! Geben Sie,
Was Sie uns nahmen, wieder. Werden Sie
Von Millionen Königen ein König.

(Er nähert sich ihm kühn, indem er feste und feurige Blicke auf ihn richtet)
O, könnte die Beredsamkeit von allen
Den Tausenden, die dieser großen Stunde
Teilhaftig sind, auf meinen Lippen schweben,
Den Strahl, den ich in diesen Augen merke,
Zur Flamme zu erheben! – Geben Sie
Die unnatürliche Vergöttrung auf,
Die uns vernichtet. Werden Sie uns Muster
Des Ewigen und Wahren. Niemals – niemals
Besaß ein Sterblicher so viel, so göttlich
Es zu gebrauchen. Alle Könige
Europens huldigen dem spanschen Namen.
Gehn Sie Europens Königen voran.
Ein Federzug von dieser Hand, und neu
Erschaffen wird die Erde. Geben Sie
Gedankenfreiheit. –
(Sich ihm zu Füßen werfend)

KÖNIG *(überrascht, das Gesicht weggewandt und dann wieder auf den Marquis geheftet).* Sonderbarer Schwärmer!
Doch – stehet auf – ich –

MARQUIS. Sehen Sie sich um
In seiner herrlichen Natur! Auf Freiheit
Ist sie gegründet – und wie reich ist sie
Durch Freiheit! Er, der große Schöpfer, wirft
In einen Tropfen Tau den Wurm, und läßt
Noch in den toten Räumen der Verwesung
Die Willkür sich ergetzen – *Ihre* Schöpfung,
Wie eng und arm! Das Rauschen eines Blattes
Erschreckt den Herrn der Christenheit – *Sie* müssen
Vor jeder Tugend zittern. *Er* – der Freiheit
Entzückende Erscheinung nicht zu stören –
Er läßt des Übels grauenvolles Heer
In seinem Weltall lieber toben – ihn,
Den Künstler, wird man nicht gewahr, bescheiden
Verhüllt er sich in ewige Gesetze;

Die sieht der Freigeist, doch nicht *ihn*. Wozu
Ein Gott? sagt er; die Welt ist sich genug.
Und keines Christen Andacht hat ihn mehr
Als dieses Freigeists Lästerung gepriesen.

KÖNIG. Und wollet Ihr es unternehmen, dies
Erhabne Muster in der Sterblichkeit
In meinen Staaten nachzubilden?

MARQUIS. Sie,
Sie können es. Wer anders? Weihen Sie
Dem Glück der Völker die Regentenkraft,
Die – ach so lang – des Thrones Größe nur
Gewuchert hatte – stellen Sie der Menschheit
Verlornen Adel wieder her. Der Bürger
Sei wiederum, was er zuvor gewesen,
Der Krone Zweck – ihn binde keine Pflicht
Als seiner Brüder gleich ehrwürdge Rechte.
Wenn nun der Mensch, sich selbst zurückgegeben,
Zu seines Werts Gefühl erwacht – der Freiheit
Erhabne, stolze Tugenden gedeihen –
Dann, Sire, wenn Sie zum glücklichsten der Welt
Ihr eignes Königreich gemacht – dann ist
Es Ihre Pflicht, die Welt zu unterwerfen.

KÖNIG *(nach einem großen Stillschweigen)*.
Ich ließ Euch bis zu Ende reden – Anders,
Begreif ich wohl, als sonst in Menschenköpfen
Malt sich in diesem Kopf die Welt – auch will
Ich fremdem Maßstab Euch nicht unterwerfen.
Ich bin der Erste, dem Ihr Euer Innerstes
Enthüllt. Ich glaub es, weil ichs weiß. Um dieser
Enthaltung willen, solche Meinungen,
Mit solchem Feuer doch umfaßt, verschwiegen
Zu haben bis auf diesen Tag – um dieser
Bescheidnen Klugheit willen, junger Mann,
Will ich vergessen, daß ich sie erfahren,
Und wie ich sie erfahren. Stehet auf.
Ich will den Jüngling, der sich übereilte,

Als Greis und nicht als König widerlegen.
Ich will es, weil ichs will – Gift also selbst,
Find ich, kann in gutartigen Naturen
Zu etwas Besserm sich veredeln – Aber
Flieht meine Inquisition. – Es sollte
Mir leid tun –

MARQUIS. Wirklich? Sollt es das?

KÖNIG *(in seinem Anblick verloren).* Ich habe
Solch einen Menschen nie gesehen. – Nein,
Nein, Marquis! Ihr tut mir zuviel. Ich will
Nicht Nero sein. Ich will es nicht sein – will
Es gegen Euch nicht sein. Nicht alle
Glückseligkeit soll unter mir verdorren.
Ihr selbst, Ihr sollet unter meinen Augen
Fortfahren dürfen, Mensch zu sein.

MARQUIS *(rasch).* Und meine
Mitbürger, Sire? – O! nicht um mich war mirs
Zu tun, nicht *meine* Sache wollt ich führen.
Und Ihre Untertanen, Sire? –

KÖNIG. Und wenn
Ihr so gut wisset, wie die Folgezeit
Mich richten wird, so lerne sie an Euch,
Wie ich mit Menschen es gehalten, als
Ich einen fand.

MARQUIS. O! der gerechteste
Der Könige sei nicht mit einem Male
Der ungerechteste – In Ihrem Flandern
Sind tausend Bessere als ich. Nur *Sie* –
Darf ich es frei gestehen, großer König? –
Sie sehn jetzt unter diesem sanftern Bilde
Vielleicht zum erstenmal die Freiheit.

KÖNIG *(mit gemildertem Ernst).* Nichts mehr
Von diesem Inhalt, junger Mann. – Ich weiß,
Ihr werdet anders denken, kennet Ihr
Den Menschen erst wie ich. – Doch hätt ich Euch
Nicht gern zum letztenmal gesehn. Wie fang ich

Es an, Euch zu verbinden?

MARQUIS. Lassen Sie
Mich, wie ich bin. Was wär ich Ihnen, Sire,
Wenn Sie auch mich bestächen?

KÖNIG. Diesen Stolz
Ertrag ich nicht. Ihr seid von heute an
In meinen Diensten – Keine Einwendung!
Ich will es haben.
(Nach einer Pause)
Aber wie? Was wollte
Ich denn? War es nicht Wahrheit, was ich wollte?
Und hier find ich noch etwas mehr – Ihr habt
Auf meinem Thron mich ausgefunden, Marquis.
Nicht auch in meinem Hause?
(Da sich der Marquis zu bedenken scheint)
Ich versteh Euch.
Doch – wär ich auch von allen Vätern der
Unglücklichste, kann ich nicht glücklich sein
Als Gatte?

MARQUIS. Wenn ein hoffnungsvoller Sohn,
Wenn der Besitz der liebenswürdigsten
Gemahlin einem Sterblichen ein Recht
Zu diesem Namen geben, Sire, so sind Sie
Der Glücklichste durch beides.

KÖNIG *(mit finstrer Miene)*. Nein, ich bins nicht!
Und daß ichs nicht bin, hab ich tiefer nie
Gefühlt als eben jetzt –
(Mit einem Blicke der Wehmut auf dem Marquis verweilend)

MARQUIS. Der Prinz denkt edel
Und gut. Ich hab ihn anders nie gefunden.

KÖNIG. Ich aber hab es – Was er mir genommen,
Kann keine Krone mir ersetzen – Eine
So tugendhafte Königin!

MARQUIS. Wer kann
Es wagen, Sire?

KÖNIG. Die Welt! Die Lästerung!

Ich selbst! – Hier liegen Zeugnisse, die ganz
Unwidersprechlich sie verdammen; andre
Sind noch vorhanden, die das Schrecklichste
Mich fürchten lassen – Aber, Marquis – schwer,
Schwer fällt es mir, an *eines* nur zu glauben.
Wer klagt sie an? – Wenn *sie* – sie fähig sollte
Gewesen sein, so tief sich zu entehren,
O, wieviel mehr ist mir zu glauben dann
Erlaubt, daß eine Eboli verleumdet?
Haßt nicht der Priester meinen Sohn und sie?
Und weiß ich nicht, daß Alba Rache brütet?
Mein Weib ist mehr wert als sie alle.

MARQUIS. Sire,
Und etwas lebt noch in des Weibes Seele,
Das über allen Schein erhaben ist
Und über alle Lästerung – es heißt
Weibliche Tugend.

KÖNIG. Ja! Das sag ich auch.
So tief, als man die Königin bezüchtigt,
Herabzusinken, kostet viel. So leicht,
Als man mich überreden möchte, reißen
Der Ehre heilge Bande nicht. Ihr kennt
Den Menschen, Marquis. Solch ein Mann hat mir
Schon längst gemangelt, Ihr seid gut und fröhlich
Und kennet doch den Menschen auch – Drum hab
Ich Euch gewählt –

MARQUIS *(überrascht und erschrocken).*
Mich, Sire?

KÖNIG. Ihr standet
Vor Eurem Herrn und habt nichts für Euch selbst
Erbeten – nichts. Das ist mir neu – Ihr werdet
Gerecht sein. Leidenschaft wird Euren Blick
Nicht irren – Dränget Euch zu meinem Sohn,
Erforscht das Herz der Königin. Ich will
Euch Vollmacht senden, sie geheim zu sprechen.
Und jetzt verlaßt mich! *(Er zieht eine Glocke)*

MARQUIS. Kann ich es mit *einer*
Erfüllten Hoffnung? – dann ist dieser Tag
Der schönste meines Lebens.

KÖNIG *(reicht ihm die Hand zum Kusse)*.
Er ist kein
Verlorner in dem meinigen.
(Der Marquis steht auf und geht. Graf Lerma tritt herein)
Der Ritter
Wird künftig ungemeldet vorgelassen.

VIERTER AKT

Saal bei der Königin

Erster Auftritt

Die Königin. Die Herzogin Olivarez. Die Prinzessin von Eboli. Die Gräfin Fuentes und noch andere Damen

KÖNIGIN *(zur Oberhofmeisterin, indem sie aufsteht)*.
Der Schlüssel fand sich also nicht? – So wird
Man die Schatulle mir erbrechen müssen,
Und zwar sogleich –
(Da sie die Prinzessin von Eboli gewahr wird, welche sich ihr nähert und ihr die Hand küßt) Willkommen, liebe Fürstin!
Mich freut, Sie wiederhergestellt zu finden –
Zwar noch sehr blaß –

FUENTES *(etwas tückisch)*. Die Schuld des bösen Fiebers,
Das ganz erstaunlich an die Nerven greift.
Nicht wahr, Prinzessin?

KÖNIGIN. Sehr hab ich gewünscht,
Sie zu besuchen, meine Liebe. – Doch
Ich darf ja nicht.

OLIVAREZ. Die Fürstin Eboli
Litt wenigstens nicht Mangel an Gesellschaft. –

KÖNIGIN. Das glaub ich gern. Was haben Sie? Sie zittern.

EBOLI. Nichts – gar nichts, meine Königin. Ich bitte
Um die Erlaubnis, wegzugehen –

KÖNIGIN. Sie
Verhehlen uns, sind kränker gar, als Sie
Uns glauben machen wollen? Auch das Stehn
Wird Ihnen sauer. Helfen Sie Ihr, Gräfin,
Auf dieses Taburett sich niedersetzen.

EBOLI. Im Freien wird mir besser. *(Sie geht ab)*

KÖNIGIN. Folgen Sie
Ihr, Gräfin – Welche Anwandlung!
(Ein Page tritt herein und spricht mit der Herzogin, welche sich alsdann zur Königin wendet)

OLIVAREZ. Der Marquis
Von Posa, Ihre Majestät – Er kommt
Von Seiner Majestät dem König.

KÖNIGIN. Ich
Erwart ihn.
(Der Page geht ab und öffnet dem Marquis die Türe)

Zweiter Auftritt

Marquis von Posa. Die Vorigen

(Der Marquis läßt sich auf ein Knie vor der Königin nieder, welche ihm einen Wink gibt, aufzustehen)

KÖNIGIN. Was ist meines Herrn Befehl?
Darf ich ihn öffentlich –

MARQUIS. Mein Auftrag lautet
An Ihre Königliche Majestät allein.
(Die Damen entfernen sich auf einen Wink der Königin)

Dritter Auftritt

Die Königin. Marquis von Posa

KÖNIGIN *(voll Verwunderung)*.
Wie? Darf ich meinen Augen trauen, Marquis?
Sie an mich abgeschickt vom König?

MARQUIS. Dünkt
Das Ihre Majestät so sonderbar?
Mir ganz und gar nicht.

KÖNIGIN. Nun, so ist die Welt
Aus ihrer Bahn gewichen. Sie und er –
Ich muß gestehen –

MARQUIS. Daß es seltsam klingt?
Das mag wohl sein. – Die gegenwärtge Zeit
Ist noch an mehrern Wunderdingen fruchtbar.

KÖNIGIN. An größern kaum.

MARQUIS. Gesetzt, ich hätte mich
Bekehren lassen endlich – wär es müde,
An Philipps Hof den Sonderling zu spielen?
Den Sonderling! Was heißt auch das? Wer sich
Den Menschen nützlich machen will, muß doch
Zuerst sich ihnen gleichzustellen suchen.
Wozu der Sekte prahlerische Tracht?
Gesetzt – Wer ist von Eitelkeit so frei,
Um nicht für seinen Glauben gern zu werben? –
Gesetzt, ich ginge damit um, den meinen
Auf einen Thron zu setzen?

KÖNIGIN. Nein! – Nein, Marquis.
Auch nicht einmal im Scherze möcht ich dieser
Unreifen Einbildung Sie zeihn. Sie sind
Der Träumer nicht, der etwas unternähme,
Was nicht geendigt werden kann.

MARQUIS. Das eben
Wär noch die Frage, denk ich.

KÖNIGIN. Was ich höchstens
Sie zeihen könnte, Marquis – was von Ihnen
Mich fast befremden könnte, wäre – wäre –

MARQUIS. Zweideutelei. Kann sein.

KÖNIGIN. Unredlichkeit
Zum wenigsten. Der König wollte mir
Wahrscheinlich nicht durch Sie entbieten lassen,
Was Sie mir sagen werden.

MARQUIS. Nein.

KÖNIGIN. Und kann
Die gute Sache schlimme Mittel adeln?
Kann sich – verzeihen Sie mir diesen Zweifel –
Ihr edler Stolz zu diesem Amte borgen?
Kaum glaub ich es. –

MARQUIS. Auch *ich* nicht, wenn es hier
Nur gelten soll, den König zu betrügen.
Doch das ist meine Meinung nicht. Ihm selbst
Gedenk ich diesmal redlicher zu dienen,
Als er mir aufgetragen hat.

KÖNIGIN. Daran
Erkenn ich Sie, und nun genug! Was macht er?

MARQUIS. Der König? – Wie es scheint, bin ich sehr bald
An meiner strengen Richterin gerächt.
Was ich so sehr nicht zu erzählen eile,
Eilt Ihre Majestät, wie mir geschienen,
Noch weit, weit weniger zu hören. – Doch
Gehört muß es doch werden! Der Monarch
Läßt Ihre Majestät ersuchen, dem
Ambassadeur von Frankreich kein Gehör
Für heute zu bewilligen. Das war
Mein Auftrag. Er ist abgetan.

KÖNIGIN. Und das
Ist alles, Marquis, was Sie mir von ihm
Zu sagen haben?

MARQUIS. Alles ungefähr,
Was mich berechtigt, hierzusein.

KÖNIGIN. Ich will
Mich gern bescheiden, Marquis, nicht zu wissen,
Was mir vielleicht Geheimnis bleiben muß –

MARQUIS. Das *muß* es, meine Königin – Zwar, wären
Sie nicht *Sie* selbst, ich würde eilen, Sie
Von eingen Dingen zu belehren, vor
Gewissen Menschen Sie zu warnen – doch
Das braucht es nicht bei Ihnen. Die Gefahr

Mag auf- und untergehen um Sie her,
Sie sollens nie erfahren. Alles dies
Ist ja nicht so viel wert, den goldnen Schlaf
Von eines Engels Stirne zu verjagen.
Auch war es das nicht, was mich hergeführt.
Prinz Carlos –

KÖNIGIN. Wie verließen Sie ihn?

MARQUIS. Wie
Den einzgen Weisen seiner Zeit, dem es
Verbrechen ist, die Wahrheit anzubeten –
Und ebenso beherzt, für *seine* Liebe,
Wie jener für die seinige zu sterben.
Ich bringe wenig Worte – aber hier,
Hier ist er selbst.
(Er gibt der Königin einen Brief)

KÖNIGIN *(nachdem sie ihn gelesen)*.
Er muß mich sprechen, sagt er.

MARQUIS. Das sag ich auch.

KÖNIGIN. Wird es ihn glücklich machen,
Wenn er mit seinen Augen sieht, daß ich
Es auch nicht bin?

MARQUIS. Nein – aber tätiger
Soll es ihn machen und entschloßner.

KÖNIGIN. Wie?

MARQUIS. Der Herzog Alba ist ernannt nach Flandern.

KÖNIGIN. Ernannt – so hör ich.

MARQUIS. Widerrufen kann
Der König nie. Wir kennen ja den König.
Doch wahr ists auch: Hier darf der Prinz nicht bleiben –
Hier nicht, jetzt vollends nicht – und Flandern darf
Nicht aufgeopfert werden.

KÖNIGIN. Wissen Sie
Es zu verhindern?

MARQUIS. Ja – vielleicht. Das Mittel
Ist fast so schlimm als die Gefahr. Es ist
Verwegen wie Verzweiflung. – Doch ich weiß

Von keinem andern.

KÖNIGIN. Nennen Sie mirs.

MARQUIS. Ihnen,
Nur Ihnen, meine Königin, wag ich
Es zu entdecken. Nur von Ihnen kann
Es Carlos hören, ohne Abscheu hören.
Der Name freilich, den es führen wird,
Klingt etwas rauh –

KÖNIGIN. Rebellion –

MARQUIS. Er soll
Dem König ungehorsam werden, soll
Nach Brüssel heimlich sich begeben, wo
Mit offnen Armen die Flamänder ihn
Erwarten. Alle Niederlande stehen
Auf seine Losung auf. Die gute Sache
Wird stark durch einen Königssohn. Er mache
Den span'schen Thron durch seine Waffen zittern.
Was in Madrid der Vater ihm verweigert,
Wird er in Brüssel ihm bewilligen.

KÖNIGIN. Sie sprachen
Ihn heute und behaupten das?

MARQUIS. Weil ich
Ihn heute sprach.

KÖNIGIN *(nach einer Pause)*.
Der Plan, den Sie mir zeigen,
Erschreckt und – reizt mich auch zugleich. Ich glaube,
Daß Sie nicht unrecht haben. – Die Idee
Ist kühn, und eben darum, glaub ich,
Gefällt sie mir. Ich will sie reifen lassen.
Weiß sie der Prinz?

MARQUIS. Er sollte, war mein Plan,
Aus Ihrem Mund zum erstenmal sie hören.

KÖNIGIN. Unstreitig! Die Idee ist groß. – Wenn anders
Des Prinzen Jugend –

MARQUIS. Schadet nichts. Er findet
Dort einen Egmont und Oranien,

Die braven Krieger Kaiser Karls, so klug
Im Kabinett als fürchterlich im Felde.

KÖNIGIN *(mit Lebhaftigkeit).*
Nein! die Idee ist groß und schön – Der Prinz
Muß handeln. Lebhaft fühl ich das. Die Rolle,
Die man hier in Madrid ihn spielen sieht,
Drückt mich an seiner Statt zu Boden – Frankreich
Versprech ich ihm; Savoyen auch. Ich bin
Ganz Ihrer Meinung, Marquis, er muß handeln. –
Doch dieser Anschlag fordert Geld.

MARQUIS. Auch das liegt schon
Bereit –

KÖNIGIN. Und dazu weiß ich Rat.

MARQUIS. So darf ich
Zu der Zusammenkunft ihm Hoffnung geben?

KÖNIGIN. Ich will mirs überlegen.

MARQUIS. Carlos dringt
Auf Antwort, Ihro Majestät. – Ich hab
Ihm zugesagt, nicht leer zurückzukehren.
(Seine Schreibtafel der Königin reichend)
Zwo Zeilen sind für jetzt genug –

KÖNIGIN *(nachdem sie geschrieben).* Werd ich
Sie wiedersehn?

MARQUIS. So oft Sie es befehlen.

KÖNIGIN. So oft – so oft ich es befehle? – Marquis!
Wie muß ich diese Freiheit mir erklären?

MARQUIS. So arglos, als *Sie* immer können. Wir
Genießen sie, das ist genug – das ist
Für meine Königin genug.

KÖNIGIN *(abbrechend).* Wie sollt es
Mich freuen, Marquis, wenn der Freiheit endlich
Noch diese Zuflucht in Europa bliebe!
Wenn sie durch *ihn* es bliebe! – Rechnen Sie
Auf meinen stillen Anteil –

MARQUIS *(mit Feuer).* O, ich wußt es,
Ich mußte hier verstanden werden –

HERZOGIN OLIVAREZ *(erscheint an der Türe).*

KÖNIGIN *(fremd zum Marquis).* Was
Von meinem Herrn, dem König, kommt, werd ich
Als ein Gesetz verehren. Gehen Sie,
Ihm meine Unterwerfung zu versichern!
(Sie gibt ihm einen Wink. Der Marquis geht ab)

Galerie

Vierter Auftritt

Don Carlos und Graf Lerma

CARLOS. Hier sind wir ungestört. Was haben Sie
Mir zu entdecken?

LERMA. Eure Hoheit hatten
An diesem Hofe einen Freund.

CARLOS *(stutzt).* Den ich
Nicht wüßte! – Wie? Was wollen Sie damit?

LERMA. So muß ich um Vergebung bitten, daß
Ich mehr erfuhr, als ich erfahren durfte.
Doch, Eurer Hoheit zur Beruhigung,
Ich hab es wenigstens von treuer Hand,
Denn, kurz, ich hab es von mir selbst.

CARLOS. Von wem
Ist denn die Rede?

LERMA. Marquis Posa –

CARLOS. Nun?

LERMA. Wenn etwa mehr, als jemand wissen darf,
Von Eurer Hoheit ihm bewußt sein sollte,
Wie ich beinahe fürchte –

CARLOS. Wie Sie fürchten?

LERMA. – Er war beim König.

CARLOS. So?

LERMA. Zwo volle Stunden,
Und in sehr heimlichem Gespräch.

CARLOS. Wahrhaftig?

LERMA. Es war von keiner Kleinigkeit die Rede.
CARLOS. Das will ich glauben.
LERMA. Ihren Namen, Prinz,
Hört ich zu öftern Malen.
CARLOS. Hoffentlich
Kein schlimmes Zeichen.
LERMA. Auch ward heute morgen
Im Schlafgemache seiner Majestät
Der Königin sehr rätselhaft erwähnt.
CARLOS *(tritt bestürzt zurück)*.
Graf Lerma?
LERMA. Als der Marquis weggegangen,
Empfing ich den Befehl, ihn künftighin
Unangemeldet vorzulassen.
CARLOS. Das
Ist wirklich viel.
LERMA. Ganz ohne Beispiel, Prinz,
Solang mir denkt, daß ich dem König diene.
CARLOS. Viel! Wahrlich viel! – Und wie? wie, sagten Sie,
Wie ward der Königin erwähnt?
LERMA *(tritt zurück)*. Nein, Prinz,
Nein! Das ist wider meine Pflicht.
CARLOS. Wie seltsam!
Sie sagen mir das eine und verhehlen
Das andre mir.
LERMA. Das erste war ich Ihnen,
Das zweite bin ich dem Monarchen schuldig.
CARLOS. – Sie haben recht.
LERMA. Den Marquis hab ich zwar
Als Mann von Ehre stets gekannt.
CARLOS. Dann haben
Sie ihn sehr gut gekannt.
LERMA. Jedwede Tugend
Ist fleckenfrei – bis auf den Augenblick
Der Probe.
CARLOS. Auch wohl hier und da noch drüber.

LERMA. Und eines großen Königs Gunst dünkt mir
Der Frage wert. An diesem goldnen Angel
Hat manche starke Tugend sich verblutet.
CARLOS. O ja.
LERMA. Oft sogar ist es weise, zu entdecken,
Was nicht verschwiegen bleiben kann.
CARLOS. Ja, weise!
Doch, wie Sie sagen, haben Sie den Marquis
Als Mann von Ehre nur gekannt?
LERMA. Ist er
Es *noch*, so macht mein Zweifel ihn nicht schlechter,
Und Sie, mein Prinz, gewinnen doppelt. *(Er will gehen)*
CARLOS *(folgt ihm gerührt und drückt ihm die Hand)*. Dreifach
Gewinn ich, edler, würdger Mann – ich sehe
Um einen Freund mich reicher, und es kostet
Mir den nicht, den ich schon besaß.
(Lerma geht ab)

Fünfter Auftritt

Marquis von Posa kommt durch die Galerie. Carlos

MARQUIS. Karl! Karl!
CARLOS. Wer ruft? Ah, du bists! Eben recht. Ich eile
Voraus ins Kloster. Komm bald nach.
(Er will fort)
MARQUIS. Nur zwo
Minuten – bleib.
CARLOS. Wenn man uns überfiele –
MARQUIS. Man wird doch nicht. Es ist sogleich geschehen.
Die Königin –
CARLOS. Du warst bei meinem Vater?
MARQUIS. Er ließ mich rufen; ja.
CARLOS *(voll Erwartung)*. Nun?
MARQUIS. Es ist richtig.
Du wirst sie sprechen.

CARLOS. Und der König? Was
Will denn der König?
MARQUIS. Der? Nicht viel. – Neugierde,
Zu wissen, wer ich bin. – Dienstfertigkeit
Von unbestellten guten Freunden. Was
Weiß ich? Er bot mir Dienste an.
CARLOS. Die du
Doch abgelehnt?
MARQUIS. Versteht sich.
CARLOS. Und wie kamt
Ihr auseinander?
MARQUIS. Ziemlich gut.
CARLOS. Von mir
War also wohl die Rede nicht?
MARQUIS. Von dir?
Doch. Ja. Im allgemeinen.
(Er zieht sein Souvenir heraus und gibt es dem Prinzen)
Hier vorläufig
Zwei Worte von der Königin, und morgen
Werd ich erfahren, wo und wie –
CARLOS *(liest sehr zerstreut, steckt die Schreibtafel ein und will gehen).*
Beim Prior
Triffst du mich also.
MARQUIS. Warte doch. Was eilst du?
Es kommt ja niemand.
CARLOS *(mit erkünsteltem Lächeln).*
Haben wir denn wirklich
Die Rollen umgetauscht? Du bist ja heute
Erstaunlich sicher.
MARQUIS. Heute? Warum heute?
CARLOS. Und was schreibt mir die Königin?
MARQUIS. Hast du
Denn nicht im Augenblick gelesen?
CARLOS. Ich?
Ja so.
MARQUIS. Was hast du denn? Was ist dir?

CARLOS *(liest das Geschriebene noch einmal. Entzückt und feurig).*
Engel
Des Himmels! Ja, ich will es sein – ich will –
Will deiner wert sein – Große Seelen macht
Die Liebe größer. Seis auch, was es sei.
Wenn *du* es mir gebietest, ich gehorche. –
Sie schreibt, daß ich auf eine wichtige
Entschließung mich bereiten soll. Was kann
Sie damit meinen? Weißt du nicht?

MARQUIS. Wenn ichs
Auch wüßte, Karl – bist du auch jetzt gestimmt,
Es anzuhören?

CARLOS. Hab ich dich beleidigt?
Ich war zerstreut. Vergib mir, Roderich.

MARQUIS. Zerstreut? Wodurch?

CARLOS. Durch – ich weiß selber nicht.
Dies Souvenir ist also mein?

MARQUIS. Nicht ganz.
Vielmehr bin ich gekommen, mir sogar
Deins auszubitten.

CARLOS. Meins? Wozu?

MARQUIS. Und was
Du etwa sonst an Kleinigkeiten, die
In keines Dritten Hände fallen dürfen,
An Briefen oder abgerissenen
Konzepten bei dir führst – kurz, deine ganze
Brieftasche –

CARLOS. Wozu aber?

MARQUIS. Nur auf alle Fälle.
Wer kann für Überraschung stehn? Bei mir
Sucht sie doch niemand. Gib.

CARLOS *(sehr unruhig).* Das ist doch seltsam!
Woher auf einmal diese –

MARQUIS. Sei ganz ruhig.
Ich will nichts damit angedeutet haben.
Gewißlich nicht. Es ist Behutsamkeit

Vor der Gefahr. So hab ichs nicht gemeint,
So wahrlich nicht, daß du erschrecken solltest.

CARLOS *(gibt ihm die Brieftasche).*
Verwahr sie gut.

MARQUIS. Das werd ich.

CARLOS *(sieht ihn bedeutend an).* Roderich!
Ich gab dir viel.

MARQUIS. Noch immer nicht so viel,
Als ich von dir schon habe – Dort also
Das übrige, und jetzt leb wohl – leb wohl!
(Er will gehen)

CARLOS *(kämpft zweifelhaft mit sich selbst – endlich ruft er ihn zurück).*
Gib mir die Briefe doch noch einmal. Einer
Von ihr ist auch darunter, den sie damals,
Als ich so tödlich krankgelegen, nach
Alkala mir geschrieben. Stets hab ich
Auf meinem Herzen ihn getragen. Mich
Von diesem Brief zu trennen, fällt mir schwer.
Laß mir den Brief – nur den – das übrige
Nimm alles.
(Er nimmt ihn heraus und gibt ihm die Brieftasche zurück)

MARQUIS. Karl, ich tu es ungern. Just
Um diesen Brief war mirs zu tun.

CARLOS. Leb wohl!
(Er geht langsam und still weg, an der Türe bleibt er einen Augenblick stehen, kehrt wieder um und bringt ihm den Brief)
Da hast du ihn.
(Seine Hand zittert. Tränen stürzen aus seinen Augen, er fällt dem Marquis um den Hals und drückt sein Gesicht wider dessen Brust)
Das kann mein Vater nicht?
Nicht wahr, mein Roderich? *Das* kann er doch nicht?
(Er geht schnell fort)

Sechster Auftritt

Marquis sieht ihm erstaunt nach

MARQUIS. Wärs möglich? Wär es? Also hätt ich ihn
Doch nicht gekannt? Nicht ganz? In seinem Herzen
Wär diese Falte wirklich mir entgangen?
Mißtrauen gegen seinen Freund!
Nein! Es ist Lästerung! – Was tat er mir,
Daß ich der Schwächen schwächster ihn verklage?
Was ich ihn zeihe, werd ich selbst – Befremden –
Das mag es ihn, das glaub ich gern. Wahn hätte
Er dieser seltsamen Verschlossenheit
Zu seinem Freunde sich versehn? – Auch schmerzen!
Ich kann dirs nicht ersparen, Karl, und länger
Muß ich noch deine gute Seele quälen.
Der König glaubte dem Gefäß, dem er
Sein heiliges Geheimnis übergeben,
Und Glauben fordert Dankbarkeit. Was wäre
Geschwätzigkeit, wenn mein Verstummen dir
Nicht Leiden bringt? Vielleicht erspart? Warum
Dem Schlafenden die Wetterwolke zeigen,
Die über seinem Scheitel hängt? – Genug,
Daß ich sie still an dir vorüberführe
Und, wenn du aufwachst, heller Himmel ist. *(Er geht ab)*

Kabinett des Königs

Siebenter Auftritt

Der König in einem Sessel – neben ihm die Infantin Klara Eugenia

KÖNIG *(nach einem tiefen Stillschweigen).*
Nein! Es ist dennoch meine Tochter – Wie
Kann die Natur mit solcher Wahrheit lügen?
Dies blaue Auge ist ja mein! Find ich
In jedem dieser Züge mich nicht wieder?
Kind meiner Liebe, ja, du bists. Ich drücke

Dich an mein Herz – du bist mein Blut.
(Er stutzt und hält inne) Mein Blut!
Was kann ich Schlimmres fürchten? Meine Züge,
Sie sind die *seinigen* nicht auch?
(Er hat das Medaillon in die Hand genommen und sieht wechselsweise auf das Bild und in einen gegenüberstehenden Spiegel – endlich wirft er es zur Erde, steht schnell auf und drückt die Infantin von sich)
Weg! Weg!
In diesem Abgrund geh ich unter.

Achter Auftritt

Graf Lerma. Der König

LERMA. Eben
Sind Ihre Majestät die Königin
Im Vorgemach erschienen.
KÖNIG. Jetzt?
LERMA. Und bitten
Um gnädigstes Gehör –
KÖNIG. Jetzt aber? Jetzt?
In dieser ungewohnten Stunde? – Nein!
Jetzt kann ich sie nicht sprechen – jetzt nicht –
LERMA. Hier
Sind Ihre Majestät schon selbst – *(Er geht ab)*

Neunter Auftritt

Der König. Die Königin tritt herein. Die Infantin
(Die letztere fliegt ihr entgegen und schmiegt sich an sie an. Sie fällt vor dem König nieder, welcher stumm und verwirrt steht)

KÖNIGIN. Mein Herr
Und mein Gemahl – ich muß – ich bin gezwungen,
Vor Ihrem Thron Gerechtigkeit zu suchen.
KÖNIG. Gerechtigkeit? –

KÖNIGIN. Unwürdig seh ich mir
An diesem Hof begegnet. Meine
Schatulle ist erbrochen –
KÖNIG. Was?
KÖNIGIN.. Und Sachen
Von großem Wert für mich daraus verschwunden –
KÖNIG. Von großem Wert für Sie –
KÖNIGIN. Durch die Bedeutung,
Die eines Unbelehrten Dreistigkeit
Vermögend wäre –
KÖNIG. Dreistigkeit – Bedeutung –
Doch – stehn Sie auf.
KÖNIGIN. Nicht eher, mein Gemahl,
Bis Sie durch ein Versprechen sich gebunden,
Kraft Ihres königlichen Arms zu meiner
Genugtuung den Täter mir zu stellen,
Wo nicht, von einem Hofstaat mich zu trennen,
Der meinen Dieb verbirgt –
KÖNIG. Stehn Sie doch auf –
In dieser Stellung – Stehn Sie auf –
KÖNIGIN *(steht auf)*. Daß er
Von Range sein muß, weiß ich – denn in der
Schatulle lag an Perlen und Demanten
Weit über eine Million, und er
Begnügte sich mit Briefen –
KÖNIG. Die ich doch –
KÖNIGIN. Recht gerne, mein Gemahl. Es waren Briefe
Und ein Medaillon von dem Infanten.
KÖNIG. Von –
KÖNIGIN. Dem Infanten, Ihrem Sohn.
KÖNIG. An Sie?
KÖNIGIN. An mich.
KÖNIG. Von dem Infanten? Und das sagen
Sie *mir*?
KÖNIGIN. Warum nicht Ihnen, mein Gemahl?
KÖNIG. Mit dieser Stirne?

KÖNIGIN. Was fällt Ihnen auf?
Ich denke, Sie erinnern sich der Briefe,
Die mit Bewilligung von beiden Kronen
Don Carlos mir nach Saint Germain geschrieben.
Ob auch das Bild, womit er sie begleitet,
In diese Freiheit einbedungen worden,
Ob seine rasche Hoffnung eigenmächtig
Sich diesen kühnen Schritt erlaubt – das will
Ich zu entscheiden mich nicht unterfangen.
Wenns Übereilung war, so war es die
Verzeihlichste – da bin ich für ihn Bürge.
Denn damals fiel ihm wohl nicht bei, daß es
Für seine Mutter wäre –
(Sieht die Bewegung des Königs)
Was ist das?
Was haben Sie?

INFANTIN *(welche unterdessen das Medaillon auf dem Boden gefunden und damit gespielt hat, bringt es der Königin).*
Ah! Sieh da, meine Mutter!
Das schöne Bild –

KÖNIGIN. Was denn, mein –
(Sie erkennt das Medaillon und bleibt in sprachloser Erstarrung stehen. Beide sehen einander mit unverwandten Augen an. Nach einem langen Stillschweigen) Wahrlich, Sire!
Dies Mittel, seiner Gattin Herz zu prüfen,
Dünkt mir sehr königlich und edel – Doch
Noch eine Frage möcht ich mir erlauben.

KÖNIG. Das Fragen ist an mir.

KÖNIGIN. Durch meinen Argwohn
Soll doch die Unschuld wenigstens nicht leiden. –
Wenn also dieser Diebstahl Ihr Befehl
Gewesen –

KÖNIG. Ja.

KÖNIGIN. Dann hab ich niemand anzuklagen
Und niemand weiter zu bedauern – niemand
Als *Sie*, dem *die* Gemahlin nicht geworden,

Bei welcher solche Mittel sich verlohnen.
KÖNIG. *Die* Sprache kenn ich. – Doch, Madam,
Zum zweiten Male soll sie mich nicht täuschen,
Wie in Aranjuez sie mich getäuscht.
Die engelreine Königin, die damals
Mit soviel Würde sich verteidigt – jetzt
Kenn ich sie besser.
KÖNIGIN. Was ist das?
KÖNIG. Kurz also
Und ohne Hinterhalt, Madam! – Ists wahr,
Noch wahr, daß Sie mit niemand dort gesprochen?
Mit niemand? Ist das wirklich wahr?
KÖNIGIN. Mit dem Infanten
Hab ich gesprochen. Ja.
KÖNIG. Ja? – Nun, so ists
Am Tage. Es ist offenbar. So frech!
So wenig Schonung meiner Ehre!
KÖNIGIN. Ehre, Sire?
Wenn Ehre zu verletzen war, so, fürcht ich,
Stand eine größre auf dem Spiel, als mir
Kastilien zur Morgengabe brachte.
KÖNIG. Warum verleugneten Sie mir?
KÖNIGIN. Weil ich
Es nicht gewohnt bin, Sire, in Gegenwart
Der Höflinge, auf Delinquentenweise
Verhören mich zu lassen. Wahrheit werde
Ich nie verleugnen, wenn mit Ehrerbietung
Und Güte sie gefordert wird. – Und war
Das wohl der Ton, den Eure Majestät
Mir in Aranjuez zu hören gaben?
Ist etwa die versammelte Grandezza
Der Richterstuhl, vor welchen Königinnen
Zu ihrer stillen Taten Rechenschaft
Gezogen werden? Ich gestattete
Dem Prinzen die Zusammenkunft, um die
Er dringend bat. Ich tat es, mein Gemahl,

Weil ich es wollte – weil ich den Gebrauch
Nicht über Dinge will zum Richter setzen,
Die ich für tadellos erkannt – und Ihnen
Verbarg ich es, weil ich nicht lüstern war,
Mit Eurer Majestät um diese Freiheit
Vor meinem Hofgesinde mich zu streiten.

KÖNIG. Sie sprechen kühn, Madam, sehr –

KÖNIGIN. Und auch darum,
Setz ich hinzu, weil der Infant doch schwerlich
Der Billigkeit, die er verdient, sich zu
Erfreuen hat in seines Vaters Herzen –

KÖNIG. Die er verdient?

KÖNIGIN. Denn warum soll ich es
Verbergen, Sire? – ich schätz ihn sehr und lieb ihn,
Als meinen teuersten Verwandten, der
Einst wert befunden worden, einen Namen
Zu führen, der mich mehr anging – Ich habe
Noch nicht recht einsehn lernen, daß er mir
Gerade darum fremder sollte sein
Als jeder andre, weil er ehedem
Vor jedem andern teuer mir gewesen.
Wenn Ihre Staatsmaxime Bande knüpft,
Wie sie für gut es findet, soll es ihr
Doch etwas schwerer werden, sie zu lösen.
Ich will nicht hassen, wen ich soll – und weil
Man endlich doch zu reden mich gezwungen –
Ich will es nicht – will meine Wahl nicht länger
Gebunden sehn –

KÖNIG. Elisabeth! Sie haben
In schwachen Stunden mich gesehen. Diese
Erinnerung macht Sie so kühn. Sie trauen
Auf eine Allmacht, die Sie oft genug
An meiner Festigkeit geprüft – Doch fürchten
Sie desto mehr. Was bis zu Schwächen mich
Gebracht, kann auch zu Raserei mich führen.

KÖNIGIN. Was hab ich denn begangen?

KÖNIG *(nimmt ihre Hand).* Wenn es ist,
Doch ist – und ist es denn nicht schon? – wenn Ihrer
Verschuldung volles, aufgehäuftes Maß
Auch nur um eines Atems Schwere steigt –
Wenn ich der Hintergangne bin –
(Er läßt ihre Hand los) Ich kann
Auch über diese letzte Schwäche siegen.
Ich kanns und wills – Dann wehe mir und Ihnen,
Elisabeth!

KÖNIGIN. Was hab ich denn begangen?

KÖNIG. Dann meinetwegen fließe Blut –

KÖNIGIN. So weit
Ist es gekommen – Gott!

KÖNIG. Ich kenne
Mich selbst nicht mehr – ich ehre keine Sitte
Und keine Stimme der Natur und keinen
Vertrag der Nationen mehr –

KÖNIGIN. Wie sehr
Beklag ich Eure Majestät –

KÖNIG *(außer Fassung).* Beklagen!
Das Mitleid einer Buhlerin –

INFANTIN *(hängt sich erschrocken an ihre Mutter).*
Der König zürnt,
Und meine schöne Mutter weint.

KÖNIG *(stößt das Kind unsanft von der Königin).*

KÖNIGIN *(mit Sanftmut und Würde, aber mit zitternder Stimme).*
Dies Kind
Muß ich doch sicherstellen vor Mißhandlung.
Komm mit mir, meine Tochter.
(Sie nimmt sie auf den Arm) Wenn der König
Dich nicht mehr kennen will, so muß ich jenseits
Der Pyrenäen Bürgen kommen lassen,
Die unsre Sache führen.
(Sie will gehen)

KÖNIG *(betreten).* Königin?

KÖNIGIN. Ich kann nicht mehr – das ist zuviel –

(Sie will die Türe erreichen und fällt mit dem Kinde an der Schwelle zu Boden)

KÖNIG *(hinzueilend, voll Bestürzung).*

Gott! Was ist das? –

INFANTIN *(ruft voll Schrecken).*

Ach! Meine Mutter blutet! *(Sie eilt hinaus)*

KÖNIG *(ängstlich um sie beschäftigt).*

Welch fürchterlicher Zufall! Blut! Verdien ich,
Daß Sie so hart mich strafen? Stehn Sie auf.
Erholen Sie sich! Stehn Sie auf! Man kommt!
Man überrascht uns – Stehn Sie auf – Soll sich
Mein ganzer Hof an diesem Schauspiel weiden?
Muß ich Sie bitten, aufzustehn?

(Sie richtet sich auf, von dem König unterstützt)

Zehnter Auftritt

Die Vorigen. Alba, Domingo treten erschrocken herein. Damen folgen

KÖNIG. Man bringe
Die Königin zu Hause. Ihr ist übel.
(Die Königin geht ab, begleitet von den Damen. Alba und Domingo treten näher)

ALBA. Die Königin in Tränen, und auf ihrem
Gesichte Blut –

KÖNIG. Das nimmt die Teufel wunder,
Die mich verleitet haben.

ALBA. DOMINGO. Wir?

KÖNIG. Die mir
Genug gesagt, zum Rasen mich zu bringen,
Zu meiner Überzeugung nichts.

ALBA. Wir gaben,
Was wir gehabt –

KÖNIG. Die Hölle dank es Euch.
Ich habe, was mich reut, getan. War das
Die Sprache eines schuldigen Gewissens?

MARQUIS VON POSA *(noch außerhalb der Szene).*
Ist der Monarch zu sprechen?

Elfter Auftritt

Marquis von Posa. Die Vorigen

KÖNIG *(bei dieser Stimme lebhaft auffahrend und dem Marquis einige Schritte entgegengehend).* Ah! Das ist er!
Seid mir willkommen, Marquis – Eurer, Herzog,
Bedarf ich jetzt nicht mehr. Verlaßt uns.
(Alba und Domingo sehen einander mit stummer Verwunderung an und gehen)

Zwölfter Auftritt

Der König und Marquis von Posa

MARQUIS. Sire!
Dem alten Manne, der in zwanzig Schlachten
Dem Tod für Sie entgegenging, fällt es
Doch hart, sich so entfernt zu sehn!
KÖNIG. Euch ziemt
Es, *so* zu denken, *so* zu handeln *mir.*
Was Ihr in wenig Stunden mir gewesen,
War *er* in einem Menschenalter nicht.
Ich will nicht heimlichtun mit meinem Wohlgefallen;
Das Siegel meiner königlichen Gunst
Soll hell und weit auf Eurer Stirne leuchten.
Ich will den Mann, den ich zum Freund gewählt,
Beneidet sehn.
MARQUIS. Und dann auch, wenn die Hülle
Der Dunkelheit allein ihn fähig machte,
Des Namens wertzusein?
KÖNIG. Was bringt
Ihr mir?
MARQUIS. Als ich das Vorgemach durchgehe,
Hör ich von einem schrecklichen Gerüchte,

Das mir unglaublich deucht – Ein heftiger
Wortwechsel – Blut – die Königin –

KÖNIG. Ihr kommt von dort?

MARQUIS. Entsetzen sollt es mich,
Wenn das Gerücht nicht unrecht hätte, wenn
Von Eurer Majestät indes vielleicht
Etwas geschehen wäre – Wichtige
Entdeckungen, die ich gemacht, verändern
Der Sache ganze Lage.

KÖNIG. Nun?

MARQUIS. Ich fand
Gelegenheit, des Prinzen Portefeuille
Mit einigen Papieren wegzunehmen,
Die, wie ich hoffe, einges Licht –
(Er gibt Carlos' Brieftasche dem König)

KÖNIG *(durchsucht sie begierig)*. Ein Schreiben
Vom Kaiser, meinem Vater – – Wie? Von dem
Ich nie gehört zu haben mich entsinne?
(Er liest es durch, legt es beiseite und eilt zu den andern Papieren)
Der Plan zu einer Festung – Abgerißne
Gedanken aus dem Tacitus – Und was
Denn hier? – Die Hand sollt ich doch kennen!
Es ist von einer Dame.
(Er liest aufmerksam, bald laut, bald leise)
»Dieser Schlüssel – –
Die hintern Zimmer im Pavillon
Der Königin« – – Ha! Was wird das? – »Hier darf
Die Liebe frei – Erhörung – schöner Lohn« –
Satanische Verräterei! Jetzt kenn ichs,
Sie ist es. Es ist ihre Hand!

MARQUIS. Die Hand
Der Königin? Unmöglich –

KÖNIG. Der Prinzessin
Von Eboli –

MARQUIS. So wär es wahr, was mir
Unlängst der Page Henarez gestanden,

Der Brief und Schlüssel überbrachte.

KÖNIG *(des Marquis Hand fassend, in heftiger Bewegung).*
Marquis!
Ich sehe mich in fürchterlichen Händen!
Dies Weib – Ich will es nur gestehen – Marquis,
Dies Weib erbrach der Königin Schatulle,
Die erste Warnung kam von ihr – Wer weiß,
Wieviel der Mönch drum wissen mag – Ich bin
Durch ein verruchtes Bubenstück betrogen.

MARQUIS. Dann wär es ja noch glücklich –

KÖNIG. Marquis! Marquis!
Ich fange an zu fürchten, daß ich meiner
Gemahlin doch zuviel getan –

MARQUIS. Wenn zwischen
Dem Prinzen und der Königin geheime
Verständnisse gewesen sind, so waren
Sie sicherlich von weit – weit anderm Inhalt,
Als dessen man sie angeklagt. Ich habe
Gewisse Nachricht, daß des Prinzen Wunsch,
Nach Flandern abzureisen, in dem Kopfe
Der Königin entsprang.

KÖNIG. Ich glaubt es immer.

MARQUIS. Die Königin hat Ehrgeiz – Darf ich mehr
Noch sagen? – Mit Empfindlichkeit sieht sie
In ihrer stolzen Hoffnung sich getäuscht
Und von des Thrones Anteil ausgeschlossen.
Des Prinzen rasche Jugend bot sich ihren
Weitblickenden Entwürfen dar – ihr Herz –
Ich zweifle, ob sie lieben kann.

KÖNIG. Vor ihren
Staatsklugen Planen zittr ich nicht.

MARQUIS. Ob sie geliebt wird? – Ob von dem Infanten
Nichts Schlimmeres zu fürchten? Diese Frage
Scheint mir der Untersuchung wert. Hier, glaub ich,
Ist eine strengre Wachsamkeit vonnöten –

KÖNIG. Ihr haftet mir für ihn. –

MARQUIS *(nach einigem Bedenken).*
Wenn Eure Majestät
Mich fähig halten, dieses Amt zu führen,
So muß ich bitten, es uneingeschränkt
Und *ganz* in meine Hand zu übergeben.
KÖNIG. Das soll geschehen.
MARQUIS. Wenigstens durch keinen
Gehülfen, welchen Namen er auch habe,
In Unternehmungen, die ich etwa
Für nötig finden könnte, mich zu stören –
KÖNIG. Durch keinen. Ich versprech es Euch. Ihr wart
Mein guter Engel. Wieviel Dank bin ich
Für diesen Wink Euch schuldig!
(Zu Lerma, der bei den letzten Worten hereintritt)
Wie verließt Ihr
Die Königin?
LERMA. Noch sehr erschöpft von ihrer Ohnmacht.
(Er sieht den Marquis mit zweideutigen Blicken an und geht)
MARQUIS *(nach einer Pause zum König).*
Noch eine Vorsicht scheint mir nötig.
Der Prinz, fürcht ich, kann Warnungen erhalten.
Er hat der guten Freunde viel – vielleicht
Verbindungen in Gent mit den Rebellen.
Die Furcht kann zu verzweifelten Entschlüssen
Ihn führen – Darum riet' ich an, gleich jetzt
Vorkehrungen zu treffen, diesem Fall
Durch ein geschwindes Mittel zu begegnen.
KÖNIG. Ihr habt ganz recht. Wie aber –
MARQUIS. Ein geheimer
Verhaftsbefehl, den Eure Majestät
In meine Hände niederlegen, mich
Im Augenblicke der Gefahr sogleich
Desselben zu bedienen – und –
(wie sich der König zu bedenken scheint)
Es bliebe
Fürs erste Staatsgeheimnis, bis –

KÖNIG *(zum Schreibpult gehend und den Verhaftsbefehl niederschreibend).*
Das Reich
Ist auf dem Spiele – Außerordentliche Mittel
Erlaubt die dringende Gefahr – Hier, Marquis –
Euch brauch ich keine Schonung zu empfehlen –
MARQUIS *(empfängt den Verhaftsbefehl).*
Es ist aufs Äußerste, mein König.
KÖNIG *(legt die Hand auf seine Schulter).* Geht,
Geht, lieber Marquis – Ruhe meinem Herzen
Und meinen Nächten Schlaf zurückzubringen.
(Beide gehen ab zu verschiedenen Seiten)

Galerie

Dreizehnter Auftritt

Carlos kommt in der größten Beängstigung. Graf Lerma ihm entgegen

CARLOS. Sie such ich eben.
LERMA. Und ich Sie.
CARLOS. Ists wahr?
Um Gottes willen, ist es wahr?
LERMA. Was denn?
CARLOS. Daß er den Dolch nach ihr gezückt? daß man
Aus seinem Zimmer blutig sie getragen?
Bei allen Heiligen! Antworten Sie!
Was muß ich glauben? was ist wahr?
LERMA. Sie fiel
Ohnmächtig hin und ritzte sich im Fallen.
Sonst war es nichts.
CARLOS. Sonst hat es nicht Gefahr?
Sonst nicht? Bei Ihrer Ehre, Graf?
LERMA. Nicht für
Die Königin – doch desto mehr für Sie.
CARLOS. Für meine Mutter nicht! Nun, Gott sei Dank!
Mir kam ein schreckliches Gerücht zu Ohren,

Der König rase gegen Kind und Mutter,
Und ein Geheimnis sei entdeckt.

LERMA. Das letzte
Kann auch wohl wahr sein –

CARLOS. Wahr sein! Wie?

LERMA. Prinz, *eine* Warnung gab ich Ihnen heute,
Die Sie verachtet haben. Nützen Sie
Die zwote besser.

CARLOS. Wie?

LERMA. Wenn ich mich anders
Nicht irre, Prinz, sah ich vor wengen Tagen
Ein Portefeuille von himmelblauem Samt,
Mit Gold durchwirkt, in Ihrer Hand –

CARLOS *(etwas bestürzt)*. So eins
Besitz ich. Ja – Nun? –

LERMA. Auf der Decke, glaub ich,
Ein Schattenriß, mit Perlen eingefaßt –

CARLOS. Ganz recht.

LERMA. Als ich vorhin ganz unvermutet
Ins Kabinett des Königs trat, glaubt ich
Das nämliche in seiner Hand zu sehen,
Und Marquis Posa stand bei ihm –

CARLOS *(nach einem kurzen erstarrenden Stillschweigen, heftig)*.
Das ist
Nicht wahr.

LERMA *(empfindlich)*.
Dann freilich bin ich ein Betrüger.

CARLOS *(sieht ihn lange an)*.
Der sind Sie. Ja.

LERMA. Ach! ich verzeih es Ihnen.

CARLOS *(geht in schrecklicher Bewegung auf und nieder und bleibt endlich vor ihm stehen)*.
Was hat er dir zuleid getan? Was haben
Die unschuldsvollen Bande dir getan,
Die du mit höllischer Geschäftigkeit
Zu reißen dich beeiferst?

LERMA. Prinz, ich ehre
Den Schmerz, der Sie unbillig macht.
CARLOS. O Gott!
Gott! – Gott! Bewahre mich vor Argwohn!
LERMA. Auch
Erinnr ich mich des Königs eigner Worte:
Wie vielen Dank, sagt' er, als ich hereintrat,
Bin ich für diese Neuigkeit Euch schuldig!
CARLOS. O stille! stille!
LERMA. Herzog Alba soll
Gefallen sein – dem Prinzen Ruy Gomez
Das große Siegel abgenommen und
Dem Marquis übergeben sein –
CARLOS *(in tiefes Grübeln verloren)*. Und *mir* verschwieg er!
Warum verschwieg er *mir*?
LERMA. Der ganze Hof
Staunt ihn schon als allmächtigen Minister,
Als unumschränkten Günstling an –
CARLOS. Er hat
Mich liebgehabt, sehr lieb. Ich war ihm teuer
Wie seine eigne Seele. O, das weiß ich –
Das haben tausend Proben mir erwiesen.
Doch sollen Millionen ihm, soll ihm
Das Vaterland nicht teurer sein als *einer*?
Sein Busen war für einen Freund zu groß,
Und Carlos' Glück zu klein für seine Liebe.
Er opferte mich seiner Tugend. Kann
Ich ihn drum schelten? – Ja, es ist gewiß!
Jetzt ists gewiß. Jetzt hab ich ihn verloren.
(Er geht seitwärts und verhüllt das Gesicht)
LERMA *(nach einigem Stillschweigen)*.
Mein bester Prinz, was kann ich für Sie tun?
CARLOS *(ohne ihn anzusehen)*.
Zum König gehen und mich auch verraten.
Ich habe nichts zu schenken.
LERMA. Wollen Sie

Erwarten, was erfolgen mag?

CARLOS *(stützt sich auf das Geländer und sieht starr vor sich hinaus).*
Ich hab ihn
Verloren. O! Jetzt bin ich ganz verlassen!

LERMA *(nähert sich ihm mit teilnehmender Rührung).*
Sie wollen nicht auf Ihre Rettung denken?

CARLOS. Auf meine Rettung? – Guter Mensch!

LERMA. Und sonst,
Sonst haben Sie für niemand mehr zu zittern?

CARLOS *(fährt auf).*
Gott! Woran mahnen Sie mich! – Meine Mutter!
Der Brief, den ich ihm wiedergab! ihm erst
Nicht lassen wollte und doch ließ!
(Er geht, heftig die Hände ringend, auf und nieder)
Womit
Hat *sie* es denn verdient um ihn? *Sie* hätt er
Doch schonen sollen. Lerma, hätt er nicht?
(Rasch entschlossen)
Ich muß zu ihr – ich muß sie warnen, muß
Sie vorbereiten – Lerma, lieber Lerma –
Wen schick ich denn? Hab ich denn niemand mehr?
Gott sei gelobt! Noch *einen* Freund – und hier
Ist nichts mehr zu verschlimmern.
(Schnell ab)

LERMA *(folgt ihm und ruft ihm nach).* Prinz! Wohin? *(Geht ab)*

Ein Zimmer der Königin

Vierzehnter Auftritt

Die Königin. Alba. Domingo

ALBA. Wenn uns vergönnt ist, große Königin –

KÖNIGIN. Was steht zu Ihren Diensten?

DOMINGO. Redliche Besorgnis
Für Ihrer Königlichen Majestät
Erhabene Person erlaubt uns nicht,

Bei einem Vorfall müßig stillzuschweigen,
Der Ihre Sicherheit bedroht.

ALBA. Wir eilen,
Durch unsre zeitge Warnung ein Komplott,
Das wider Sie gespielt wird, zu entkräften –

DOMINGO. Und unsern Eifer – unsre Dienste zu
Den Füßen Ihrer Majestät zu legen.

KÖNIGIN (*sieht sie verwundernd an*).
Hochwürdger Herr, und Sie, mein edler Herzog,
Sie überraschen mich wahrhaftig. Solcher
Ergebenheit war ich mir von Domingo
Und Herzog Alba wirklich nicht vermutend.
Ich weiß, wie ich sie schätzen muß – Sie nennen
Mir ein Komplott, das mich bedrohen soll.
Darf ich erfahren, wer – –

ALBA. Wir bitten Sie,
Vor einem Marquis Posa sich zu hüten,
Der für des Königs Majestät geheime
Geschäfte führt.

KÖNIGIN. Ich höre mit Vergnügen,
Daß der Monarch so gut gewählt. Den Marquis
Hat man mir längst als einen guten Menschen,
Als einen großen Mann gerühmt. Nie ward
Die höchste Gunst gerechter ausgeteilt –

DOMINGO. Gerechter ausgeteilt? Wir wissens besser.

ALBA. Es ist längst kein Geheimnis mehr, wozu
Sich dieser Mensch gebrauchen lassen.

KÖNIGIN. Wie?
Was wär denn das? Sie spannen meine ganze
Erwartung.

DOMINGO. – Ist es schon von lange,
Daß Ihre Majestät zum letztenmal in Ihrer
Schatulle nachgesehen?

KÖNIGIN. Wie?

DOMINGO. Und haben
Sie nichts darin vermißt von Kostbarkeiten?

KÖNIGIN. Wieso? Warum? Was ich vermisse, weiß
Mein ganzer Hof – Doch Marquis Posa? Wie
Kommt Marquis Posa damit in Verbindung?

ALBA. Sehr nahe, Ihre Majestät – denn auch
Dem Prinzen fehlen wichtige Papiere,
Die in des Königs Händen diesen Morgen
Gesehen worden – als der Chevalier
Geheime Audienz gehabt.

KÖNIGIN *(nach einigem Nachdenken)*.
Seltsam,
Bei Gott! und äußerst sonderbar! – Ich finde
Hier einen Feind, von dem mir nie geträumt,
Und wiederum zwei Freunde, die ich nie besessen
Zu haben mich entsinnen kann – Denn wirklich
(indem sie einen durchdringenden Blick auf beide heftet)
Muß ich gestehn, ich war schon in Gefahr,
Den schlimmen Dienst, der mir bei meinem Herrn
Geleistet worden – Ihnen zu vergeben.

ALBA. Uns?

KÖNIGIN. Ihnen.

DOMINGO. Herzog Alba! Uns!

KÖNIGIN *(noch immer die Augen fest auf sie gerichtet)*.
Wie lieb
Ist es mir also, meiner Übereilung
So bald gewahrzuwerden – Ohnehin
Hatt ich beschlossen, Seine Majestät
Noch heut zu bitten, meinen Kläger mir
Zu stellen. Um so besser nun! So kann ich
Auf Herzog Albas Zeugnis mich berufen.

ALBA. Auf mich? Das wollten Sie im Ernst?

KÖNIGIN. Warum nicht?

DOMINGO. Um alle Dienste zu entkräften, die
Wir Ihnen im verborgnen –

KÖNIGIN. Im verborgnen?
(Mit Stolz und Ernst)
Ich wünschte doch zu wissen, Herzog Alba,

Was Ihres Königs Frau mit Ihnen, oder
Mit Ihnen, Priester, abzureden hätte,
Das ihr Gemahl nicht wissen darf – Bin ich
Unschuldig oder schuldig?

DOMINGO. Welche Frage!

ALBA. Doch, wenn der König so gerecht nicht wäre?
Es jetzt zum mindesten nicht wäre?

KÖNIGIN. Dann
Muß ich erwarten, bis ers wird – Wohl dem,
Der zu gewinnen hat, wenn ers geworden!

(Sie macht ihnen eine Verbeugung und geht ab; jene entfernen sich nach einer andern Seite)

Zimmer der Prinzessin von Eboli

Funfzehnter Auftritt

Prinzessin von Eboli. Gleich darauf Carlos

EBOLI. So ist sie wahr, die außerordentliche Zeitung,
Die schon den ganzen Hof erfüllt?

CARLOS *(tritt herein)*. Erschrecken Sie
Nicht, Fürstin! Ich will sanft sein, wie ein Kind.

EBOLI. Prinz – diese Überraschung.

CARLOS. Sind Sie noch
Beleidigt? Noch?

EBOLI. Prinz!

CARLOS *(dringender)*. Sind Sie noch beleidigt?
Ich bitte, sagen Sie es mir.

EBOLI. Was soll das?
Sie scheinen zu vergessen, Prinz – Was suchen
Sie bei mir?

CARLOS *(ihre Hand mit Heftigkeit fassend)*.
Mädchen, kannst du ewig hassen?
Verzeiht gekränkte Liebe nie?

EBOLI *(will sich losmachen)*. Woran
Erinnern Sie mich, Prinz?

CARLOS. An deine Güte
Und meinen Undank – Ach! ich weiß es wohl!
Schwer hab ich dich beleidigt, Mädchen, habe
Dein sanftes Herz zerrissen, habe Tränen
Gepreßt aus diesen Engelblicken – ach!
Und bin auch jetzt nicht hier, es zu bereuen.

EBOLI. Prinz, lassen Sie mich – ich –

CARLOS. Ich bin gekommen,
Weil du ein sanftes Mädchen bist, weil ich
Auf deine gute, schöne Seele baue.
Sieh, Mädchen, sieh, ich habe keinen Freund mehr
Auf dieser Welt als dich allein. Einst warst
Du mir so gut – du wirst nicht ewig hassen
Und wirst nicht unversöhnlich sein.

EBOLI *(wendet das Gesicht ab)*. O stille!
Nichts mehr, um Gottes willen, Prinz –

CARLOS. Laß mich
An jene goldne Zeiten dich erinnern –
An deine Liebe laß mich dich erinnern,
An deine Liebe, Mädchen, gegen die
Ich so unwürdig mich verging. Laß mich
Jetzt geltenmachen, was ich dir gewesen,
Was deines Herzens Träume mir gegeben –
Noch einmal – nur noch *einmal* stelle mich
So, wie ich damals war, vor deine Seele
Und diesem Schatten opfre, was du mir,
Mir ewig nie mehr opfern kannst!

EBOLI. O Karl!
Wie grausam spielen Sie mit mir!

CARLOS. Sei größer
Als dein Geschlecht. Vergiß Beleidigungen,
Tu, was vor dir kein Weib getan – nach dir
Kein Weib mehr tun wird. Etwas Unerhörtes
Fordr ich von dir – Laß mich – auf meinen Knien
Beschwör ich dich – laß mich, zwei Worte laß mich
Mit meiner Mutter sprechen. *(Er wirft sich vor ihr nieder)*

Sechszehnter Auftritt

Die Vorigen. Marquis von Posa stürzt herein, hinter ihm zwei Offiziere der königlichen Leibwache

MARQUIS *(atemlos, außer sich dazwischentretend).*
Was hat er
Gestanden? Glauben Sie ihm nicht.
CARLOS *(noch auf den Knien, mit erhobner Stimme).*
Bei allem,
Was heilig –
MARQUIS *(unterbricht ihn mit Heftigkeit).*
Er ist rasend. Hören Sie
Den Rasenden nicht an.
CARLOS *(lauter, dringender).* Es gilt um Tod
Und Leben. Führen Sie mich zu ihr.
MARQUIS *(zieht die Prinzessin mit Gewalt von ihm).*
Ich
Ermorde Sie, wenn Sie ihn hören.
(Zu einem von den Offizieren) Graf
Von Cordua. Im Namen des Monarchen.
(Er zeigt den Verhaftsbefehl)
Der Prinz ist Ihr Gefangener.
(Carlos steht erstarrt, wie vom Donner gerührt. Die Prinzessin stößt einen Laut des Schreckens aus und will fliehen, die Offiziere erstaunen. Eine lange und tiefe Pause. Man sieht den Marquis sehr heftig zittern und mit Mühe seine Fassung behalten. Zum Prinzen)
Ich bitte
Um Ihren Degen – Fürstin Eboli,
Sie bleiben; und
(zu dem Offizier) Sie haften mir dafür,
Daß Seine Hoheit niemand spreche – niemand –
Sie selbst nicht, bei Gefahr des Kopfs!
(Er spricht noch einiges leise mit dem Offizier, darauf wendet er sich zum andern) Ich werfe
Sogleich mich selbst zu des Monarchen Füßen,
Ihm Rechenschaft zu geben –

(Zu Carlos) Und auch Ihnen –
Erwarten Sie mich, Prinz – in einer Stunde.

(Carlos läßt sich ohne Zeichen des Bewußtseins hinwegführen. – Nur im Vorübergehen läßt er einen matten, sterbenden Blick auf den Marquis fallen, der sein Gesicht verhüllt. Die Prinzessin versucht es noch einmal zu entfliehen; der Marquis führt sie beim Arme zurück)

Siebzehnter Auftritt

Prinzessin von Eboli. Marquis von Posa

EBOLI. Um aller Himmel willen, lassen Sie
Mich diesen Ort –

MARQUIS *(führt sie ganz vor, mit fürchterlichem Ernst).*
Was hat er dir gesagt,
Unglückliche?

EBOLI. Nichts – Lassen Sie mich – Nichts –

MARQUIS *(hält sie mit Gewalt zurück. Ernster).*
Wieviel hast du erfahren? Hier ist kein
Entrinnen mehr. Du wirst auf dieser Welt
Es niemand mehr erzählen.

EBOLI *(sieht ihm erschrocken ins Gesicht).*
Großer Gott!
Was meinen Sie damit? Sie wollen mich
Doch nicht ermorden?

MARQUIS *(zieht einen Dolch).*
In der Tat, das bin
Ich sehr gesonnen. Mach es kurz.

EBOLI. Mich? mich?
O! ewige Barmherzigkeit! Was hab
Ich denn begangen?

MARQUIS *(zum Himmel sehend, den Dolch auf ihre Brust gesetzt).*
Noch ists Zeit. Noch trat
Das Gift nicht über diese Lippen. Ich
Zerschmettre das Gefäß, und alles bleibt,
Wie es gewesen – Spaniens Verhängnis

Und eines Weibes Leben! –
(Er bleibt in dieser Stellung zweifelhaft ruhen)

EBOLI *(ist an ihm niedergesunken und sieht ihm fest ins Gesicht).*
Nun? Was zaudern Sie?
Ich bitte nicht um Schonung – Nein! Ich habe
Verdient zu sterben, und ich wills.

MARQUIS *(läßt die Hand langsam sinken. Nach einem kurzen Besinnen).*
Das wäre
So feig, als es barbarisch ist – Nein, nein!
Gott sei gelobt! – Noch gibts ein andres Mittel!
(Er läßt den Dolch fallen und eilt hinaus. Die Prinzessin stürzt fort durch eine andere Türe)

Ein Zimmer der Königin

Achtzehnter Auftritt

Die Königin zur Gräfin Fuentes

Was für ein Auflauf im Palaste? Jedes
Getöse, Gräfin, macht mir heute Schrecken.
O, sehen Sie doch nach und sagen mir,
Was es bedeutet.
(Die Gräfin Fuentes geht ab, und hereinstürzt die Prinzessin von Eboli)

Neunzehnter Auftritt

Königin. Prinzessin von Eboli

EBOLI *(atemlos, bleich und entstellt, vor der Königin niedergesunken).*
Königin! Zu Hülfe!
Er ist gefangen.

KÖNIGIN. Wer?

EBOLI. Der Marquis Posa
Nahm auf Befehl des Königs ihn gefangen.

KÖNIGIN. Wen aber? Wen?

EBOLI. Den Prinzen.

KÖNIGIN. Rasest du?
EBOLI. Soeben führen sie ihn fort.
KÖNIGIN. Und wer
Nahm ihn gefangen?
EBOLI. Marquis Posa.
KÖNIGIN. Nun!
Gott sei gelobt, daß es der Marquis war,
Der ihn gefangennahm!
EBOLI. Das sagen Sie
So ruhig, Königin? so kalt? – O Gott!
Sie ahnden nicht – Sie wissen nicht –
KÖNIGIN. Warum er
Gefangen worden? – Eines Fehltritts wegen,
Vermut ich, der dem heftigen Charakter
Des Jünglings sehr natürlich war.
EBOLI. Nein, nein!
Ich weiß es besser – Nein – O Königin!
Verruchte, teufelische Tat! – Für ihn
Ist keine Rettung mehr! Er stirbt!
KÖNIGIN. Er stirbt?
EBOLI. Und seine Mörderin bin ich!
KÖNIGIN. Er stirbt!
Wahnsinnige, bedenkst du?
EBOLI. Und warum –
Warum er stirbt! – O, hätt ich wissen können,
Daß es bis dahin kommen würde!
KÖNIGIN *(nimmt sie gütig bei der Hand)*. Fürstin!
Noch sind Sie außer Fassung. Sammeln Sie
Erst Ihre Geister, daß Sie ruhiger,
Nicht in so grauenvollen Bildern, die
Mein Innerstes durchschauern, mir erzählen.
Was wissen Sie? Was ist geschehen?
EBOLI. O!
Nicht diese himmlische Herablassung,
Nicht diese Güte, Königin! Wie Flammen
Der Hölle schlägt sie brennend mein Gewissen.

Ich bin nicht würdig, den entweihten Blick
Zu Ihrer Glorie emporzurichten.
Zertreten Sie die Elende, die sich,
Zerknirscht von Reue, Scham und Selbstverachtung,
Zu Ihren Füßen krümmt.

KÖNIGIN. Unglückliche!
Was haben Sie mir zu gestehen?

EBOLI. Engel
Des Lichtes! Große Heilige! Noch kennen,
Noch ahnden Sie den Teufel nicht, dem Sie
So liebevoll gelächelt – Lernen Sie
Ihn heute kennen. Ich – ich war der Dieb,
Der Sie bestohlen.

KÖNIGIN. Sie?

EBOLI. Und jene Briefe
Dem König ausgeliefert.

KÖNIGIN. Sie?

EBOLI. Der sich
Erdreistet hat, Sie anzuklagen –

KÖNIGIN. Sie,
Sie konnten –

EBOLI. Rache – Liebe – Raserei –
Ich haßte Sie und liebte den Infanten –

KÖNIGIN. Weil Sie ihn liebten –?

EBOLI. Weil ichs ihm gestanden
Und keine Gegenliebe fand.

KÖNIGIN *(nach einem Stillschweigen)*.
O, jetzt
Enträtselt sich mir alles! – Stehn Sie auf.
Sie liebten ihn – ich habe schon vergeben.
Es ist nun schon vergessen – Stehn Sie auf.
(Sie reicht ihr den Arm)

EBOLI. Nein! Nein!
Ein schreckliches Geständnis ist noch übrig.
Nicht eher, große Königin –

KÖNIGIN *(aufmerksam)*. Was werd ich

Noch hören müssen? Reden Sie –

EBOLI. Der König –

Verführung – O, Sie blicken weg – ich lese
In Ihrem Angesicht Verwerfung – Das
Verbrechen, dessen ich Sie zeihte – ich
Beging es selbst.

(Sie drückt ihr glühendes Gesicht auf den Boden. Die Königin geht ab. Große Pause. Die Herzogin von Olivarez kommt nach einigen Minuten aus dem Kabinett, in welches die Königin gegangen war, und findet die Fürstin noch in der vorigen Stellung liegen. Sie nähert sich ihr still schweigend; auf das Geräusch richtet sich die letztere auf und fährt wie eine Rasende in die Höhe, da sie die Königin nicht mehr gewahr wird)

Zwanzigster Auftritt

Prinzessin von Eboli. Herzogin von Olivarez

EBOLI. Gott! Sie hat mich verlassen!

Jetzt ist es aus.

OLIVAREZ *(tritt ihr näher).*

Prinzessin Eboli –

EBOLI. Ich weiß, warum Sie kommen, Herzogin.

Die Königin schickt Sie heraus, mein Urteil
Mir anzukündigen – Geschwind!

OLIVAREZ. Ich habe

Befehl von Ihrer Majestät, Ihr Kreuz
Und Ihre Schlüssel in Empfang zu nehmen –

EBOLI *(nimmt ein goldnes Ordenskreuz vom Busen und gibt es in die Hände der Herzogin).*

Doch *einmal* noch ist mir vergönnt, die Hand
Der besten Königin zu küssen?

OLIVAREZ. Im

Marienkloster wird man Ihnen sagen,
Was über Sie beschlossen ist.

EBOLI *(unter hervorstürzenden Tränen).*

Ich sehe

Die Königin nicht wieder?

OLIVAREZ *(umarmt sie mit abgewandtem Gesicht).*

Leben Sie glücklich!

(Sie geht schnell fort. Die Prinzessin folgt ihr bis an die Türe des Kabinetts, welche sogleich hinter der Herzogin verschlossen wird. Einige Minuten bleibt sie stumm und unbeweglich auf den Knien davor liegen, dann rafft sie sich auf und eilt hinweg mit verhülltem Gesicht)

Einundzwanzigster Auftritt

Die Königin. Marquis von Posa

KÖNIGIN. Ach endlich, Marquis! Glücklich, daß Sie kommen!

MARQUIS *(bleich, mit zerstörtem Gesicht, bebender Stimme und durch diesen ganzen Auftritt in feierlicher, tiefer Bewegung).*

Sind Ihre Majestät allein? Kann niemand
In diesen nächsten Zimmern uns behorchen?

KÖNIGIN. Kein Mensch – Warum? Was bringen Sie?
(Indem sie ihn genauer ansieht und erschrocken zurücktritt) Und wie
So ganz verändert! Was ist das? Sie machen
Mich zittern, Marquis – alle Ihre Züge
Wie eines Sterbenden entstellt –

MARQUIS. Sie wissen
Vermutlich schon –

KÖNIGIN. Daß Karl gefangen worden,
Und zwar durch Sie, setzt man hinzu – So ist
Es dennoch wahr? Ich wollt es keinem Menschen
Als Ihnen glauben.

MARQUIS. Es ist wahr.

KÖNIGIN. Durch Sie?

MARQUIS. Durch mich.

KÖNIGIN *(sieht ihn einige Augenblicke zweifelhaft an).*

Ich ehre Ihre Handlungen,
Auch wenn ich sie nicht fasse – Diesmal aber
Verzeihen Sie dem bangen Weib. Ich fürchte,
Sie spielen ein gewagtes Spiel.

MARQUIS. Ich hab es
Verloren.

KÖNIGIN. Gott im Himmel!

MARQUIS. Seien Sie
Ganz ruhig, meine Königin! Für *ihn*
Ist schon gesorgt. Ich hab es *mir* verloren.

KÖNIGIN. Was werd ich hören! Gott!

MARQUIS. Denn wer,
Wer hieß auf einen zweifelhaften Wurf
Mich alles setzen? Alles? So verwegen,
So zuversichtlich mit dem Himmel spielen?
Wer ist der Mensch, der sich vermessen will,
Des Zufalls schweres Steuer zu regieren
Und doch nicht der Allwissende zu sein?
O, es ist billig! – Doch warum denn jetzt
Von mir? Der Augenblick ist kostbar, wie
Das Leben eines Menschen! Und wer weiß,
Ob aus des Richters karger Hand nicht schon
Die letzten Tropfen für mich fallen?

KÖNIGIN. Aus
Des Richters Hand? – Welch feierlicher Ton!
Ich fasse nicht, was diese Reden meinen,
Doch sie entsetzen mich –

MARQUIS. Er ist gerettet!
Um welchen Preis ers ist, gleichviel! Doch nur
Für heute. Wenig Augenblicke sind
Noch sein. Er spare sie. Noch diese Nacht
Muß er Madrid verlassen.

KÖNIGIN. Diese Nacht noch?

MARQUIS. Anstalten sind getroffen. In demselben
Kartäuserkloster, das schon lange Zeit
Die Zuflucht unsrer Freundschaft war gewesen,
Erwartet ihn die Post. Hier ist in Wechseln,
Was mir das Glück auf dieser Welt gegeben.
Was mangelt, legen *Sie* noch bei. Zwar hätt ich
An meinen Karl noch manches auf dem Herzen,

Noch manches, das er wissen muß; doch leicht
Könnt es an Muße mir gebrechen, alles
Persönlich mit ihm abzutun – Sie sprechen
Ihn diesen Abend, darum wend ich mich
An Sie –

KÖNIGIN. Um meiner Ruhe willen, Marquis,
Erklären Sie sich deutlicher – nicht in
So fürchterlichen Rätseln reden Sie
Mit mir – Was ist geschehn?

MARQUIS. Ich habe noch
Ein wichtiges Bekenntnis abzulegen;
In Ihre Hände leg ichs ab. Mir ward
Ein Glück, wie es nur wenigen geworden:
Ich liebte einen Fürstensohn – Mein Herz,
Nur einem einzigen geweiht, umschloß
Die ganze Welt! – In meines Carlos Seele
Schuf ich ein Paradies für Millionen.
O, meine Träume waren schön – Doch es
Gefiel der Vorsehung, mich vor der Zeit
Von meiner schönen Pflanzung abzurufen.
Bald hat er seinen Roderich nicht mehr,
Der Freund hört auf in der Geliebten. Hier,
Hier – hier – auf diesem heiligen Altare,
Im Herzen seiner Königin leg ich
Mein letztes kostbares Vermächtnis nieder,
Hier find ers, wenn ich nicht mehr bin –
(Er wendet sich ab, Tränen ersticken seine Stimme)

KÖNIGIN. Das ist
Die Sprache eines Sterbenden. Noch hoff ich,
Es ist nur Wirkung Ihres Blutes – oder
Liegt Sinn in diesen Reden?

MARQUIS *(hat sich zu sammeln gesucht und fährt mit festerem Tone fort)*.
Sagen Sie
Dem Prinzen, daß er denken soll des Eides,
Den wir in jenen schwärmerischen Tagen
Auf die geteilte Hostie geschworen.

Den meinigen hab ich gehalten, bin
Ihm treugeblieben bis zum Tod – jetzt ists
An ihm, den seinigen –

KÖNIGIN. Zum Tod?

MARQUIS. Er mache –
O, sagen Sie es ihm! das Traumbild wahr,
Das kühne Traumbild eines neuen Staates,
Der Freundschaft göttliche Geburt. Er lege
Die erste Hand an diesen rohen Stein.
Ob er vollende oder unterliege –
Ihm einerlei! Er lege Hand an. Wenn
Jahrhunderte dahingeflohen, wird
Die Vorsicht einen Fürstensohn, wie er,
Auf einem Thron, wie seiner, wiederholen
Und ihren neuen Liebling mit derselben
Begeisterung entzünden. Sagen Sie
Ihm, daß er für die Träume seiner Jugend
Soll Achtung tragen, wenn er Mann sein wird,
Nicht öffnen soll dem tötenden Insekte
Gerühmter besserer Vernunft das Herz
Der zarten Götterblume – daß er nicht
Soll irre werden, wenn des Staubes Weisheit
Begeisterung, die Himmelstochter, lästert.
Ich hab es ihm zuvor gesagt –

KÖNIGIN. Wie, Marquis?
Und wozu führt –

MARQUIS. Und sagen Sie ihm, daß
Ich Menschenglück auf seine Seele lege,
Daß ich es sterbend von ihm fordre – fordre!
Und sehr dazu berechtigt war. Es hätte
Bei mir gestanden, einen neuen Morgen
Heraufzuführen über diese Reiche.
Der König schenkte mir sein Herz. Er nannte
Mich seinen Sohn – Ich führe seine Siegel,
Und seine Alba sind nicht mehr.

(Er hält inne und sieht einige Augenblicke stillschweigend auf die Königin)

Sie weinen –
O, diese Tränen kenn ich, schöne Seele,
Die Freude macht sie fließen. Doch vorbei,
Es ist vorbei. Karl oder ich. Die Wahl
War schnell und schrecklich. Einer war verloren,
Und ich will dieser *eine* sein – ich lieber –
Verlangen Sie nicht mehr zu wissen.

KÖNIGIN. Jetzt,
Jetzt endlich fang ich an, Sie zu begreifen –
Unglücklicher, was haben Sie getan?

MARQUIS. Zwo kurze Abendstunden hingegeben,
Um einen hellen Sommertag zu retten.
Den König geb ich auf. Was kann ich auch
Dem König sein? – In diesem starren Boden
Blüht keine meiner Rosen mehr – Europas
Verhängnis reift in meinem großen Freunde!
Auf ihn verweis ich Spanien – Es blute
Bis dahin unter Philipps Hand! – Doch weh!
Weh mir und ihm, wenn ich bereuen sollte,
Vielleicht das Schlimmere gewählt! – Nein! Nein!
Ich kenne meinen Carlos – das wird nie
Geschehn – und meine Bürgin, Königin,
Sind *Sie!*
(Nach einigem Stillschweigen)
Ich sah sie keimen, diese Liebe, sah
Der Leidenschaften unglückseligste
In seinem Herzen Wurzel fassen – Damals
Stand es in meiner Macht, sie zu bekämpfen.
Ich tat es nicht. Ich nährte diese Liebe,
Die mir nicht unglückselig war. Die Welt
Kann anders richten. Ich bereue nicht.
Mein Herz klagt mich nicht an. Ich sahe Leben,
Wo sie nur Tod – in dieser hoffnungslosen Flamme
Erkannt ich früh der Hoffnung goldnen Strahl.
Ich wollt ihn führen zum Vortrefflichen,
Zur höchsten Schönheit wollt ich ihn erheben:

Die Sterblichkeit versagte mir ein Bild,
Die Sprache Worte – da verwies ich ihn
Auf *dieses* – meine ganze Leitung war,
Ihm seine Liebe zu erklären.

KÖNIGIN. Marquis,
Ihr Freund erfüllte Sie so ganz, daß Sie
Mich über ihm vergaßen. Glaubten Sie
Im Ernst mich aller Weiblichkeit entbunden,
Da Sie zu seinem Engel mich gemacht,
Zu seinen Waffen Tugend ihm gegeben?
Das überlegten Sie wohl nicht, wieviel
Für unser Herz zu wagen ist, wenn wir
Mit solchen Namen Leidenschaft veredeln.

MARQUIS. Für alle Weiber, nur für *eines* nicht.
Auf *eines* schwör ich – Oder sollten Sie,
Sie der Begierden edelster sich schämen,
Der Heldentugend Schöpferin zu sein?
Was geht es König Philipp an, wenn seine
Verklärung in Eskurial den Maler,
Der vor ihr steht, mit Ewigkeit entzündet?
Gehört die süße Harmonie, die in
Dem Saitenspiele schlummert, seinem Käufer,
Der es mit taubem Ohr bewacht? Er hat
Das Recht erkauft, in Trümmern es zu schlagen,
Doch nicht die Kunst, dem Silberton zu rufen
Und in des Liedes Wonne zu zerschmelzen.
Die Wahrheit ist vorhanden für den Weisen,
Die Schönheit für ein fühlend Herz. Sie beide
Gehören füreinander. Diesen Glauben
Soll mir kein feiges Vorurteil zerstören.
Versprechen Sie mir, ewig ihn zu lieben,
Von Menschenfurcht, von falschem Heldenmut
Zu nichtiger Verleugnung nie versucht,
Unwandelbar und ewig ihn zu lieben,
Versprechen Sie mir dieses? – Königin –
Versprechen Sies in meine Hand?

KÖNIGIN. Mein Herz,
Versprech ich Ihnen, soll allein und ewig
Der Richter meiner Liebe sein.

MARQUIS *(zieht seine Hand zurück)*. Jetzt sterb ich
Beruhigt – Meine Arbeit ist getan.
(Er neigt sich gegen die Königin und will gehen)

KÖNIGIN *(begleitet ihn schweigend mit den Augen)*.
Sie gehen, Marquis – ohne mir zu sagen,
Wann wir – wie bald – uns wiedersehn?

MARQUIS *(kommt noch einmal zurück, das Gesicht abgewendet)*.
Gewiß!
Wir sehn uns wieder.

KÖNIGIN. Ich verstand Sie, Posa –
Verstand Sie recht gut. – Warum haben Sie
Mir das getan?

MARQUIS. Er oder ich.

KÖNIGIN. Nein! Nein!
Sie stürzten sich in diese Tat, die Sie
Erhaben nennen. Leugnen Sie nur nicht.
Ich kenne Sie, Sie haben längst darnach
Gedürstet – Mögen tausend Herzen brechen,
Was kümmert Sies, wenn sich Ihr Stolz nur weidet.
O, jetzt – jetzt lern ich Sie verstehn! Sie haben
Nur um Bewunderung gebuhlt.

MARQUIS *(betroffen, vor sich)*. Nein! Darauf
War ich nicht vorbereitet –

KÖNIGIN *(nach einem Stillschweigen)*.
Marquis!
Ist keine Rettung möglich?

MARQUIS. Keine.

KÖNIGIN. Keine?
Besinnen Sie sich wohl. Ist keine möglich?
Auch nicht durch mich?

MARQUIS. Auch nicht durch Sie.

KÖNIGIN. Sie kennen mich
Zur Hälfte nur – ich habe Mut.

MARQUIS. Ich weiß es.
KÖNIGIN. Und keine Rettung?
MARQUIS. Keine.
KÖNIGIN *(verläßt ihn und verhüllt das Gesicht).*
Gehen Sie!
Ich schätze keinen Mann mehr.
MARQUIS *(in der heftigsten Bewegung vor ihr niedergeworfen).*
Königin!
– O Gott! das Leben ist doch schön.
(Er springt auf und geht schnell fort. Die Königin in ihr Kabinett)

Vorzimmer des Königs

Zweiundzwanzigster Auftritt

Herzog von Alba und Domingo gehen stillschweigend und abgesondert auf und nieder. Graf Lerma kommt aus dem Kabinett des Königs, alsdann Don Raimond von Taxis, der Oberpostmeister

LERMA. Ob sich der Marquis noch nicht blicken lassen?
ALBA. Noch nicht.
(Lerma will wieder hineingehen)
TAXIS *(tritt auf).* Graf Lerma, melden Sie mich an.
LERMA. Der König ist für niemand.
TAXIS. Sagen Sie,
Ich *muß* ihn sprechen – Seiner Majestät
Ist äußerst dran gelegen. Eilen Sie.
Es leidet keinen Aufschub.
(Lerma geht ins Kabinett)
ALBA *(tritt zum Oberpostmeister).* Lieber Taxis,
Gewöhnen Sie sich zur Geduld. Sie sprechen
Den König nicht –
TAXIS. Nicht? Und warum?
ALBA. Sie hätten
Die Vorsicht denn gebraucht, sich die Erlaubnis

Beim Chevalier von Posa auszuwirken,
Der Sohn und Vater zu Gefangnen macht.

TAXIS. Von Posa? Wie? Ganz recht! Das ist derselbe,
Aus dessen Hand ich diesen Brief empfangen –

ALBA. Brief? Welchen Brief?

TAXIS. Den ich nach Brüssel habe
Befördern sollen –

ALBA *(aufmerksam)*. Brüssel?

TAXIS. Den ich eben
Dem König bringe –

ALBA. Brüssel! Haben Sie
Gehört, Kaplan? Nach Brüssel!

DOMINGO *(tritt dazu)*. Das ist sehr
Verdächtig.

TAXIS. Und wie ängstlich, wie verlegen
Er mir empfohlen worden!

DOMINGO. Ängstlich? So!

ALBA. An wen ist denn die Aufschrift?

TAXIS. An den Prinzen
Von Nassau und Oranien.

ALBA. An Wilhelm? –
Kaplan! Das ist Verräterei.

DOMINGO. Was könnt
Es anders sein? – Ja freilich, diesen Brief
Muß man sogleich dem König überliefern.
Welch ein Verdienst von Ihnen, würdger Mann,
So streng zu sein in Ihres Königs Dienst!

TAXIS. Hochwürdger Herr, ich tat nur meine Pflicht.

ALBA. Sie taten wohl.

LERMA *(kommt aus dem Kabinett. Zum Oberpostmeister)*.
Der König will Sie sprechen.
(Taxis geht hinein)
Der Marquis immer noch nicht da?

DOMINGO. Man sucht
Ihn allerorten.

ALBA. Sonderbar und seltsam.

Der Prinz ein Staatsgefangner, und der König
Noch selber ungewiß, warum?

DOMINGO. Er war
Nicht einmal hier, ihm Rechenschaft zu geben?

ALBA. Wie nahm es denn der König auf?

LERMA. Der König
Sprach noch kein Wort.
(Geräusch im Kabinett)

ALBA. Was war das? Still!

TAXIS *(aus dem Kabinett).* Graf Lerma!
(Beide hinein)

ALBA *(zu Domingo).*
Was geht hier vor?

DOMINGO. Mit diesem Ton des Schreckens?
Wenn dieser aufgefangne Brief? – Mir ahndet
Nichts Gutes, Herzog.

ALBA. Lerma läßt er rufen!
Und wissen muß er doch, daß Sie und ich
Im Vorsaal –

DOMINGO. Unsre Zeiten sind vorbei.

ALBA. Bin ich derselbe denn nicht mehr, dem hier
Sonst alle Türen sprangen? Wie ist alles
Verwandelt um mich her – wie fremd –

DOMINGO *(hat sich leise der Kabinettstüre genähert und bleibt lauschend davor stehen).* Horch!

ALBA *(nach einer Pause).* Alles
Ist totenstill. Man hört sie Atem holen.

DOMINGO. Die doppelte Tapete dämpft den Schall.

ALBA. Hinweg! Man kommt.

DOMINGO *(verläßt die Türe).* Mir ist so feierlich,
So bang, als sollte dieser Augenblick
Ein großes Los entscheiden.

Dreiundzwanzigster Auftritt

Der Prinz von Parma, die Herzoge von Feria und Medina Sidonia mit noch einigen andern Granden treten auf. Die Vorigen

PARMA. Ist der König
Zu sprechen?
ALBA. Nein.
PARMA. Nein? Wer ist bei ihm?
FERIA. Marquis
Von Posa ohne Zweifel?
ALBA. Den erwartet man
Soeben.
PARMA. Diesen Augenblick
Sind wir von Saragossa eingetroffen.
Der Schrecken geht durch ganz Madrid – Ist es
Denn wahr?
DOMINGO. Ja, leider!
FERIA. Es ist wahr? Er ist
Durch den Malteser in Verhaft genommen?
ALBA. So ists.
PARMA. Warum? Was ist geschehn?
ALBA. Warum?
Das weiß kein Mensch als Seine Majestät
Und Marquis Posa.
PARMA. Ohne Zuziehung
Der Cortes seines Königreichs?
FERIA. Weh dem,
Der teilgehabt an dieser Staatsverletzung.
ALBA. Weh ihm! So ruf ich auch.
MEDINA SIDONIA. Ich auch.
DIE ÜBRIGEN GRANDEN. Wir alle.
ALBA. Wer folgt mir in das Kabinett? – Ich werfe
Mich zu des Königs Füßen.
LERMA *(stürzt aus dem Kabinett)*. Herzog Alba!
DOMINGO. Endlich!

Gelobt sei Gott!
(Alba eilt hinein)

LERMA *(atemlos, in großer Bewegung).*
Wenn der Malteser kommt,
Der Herr ist jetzo nicht allein, er wird
Ihn rufen lassen –

DOMINGO *(zu Lerma, indem sich alle übrigen voll neugieriger Erwartung um ihn versammeln).* Graf, was ist geschehen?
Sie sind ja blaß wie eine Leiche.

LERMA *(will forteilen).* Das
Ist teufelisch!

PARMA UND FERIA.
Was denn? Was denn?

MEDINA SIDONIA. Was macht
Der König?

DOMINGO *(zugleich).*
Teufelisch? Was denn?

LERMA. Der König hat
Geweint.

DOMINGO. Geweint?

ALLE *(zugleich, mit betretnem Erstaunen).*
Der König hat geweint?
(Man hört eine Glocke im Kabinett. Graf Lerma eilt hinein)

DOMINGO *(ihm nach, will ihn zurückhalten).*
Graf, noch ein Wort – Verziehen Sie – Weg ist er!
Da stehn wir angefesselt von Entsetzen.

Vierundzwanzigster Auftritt

Prinzessin von Eboli. Feria. Medina Sidonia. Parma.
Domingo und übrige Granden

EBOLI *(eilig, außer sich).*
Wo ist der König? Wo? Ich muß ihn sprechen.
(Zu Feria)
Sie, Herzog, führen mich zu ihm.

FERIA. Der König
Hat wichtige Verhinderung. Kein Mensch
Wird vorgelassen.

EBOLI. Unterzeichnet er
Das fürchterliche Urteil schon? Er ist
Belogen. Ich beweis es ihm, daß er
Belogen ist.

DOMINGO *(gibt ihr von ferne einen bedeutenden Wink).*
Prinzessin Eboli!

EBOLI *(geht auf ihn zu).*
Sie auch da, Priester? Recht! Sie brauch ich eben.
Sie sollen mirs bekräftigen.
(Sie ergreift seine Hand und will ihn ins Kabinett mit fortreißen.)

DOMINGO. Ich? – Sind
Sie bei sich, Fürstin?

FERIA. Bleiben Sie zurück.
Der König hört Sie jetzt nicht an.

EBOLI. Er muß
Mich hören. Wahrheit muß er hören – Wahrheit!
Und wär er zehenmal ein Gott!

DOMINGO. Weg! Weg!
Sie wagen alles. Bleiben Sie zurück.

EBOLI. Mensch, zittre du vor deines Götzen Zorn.
Ich habe nichts zu wagen.
(Wie sie ins Kabinett will, stürzt heraus)

HERZOG ALBA *(Seine Augen funkeln, Triumph ist in seinem Gang. Er eilt auf Domingo zu und umarmt ihn).*
Lassen Sie
In allen Kirchen ein Tedeum tönen.
Der Sieg ist unser.

DOMINGO. Unser?

ALBA *(zu Domingo und den übrigen Granden).*
Jetzt hinein
Zum Herrn. Sie sollen weiter von mir hören.

FÜNFTER AKT

Ein Zimmer im königlichen Palast, durch eine eiserne Gittertüre von einem großen Vorhofe abgesondert, in welchem Wachen auf und nieder gehen

Erster Auftritt

Carlos an einem Tische sitzend, den Kopf vorwärts auf die Arme gelegt, als wenn er schlummerte. Im Hintergrunde des Zimmers einige Offiziere, die mit ihm eingeschlossen sind. Marquis von Posa tritt herein, ohne von ihm bemerkt zu werden, und spricht leise mit den Offizieren, welche sich sogleich entfernen. Er selbst tritt ganz nahe vor Carlos und betrachtet ihn einige Augenblicke schweigend und traurig. Endlich macht er eine Bewegung, welche diesen aus seiner Betäubung erweckt

CARLOS *(steht auf, wird den Marquis gewahr und fährt erschrocken zusammen. Dann sieht er ihn eine Weile mit großen, starren Augen an und streicht mit der Hand über die Stirne, als ob er sich auf etwas besinnen wollte).*
MARQUIS. Ich bin es, Karl.
CARLOS *(gibt ihm die Hand).*
Du kommst sogar noch zu mir?
Das ist doch schön von dir.
MARQUIS. Ich bildete
Mir ein, du könntest deinen Freund hier brauchen.
CARLOS. Wahrhaftig? Meintest du das wirklich? Sieh!
Das freut mich – freut mich unbeschreiblich. Ach!
Ich wußt es wohl, daß du mir gut geblieben.
MARQUIS. Ich hab es auch um dich verdient.
CARLOS. Nicht wahr?
O, wir verstehen uns noch ganz. So hab
Ichs gerne. Diese Schonung, diese Milde
Steht großen Seelen an wie du und ich.
Laß sein, daß meiner Forderungen eine
Unbillig und vermessen war, mußt du
Mir darum auch die billigen versagen?

Hart kann die Tugend sein, doch grausam nie,
Unmenschlich nie – Es hat dir viel gekostet!
O ja, mir deucht, ich weiß recht gut, wie sehr
Geblutet hat dein sanftes Herz, als du
Dein Opfer schmücktest zum Altare.

MARQUIS. Carlos!
Wie meinst du das?

CARLOS. Du selbst wirst jetzt vollenden,
Was ich gesollt und nicht gekonnt – Du wirst
Den Spaniern die goldnen Tage schenken,
Die sie von mir umsonst gehofft. Mit mir
Ist es ja aus – auf immer aus. Das hast
Du eingesehn – O diese fürchterliche Liebe
Hat alle frühe Blüten meines Geistes
Unwiederbringlich hingerafft. Ich bin
Für deine großen Hoffnungen gestorben.
Vorsehung oder Zufall führen dir
Den König zu – Es kostet mein Geheimnis,
Und er ist dein – du kannst sein Engel werden.
Für mich ist keine Rettung mehr – vielleicht
Für Spanien – Ach, hier ist nichts verdammlich,
Nichts, nichts als meine rasende Verblendung,
Bis diesen Tag nicht eingesehn zu haben,
Daß du – so groß als zärtlich bist.

MARQUIS. Nein! Das,
Das hab ich nicht vorhergesehen – nicht
Vorhergesehen, daß eines Freundes Großmut
Erfinderischer könnte sein als meine
Weltkluge Sorgfalt. Mein Gebäude stürzt
Zusammen – ich vergaß dein Herz.

CARLOS. Zwar, wenn dirs möglich wär gewesen, *ihr*
Dies Schicksal zu ersparen – sieh, das hätte
Ich unaussprechlich dir gedankt. Konnt ich
Denn nicht allein es tragen? Mußte sie
Das zweite Opfer sein? – Doch still davon!
Ich will mit keinem Vorwurf dich beladen.

Was geht die Königin *dich* an? Liebst *du*
Die Königin? Soll deine strenge Tugend
Die kleinen Sorgen meiner Liebe fragen?
Verzeih mir – ich war ungerecht.

MARQUIS. Du bists.
Doch – dieses Vorwurfs wegen nicht. Verdient
Ich *einen*, dann verdient ich alle – und
Dann würd ich *so* nicht vor dir stehen.
(Er nimmt sein Portefeuille heraus) Hier
Sind von den Briefen einge wieder, die
Du in Verwahrung mir gegeben. Nimm
Sie zu dir.

CARLOS *(sieht mit Verwunderung bald die Briefe, bald den Marquis an)*.
Wie?

MARQUIS. Ich gebe sie dir wieder,
Weil sie in deinen Händen sichrer jetzt
Sein dürften als in meinen.

CARLOS. Was ist das?
Der König las sie also nicht? bekam
Sie gar nicht zu Gesichte?

MARQUIS. *Diese* Briefe?

CARLOS. Du zeigtest ihm nicht alle?

MARQUIS. Wer sagt' dir,
Daß ich ihm *einen* zeigte?

CARLOS *(äußerst erstaunt)*. Ist es möglich?
Graf Lerma.

MARQUIS. *Der* hat dir gesagt? – Ja, nun
Wird alles, alles offenbar! Wer konnte
Das auch voraussehn? – Lerma also? – Nein,
Der Mann hat lügen nie gelernt. Ganz recht,
Die andern Briefe liegen bei dem König.

CARLOS *(sieht ihn lange mit sprachlosem Erstaunen an)*.
Weswegen bin ich aber hier?

MARQUIS. Zur Vorsicht,
Wenn du vielleicht zum zweitenmal versucht
Sein möchtest, eine Eboli zu deiner

Vertrauten zu erwählen –

CARLOS *(wie aus einem Traume erwacht).*

Ha! Nun endlich!

Jetzt seh ich – jetzt wird alles Licht –

MARQUIS *(geht nach der Türe).* Wer kommt?

Zweiter Auftritt

Herzog Alba. Die Vorigen

ALBA *(nähert sich ehrerbietig dem Prinzen, dem Marquis durch diesen ganzen Auftritt den Rücken zuwendend).*

Prinz, Sie sind frei. Der König schickt mich ab,
Es Ihnen anzukündigen.
(Carlos sieht den Marquis verwundernd an. Alle schweigen still)
Zugleich
Schätz ich mich glücklich, Prinz, der erste sein
Zu dürfen, der die Gnade hat –

CARLOS *(bemerkt beide mit äußerster Verwunderung. Nach einer Pause zum Herzog).* Ich werde
Gefangen eingesetzt und frei erklärt,
Und ohne mir bewußt zu sein, warum
Ich beides werde?

ALBA. Aus Versehen, Prinz,
Soviel ich weiß, zu welchem irgendein
– Betrüger den Monarchen hingerissen.

CARLOS. Doch aber ist es auf Befehl des Königs,
Daß ich mich hier befinde?

ALBA. Ja, durch ein
Versehen Seiner Majestät.

CARLOS. Das tut
Mir wirklich leid – Doch wenn der König sich
Versieht, kommt es dem König zu, in eigner
Person den Fehler wieder zu verbessern.
(Er sucht die Augen des Marquis und beobachtet eine stolze Herabsetzung gegen den Herzog)

Man nennt mich hier Don Philipps Sohn. Die Augen
Der Lästerung und Neugier ruhn auf mir.
Was Seine Majestät aus Pflicht getan,
Will ich nicht scheinen ihrer Huld zu danken.
Sonst bin ich auch bereit, vor dem Gerichte
Der Cortes mich zu stellen – meinen Degen
Nehm ich aus solcher Hand nicht an.

ALBA. Der König
Wird keinen Anstand nehmen, Eurer Hoheit
Dies billige Verlangen zu gewähren,
Wenn Sie vergönnen wollen, daß ich Sie
Zu ihm begleiten darf –

CARLOS. Ich bleibe hier,
Bis mich der König oder sein Madrid
Aus diesem Kerker führen. Bringen Sie
Ihm diese Antwort.
(Alba entfernt sich. Man sieht ihn noch eine Zeitlang im Vorhofe verweilen und Befehle austeilen)

Dritter Auftritt

Carlos und Marquis von Posa

CARLOS *(nachdem der Herzog hinaus ist, voll Erwartung und Erstaunen zum Marquis).* Was ist aber das?
Erkläre mirs. Bist du denn nicht Minister?

MARQUIS. Ich bins gewesen, wie du siehst.
(Auf ihn zugehend, mit großer Bewegung). O Karl,
Es hat gewirkt. Es hat. Es ist gelungen.
Jetzt ists getan. Gepriesen sei die Allmacht,
Die es gelingen ließ.

CARLOS. Gelingen? Was?
Ich fasse deine Worte nicht.

MARQUIS *(ergreift seine Hand).* Du bist
Gerettet, Karl – bist frei – und ich –
(Er hält inne)

CARLOS. Und du?

MARQUIS. Und ich – ich drücke dich an meine Brust
Zum erstenmal mit vollem, ganzem Rechte;
Ich hab es ja mit allem, allem, was
Mir teuer ist, erkauft – O Karl, wie süß,
Wie groß ist dieser Augenblick! Ich bin
Mit mir zufrieden.

CARLOS. Welche plötzliche
Veränderung in deinen Zügen? So
Hab ich dich nie gesehen. Stolzer hebt
Sich deine Brust, und deine Blicke leuchten.

MARQUIS. Wir müssen Abschied nehmen, Karl. Erschrick nicht.
O sei ein Mann. Was du auch hören wirst,
Versprich mir, Karl, nicht durch unbändgen Schmerz,
Unwürdig großer Seelen, diese Trennung
Mir zu erschweren – Du verlierst mich, Karl –
Auf viele Jahre – Toren nennen es
Auf ewig.
(Carlos zieht seine Hand zurück, sieht ihn starr an und antwortet nichts)
Sei ein Mann. Ich habe sehr
Auf dich gerechnet, hab es nicht vermieden,
Die bange Stunde mit dir auszuhalten,
Die man die *letzte* schrecklich nennt – Ja, soll
Ich dirs gestehen, Karl? ich habe mich
Darauf gefreut – Komm, laß uns niedersitzen –
Ich fühle mich erschöpft und matt.
(Er rückt nahe an Carlos, der noch immer in einer toten Erstarrung ist und sich unwillkürlich von ihm niederziehen läßt)
Wo bist du?
Du gibst mir keine Antwort? – Ich will kurz sein.
Den Tag nachher, als wir zum letztenmal
Bei den Kartäusern uns gesehn, ließ mich
Der König zu sich fordern. Den Erfolg
Weißt du, weiß ganz Madrid. Das weißt du nicht,
Daß dein Geheimnis ihm verraten worden,
Daß Briefe, in der Königin Schatulle
Gefunden, wider dich gezeugt, daß ich

Aus seinem eignen Munde dies erfahren
Und daß – ich sein Vertrauter war.
(Er hält inne, Carlos' Antwort zu erfahren; dieser verharrt in seinem Stillschweigen) Ja, Karl!
Mit meinen Lippen brach ich meine Treue.
Ich selbst regierte das Komplott, das dir
Den Untergang bereitete. Zu laut
Sprach schon die Tat. Dich freizusprechen, war
Zu spät. Mich seiner Rache zu versichern,
War alles, was mir übrigblieb – und so
Ward ich dein Feind, dir kräftiger zu dienen.
– Du hörst mich nicht?

CARLOS. Ich höre. Weiter. Weiter.

MARQUIS. Bis hieher bin ich ohne Schuld. Doch bald
Verraten mich die ungewohnten Strahlen
Der neuen königlichen Gunst. Der Ruf
Dringt bis zu dir, wie ich vorhergesehn.
Doch ich, von falscher Zärtlichkeit bestochen,
Von stolzem Wahn geblendet, ohne dich
Das Wagestück zu enden, unterschlage
Der Freundschaft mein gefährliches Geheimnis.
Das war die große Übereilung! Schwer
Hab ich gefehlt. Ich weiß es. Raserei
War meine Zuversicht. Verzeih – sie war
Auf deiner Freundschaft Ewigkeit gegründet.
(Hier schweigt er. Carlos geht aus seiner Versteinerung in lebhafte Bewegungen über)
Was ich befürchtete, geschieht. Man läßt
Dich zittern vor erdichteten Gefahren.
Die Königin in ihrem Blut – das Schrecken
Des widerhallenden Palastes – Lermas
Unglückliche Dienstfertigkeit – zuletzt
Mein unbegreifliches Verstummen, alles
Bestürmt dein überraschtes Herz – Du wankst –
Gibst mich verloren – Doch, zu edel selbst,
An deines Freundes Redlichkeit zu zweifeln,

Schmückst du mit Größe seinen Abfall aus,
Nun erst wagst du, ihn treulos zu behaupten,
Weil du noch treulos ihn verehren darfst.
Verlassen von dem Einzigen, wirfst du
Der Fürstin Eboli dich in die Arme –
Unglücklicher! in eines Teufels Arme;
Denn diese wars, die dich verriet.
(Carlos steht auf) Ich sehe
Dich dahin eilen. Eine schlimme Ahndung
Fliegt durch mein Herz. Ich folge dir. Zu spät.
Du liegst zu ihren Füßen. Das Geständnis
Floh über deine Lippen schon. Für dich
Ist keine Rettung mehr –

CARLOS. Nein! Nein! Sie war
Gerührt. Du irrest dich. Gewiß war sie
Gerührt.

MARQUIS. Da wird es Nacht vor meinen Sinnen!
Nichts – nichts – kein Ausweg – keine Hülfe – keine
Im ganzen Umkreis der Natur! Verzweiflung
Macht mich zur Furie, zum Tier – ich setze
Den Dolch auf eines Weibes Brust – Doch jetzt –
Jetzt fällt ein Sonnenstrahl in meine Seele.
»Wenn ich den König irrte? Wenn es mir
Gelänge, selbst der Schuldige zu scheinen?
Wahrscheinlich oder nicht! – Für ihn genug,
Scheinbar genug für König Philipp, weil
Es übel ist! Es sei! Ich will es wagen.
Vielleicht ein Donner, der so unverhofft
Ihn trifft, macht den Tyrannen stutzen – und
Was will ich mehr? Er überlegt, und Karl
Hat Zeit gewonnen, nach Brabant zu flüchten.«

CARLOS. Und das – das hättest du getan?

MARQUIS. Ich schreibe
An Wilhelm von Oranien, daß ich
Die Königin geliebt, daß mirs gelungen,
In dem Verdacht, der fälschlich dich gedrückt,

Des Königs Argwohn zu entgehn – daß ich
Durch den Monarchen selbst den Weg gefunden,
Der Königin mich frei zu nahn. Ich setze
Hinzu, daß ich entdeckt zu sein besorge,
Daß du, von meiner Leidenschaft belehrt,
Zur Fürstin Eboli geeilt, vielleicht
Durch ihre Hand die Königin zu warnen –
Daß ich dich hier gefangennahm und nun,
Weil alles doch verloren, willens sei,
Nach Brüssel mich zu werfen. – Diesen Brief –

CARLOS *(fällt ihm erschrocken ins Wort).*
Hast du der Post doch nicht vertraut? Du weißt,
Daß alle Briefe nach Brabant und Flandern –

MARQUIS. Dem König ausgeliefert werden – Wie
Die Sachen stehn, hat Taxis seine Pflicht
Bereits getan.

CARLOS. Gott! So bin ich verloren!

MARQUIS. Du? Warum du?

CARLOS. Unglücklicher, und du
Bist mit verloren. Diesen ungeheuern
Betrug kann dir mein Vater nicht vergeben.
Nein! Den vergibt er nimmermehr!

MARQUIS. Betrug?
Du bist zerstreut. Besinne dich. Wer sagt ihm,
Daß es Betrug gewesen?

CARLOS *(sieht ihm starr ins Gesicht).*
Wer, fragst du?
Ich selbst.
(Er will fort)

MARQUIS. Du rasest. Bleib zurück.

CARLOS. Weg! Weg!
Um Gottes willen. Halte mich nicht auf.
Indem ich hier verweile, dingt er schon
Die Mörder.

MARQUIS. Desto edler ist die Zeit.
Wir haben uns noch viel zu sagen.

CARLOS. Was?
Eh er noch alles –
(Er will wieder fort. Der Marquis nimmt ihn beim Arme und sieht ihn bedeutend an)
MARQUIS. Höre, Carlos – War
Ich auch so eilig, so gewissenhaft,
Da du für mich geblutet hast – ein Knabe?
CARLOS *(bleibt gerührt und voll Bewunderung vor ihm stehen)*.
O gute Vorsicht!
MARQUIS. Rette dich für Flandern!
Das Königreich ist dein Beruf. Für dich
Zu sterben war der meinige.
CARLOS *(geht auf ihn zu und nimmt ihn bei der Hand, voll der innigsten Empfindung)*. Nein! Nein!
Er wird – er kann nicht widerstehn! So vieler
Erhabenheit nicht widerstehn! – Ich will
Dich zu ihm führen. Arm in Arme wollen
Wir zu ihm gehen. Vater, will ich sagen,
Das hat ein Freund für seinen Freund getan.
Es wird ihn rühren. Glaube mir, er ist
Nicht ohne Menschlichkeit, mein Vater. Ja!
Gewiß, es wird ihn rühren. Seine Augen werden
Von warmen Tränen übergehn, und dir
Und mir wird er verzeihen –
(Es geschieht ein Schuß durch die Gittertüre. Carlos springt auf)
Ha! Wem galt das?
MARQUIS. Ich glaube – mir.
(Er sinkt nieder)
CARLOS *(fällt mit einem Schrei des Schmerzes neben ihm zu Boden)*.
O himmlische
Barmherzigkeit!
MARQUIS *(mit brechender Stimme)*.
Er ist geschwind – der König –
Ich hoffte – länger – Denk auf deine Rettung –
Hörst du? – auf deine Rettung – Deine Mutter
Weiß alles – ich kann nicht mehr –

(Carlos bleibt wie tot bei dem Leichnam liegen. Nach einiger Zeit tritt der König herein, von vielen Granden begleitet, und fährt bei diesem Anblick betreten zurück. Eine allgemeine und tiefe Pause. Die Granden stellen sich in einen halben Kreis um diese beiden und sehen wechselsweise auf den König und seinen Sohn. Dieser liegt noch ohne alle Zeichen des Lebens. – Der König betrachtet ihn mit nachdenkender Stille)

Vierter Auftritt

Der König. Carlos. Die Herzoge von Alba, Feria und Medina Sidonia. Der Prinz von Parma. Graf Lerma. Domingo und viele Granden

KÖNIG *(mit gütigem Ton).* Deine Bitte,
Hat Statt gefunden, mein Infant. Hier bin ich,
Ich selbst, mit allen Großen meines Reichs,
Dir Freiheit anzukündigen.
(Carlos blickt auf und sieht um sich her, wie einer, der aus dem Traum erwacht. Seine Augen heften sich bald auf den König, bald auf den Toten. Er antwortet nicht) Empfange
Dein Schwert zurück. Man hat zu rasch verfahren.
(Er nähert sich ihm, reicht ihm die Hand und hilft ihm sich aufrichten)
Mein Sohn ist nicht an seinem Platz. Steh auf,
Komm in die Arme deines Vaters.

CARLOS *(empfängt ohne Bewußtsein die Arme des Königs – besinnt sich aber plötzlich, hält inne und sieht ihn genauer an).*
Dein
Geruch ist Mord. Ich kann dich nicht umarmen.
(Er stößt ihn zurück, alle Granden kommen in Bewegung)
Nein! Steht nicht so betroffen da! Was hab
Ich Ungeheures denn getan? Des Himmels
Gesalbten angetastet? Fürchtet nichts.
Ich lege keine Hand an ihn. Seht ihr
Das Brandmal nicht an seiner Stirne? Gott
Hat ihn gezeichnet.

KÖNIG *(bricht schnell auf).*
Folgt mir, meine Granden.

CARLOS. Wohin? Nicht von der Stelle, Sire –

(Er hält ihn gewaltsam mit beiden Händen und bekommt mit der einen das Schwert zu fassen, das der König mitgebracht hat. Es fährt aus der Scheide)

KÖNIG. Das Schwert

Gezückt auf deinen Vater?

ALLE ANWESENDEN GRANDEN *(ziehen die ihrigen)*.

Königsmord!

CARLOS *(den König fest an der einen Hand, das bloße Schwert in der andern)*.

Steckt eure Schwerter ein. Was wollt ihr? Glaubt
Ihr, ich sei rasend? Nein, ich bin nicht rasend.
Wär ichs, so tatet *ihr* nicht gut, mich zu
Erinnern, daß auf meines Schwertes Spitze
Sein Leben schwebt. Ich bitte, haltet euch
Entfernt, Verfassungen, wie meine, wollen
Geschmeichelt sein – drum bleibt zurück. Was ich
Mit diesem König abzumachen habe,
Geht euern Leheneid nichts an. Seht nur,
Wie seine Finger bluten! Seht ihn recht an!
Seht ihr? O seht auch hieher – *Das* hat er
Getan, der große Künstler!

KÖNIG *(zu den Granden, welche sich besorgt um ihn herumdrängen wollen)*.

Tretet alle

Zurück. Wovor erzittert ihr? – Sind wir
Nicht Sohn und Vater? Ich will doch erwarten,
Zu welcher Schandtat die Natur –

CARLOS. Natur?

Ich weiß von keiner. Mord ist jetzt die Losung.
Der Menschheit Bande sind entzwei. Du selbst
Hast sie zerrissen, Sire, in deinen Reichen.
Soll ich verehren, was du höhnst? – O seht!
Seht hieher! Es ist noch kein Mord geschehen
Als heute. – Gibt es keinen Gott? Was? Dürfen
In seiner Schöpfung Könige so hausen?
Ich frage, gibt es keinen Gott? Solange Mütter
Geboren haben, ist nur *einer* – *einer*

So unverdient gestorben – Weißt du auch,
Was du getan hast? Nein, er weiß es nicht,
Weiß nicht, daß er ein Leben hat gestohlen
Aus dieser Welt, das wichtiger und edler
Und teurer war als er mit seinem ganzen
Jahrhundert.

KÖNIG *(mit gelindem Tone)*.
Wenn ich allzu rasch gewesen,
Geziemt es dir, *für* den ich es gewesen,
Mich zur Verantwortung zu ziehen?

CARLOS. Wie?
Ists möglich? Sie erraten nicht, wer mir
Der Tote war – O sagt es ihm – helft seiner
Allwissenheit das schwere Rätsel lösen.
Der Tote war mein Freund – Und wollt ihr wissen,
Warum er starb? Für mich ist er gestorben.

KÖNIG. Ha! meine Ahndung!

CARLOS. Blutender, vergib,
Daß ich vor solchen Ohren es entweihe!
Doch dieser große Menschenkenner sinke
Vor Scham dahin, daß seine graue Weisheit
Der Scharfsinn eines Jünglings überlistet.
Ja, Sire! Wir waren Brüder! Brüder durch
Ein edler Band, als die Natur es schmiedet.
Sein schöner Lebenslauf war Liebe. Liebe
Für mich sein großer, schöner Tod. *Mein* war er,
Als *Sie* mit seiner Achtung großgetan,
Als seine scherzende Beredsamkeit
Mit Ihrem stolzen Riesengeiste spielte.
Ihn zu beherrschen wähnten Sie – und waren
Ein folgsam Werkzeug seiner höhern Plane.
Daß ich gefangen bin, war seiner Freundschaft
Durchdachtes Werk. Mich zu erretten, schrieb
Er an Oranien den Brief – O Gott!
Es war die erste Lüge seines Lebens!
Mich zu erretten, warf er sich dem Tod,

Den er erlitt, entgegen. Sie beschenkten ihn
Mit Ihrer Gunst – er starb für mich. Ihr Herz
Und Ihre Freundschaft drangen Sie ihm auf,
Ihr Szepter war das Spielwerk seiner Hände;
Er warf es hin und starb für mich!
(Der König steht ohne Bewegung, den Blick starr auf den Boden geheftet. Alle Granden sehen betreten und furchtsam auf ihn)
Und war
Es möglich? Dieser groben Lüge konnten
Sie Glauben schenken? Wie gering mußt er
Sie schätzen, da ers unternahm, bei Ihnen
Mit diesem plumpen Gaukelspiel zu reichen!
Um seine Freundschaft wagten Sie zu buhlen,
Und unterlagen dieser leichten Probe!
O, nein – nein, das war nichts für Sie. Das war
Kein Mensch für Sie! Das wußt er selbst recht gut,
Als er mit allen Kronen Sie verstoßen.
Dies feine Saitenspiel zerbrach in Ihrer
Metallnen Hand. Sie konnten nichts, als ihn
Ermorden.

ALBA *(hat den König bis jetzt nicht aus den Augen gelassen und mit sichtbarer Unruhe die Bewegungen beobachtet, welche in seinem Gesichte arbeiten. Jetzt nähert er sich ihm furchtsam).*
Sire – nicht diese Totenstille. Sehen
Sie um sich. Reden Sie mit uns.

CARLOS. Sie waren
Ihm nicht gleichgültig. Seinen Anteil hatten
Sie längst. Vielleicht! Er hätte Sie noch glücklich
Gemacht. Sein Herz war reich genug, Sie selbst
Von seinem Überflusse zu vergnügen.
Die Splitter seines Geistes hätten Sie
Zum Gott gemacht. Sich selber haben Sie
Bestohlen – Was werden
Sie bieten, eine Seele zu erstatten,
Wie diese war?
(Ein tiefes Schweigen. Viele von den Granden sehen weg

oder verhüllen das Gesicht in ihren Mänteln)
O, die ihr hier versammelt steht und vor Entsetzen
Und vor Bewunderung verstummt – verdammet
Den Jüngling nicht, der diese Sprache gegen
Den Vater und den König führt – Seht hieher!
Für mich ist er gestorben! Habt ihr Tränen?
Fließt Blut, nicht glühend Erz, in euren Adern?
Seht hieher und verdammt mich nicht!
(Er wendet sich zum König mit mehr Fassung und Gelassenheit)
Vielleicht
Erwarten Sie, wie diese unnatürliche Geschichte
Sich enden wird? – Hier ist mein Schwert. Sie sind
Mein König wieder. Denken Sie, daß ich
Vor Ihrer Rache zittre? Morden Sie
Mich auch, wie Sie den Edelsten gemordet.
Mein Leben ist verwirkt. Ich weiß. Was ist
Mir jetzt das Leben? Hier entsag ich allem,
Was mich auf dieser Welt erwartet. Suchen
Sie unter Fremdlingen sich einen Sohn –
Da liegen meine Reiche –
(Er sinkt an dem Leichnam nieder und nimmt an dem Folgenden keinen Anteil mehr. Man hört unterdessen von ferne ein verworrenes Getöse von Stimmen und ein Gedränge vieler Menschen. Um den König herum ist eine tiefe Stille. Seine Augen durchlaufen den ganzen Kreis, aber niemand begegnet seinen Blicken)

KÖNIG. Nun? Will niemand
Antworten? – Jeder Blick am Boden – jedes
Gesicht verhüllt! – Mein Urteil ist gesprochen.
In diesen stummen Mienen les ich es
Verkündigt. Meine Untertanen haben mich
Gerichtet.
(Das vorige Stillschweigen. – Der Tumult kommt näher und wird lauter. Durch die umstehenden Granden läuft ein Gemurmel, sie geben sich untereinander verlegene Winke; Graf Lerma stößt endlich leise den Herzog von Alba an)

LERMA. Wahrlich! Das ist Sturm!

ALBA *(leise).* So fürcht ich.
LERMA. Man dringt herauf. Man kommt.

Fünfter Auftritt

Ein Offizier von der Leibwache. Die Vorigen

OFFIZIER *(dringend).* Rebellion!
Wo ist der König?
(Er arbeiet sich durch die Menge und dringt bis zum König)
Ganz Madrid in Waffen!
Zu Tausenden umringt der wütende
Soldat, der Pöbel den Palast. Prinz Carlos,
Verbreitet man, sei in Verhaft genommen,
Sein Leben in Gefahr. Das Volk will ihn
Lebendig sehen oder ganz Madrid
In Flammen aufgehn lassen.
ALLE GRANDEN *(in Bewegung).* Rettet! Rettet
Den König!
ALBA *(zum König, der ruhig und unbeweglich steht).*
Flüchten Sie sich, Sire – Es hat
Gefahr – Noch wissen wir nicht, wer
Den Pöbel waffnet –
KÖNIG *(erwacht aus seiner Betäubung, richtet sich auf und tritt mit Majestät unter sie).* Steht mein Thron noch?
Bin ich noch König dieses Landes? – Nein.
Ich bin es nicht mehr. Diese Memmen weinen,
Von einem Knaben weichgemacht. Man wartet
Nur auf die Losung, von mir abzufallen.
Ich bin verraten von Rebellen.
ALBA. Sire,
Welch fürchterliche Phantasie!
KÖNIG. Dorthin!
Dort werft euch nieder! Vor dem blühenden,
Dem jungen König werft euch nieder! – Ich
Bin nichts mehr – ein ohnmächtger Greis!

ALBA. Dahin
Ist es gekommen! – Spanier!
(Alle drängen sich um den König herum und knien mit gezogenen Schwertern vor ihm nieder. Carlos bleibt allein und von allen verlassen bei dem Leichnam)

KÖNIG *(reißt seinen Mantel ab und wirft ihn von sich).* Bekleidet
Ihn mit dem königlichen Schmuck – Auf meiner
Zertretnen Leiche tragt ihn –
(Er bleibt ohnmächtig in Albas und Lermas Armen)

LERMA. Hülfe! Gott!

FERIA. Gott! welcher Zufall!

LERMA. Er ist von sich –

ALBA *(läßt den König in Lermas und Ferias Händen).* Bringen
Sie ihn zu Bette. Unterdessen geb ich
Madrid den Frieden.
(Er geht ab. Der König wird weggetragen, und alle Granden begleiten ihn)

Sechster Auftritt

Carlos bleibt allein bei dem Leichnam zurück. Nach einigen Augenblicken erscheint Ludwig Merkado, sieht sich schüchtern um und steht eine Zeitlang stillschweigend hinter dem Prinzen, der ihn nicht bemerkt

MERKADO. Ich komme
Von Ihrer Majestät der Königin.
(Carlos sieht wieder weg und gibt ihm keine Antwort)
Mein Name ist Merkado – Ich bin Leibarzt
Bei Ihrer Majestät – und hier ist meine
Beglaubigung.
(Er zeigt dem Prinzen einen Siegelring – dieser verharrt in seinem Stillschweigen) Die Königin wünscht sehr,
Sie heute noch zu sprechen – wichtige
Geschäfte –

CARLOS. Wichtig ist mir nichts mehr
Auf dieser Welt.

MERKADO. Ein Auftrag, sagte sie,
Den Marquis Posa hinterlassen –
CARLOS *(steht schnell auf).* Was?
Sogleich.
(Er will mit ihm gehen)
MERKADO. Nein! Jetzt nicht, gnädger Prinz. Sie müssen
Die Nacht erwarten. Jeder Zugang ist
Besetzt und alle Wachen dort verdoppelt.
Unmöglich ist es, diesen Flügel des
Palastes ungesehen zu betreten.
Sie würden alles wagen –
CARLOS. Aber –
MERKADO. Nur
Ein Mittel, Prinz, ist höchstens noch vorhanden –
Die Königin hat es erdacht. Sie legt
Es Ihnen vor – Doch es ist kühn und seltsam
Und abenteuerlich.
CARLOS. Das ist?
MERKADO. Schon längst
Geht eine Sage, wie Sie wissen, daß
Um Mitternacht in den gewölbten Gängen
Der königlichen Burg, in Mönchsgestalt,
Der abgeschiedne Geist des Kaisers wandle.
Der Pöbel glaubt an dies Gerücht, die Wachen
Beziehen nur mit Schauer diesen Posten.
Wenn Sie entschlossen sind, sich dieser
Verkleidung zu bedienen, können Sie
Durch alle Wachen frei und unversehrt
Bis zum Gemach der Königin gelangen,
Das dieser Schlüssel öffnen wird. Vor jedem Angriff
Schützt Sie die heilige Gestalt. Doch auf
Der Stelle, Prinz, muß Ihr Entschluß gefaßt sein.
Das nötge Kleid, die Maske finden Sie
In Ihrem Zimmer. Ich muß eilen, Ihrer Majestät
Antwort zu bringen.
CARLOS. Und die Zeit?

MERKADO. Die Zeit
Ist zwölf Uhr.
CARLOS. Sagen Sie ihr, daß sie mich
Erwarten könne.

(Merkado geht ab)

Siebenter Auftritt

Carlos. Graf Lerma

LERMA. Retten Sie sich, Prinz.
Der König wütet gegen Sie. Ein Anschlag
Auf Ihre Freiheit – wo nicht auf Ihr Leben.
Befragen Sie mich weiter nicht. Ich habe
Mich weggestohlen, Sie zu warnen. Fliehen
Sie ohne Aufschub.
CARLOS. Ich bin in den Händen
Der Allmacht.
LERMA. Wie die Königin mich eben
Hat merken lassen, sollen Sie noch heute
Madrid verlassen und nach Brüssel flüchten.
Verschieben Sie es nicht, ja nicht! Der Aufruhr
Begünstigt Ihre Flucht. In dieser Absicht
Hat ihn die Königin veranlaßt. Jetzt
Wird man sich nicht erkühnen, gegen Sie
Gewalt zu brauchen. Im Kartäuserkloster
Erwartet Sie die Post, und hier sind Waffen,
Wenn Sie gezwungen sollten sein –
(Er gibt ihm einen Dolch und Terzerolen)
CARLOS. Dank, Dank,
Graf Lerma!
LERMA. Ihre heutige Geschichte
Hat mich im Innersten gerührt. So liebt
Kein Freund mehr! Alle Patrioten weinen
Um Sie. Mehr darf ich jetzt nicht sagen.
CARLOS. Graf Lerma! Dieser Abgeschiedne nannte
Sie einen edlen Mann.

LERMA. Noch einmal, Prinz!
Reisen Sie glücklich. Schönre Zeiten werden kommen;
Dann aber werd ich nicht mehr sein. Empfangen
Sie meine Huldigung schon hier.
(Er läßt sich auf ein Knie vor ihm nieder)

CARLOS *(will ihn zurückhalten. Sehr bewegt)*. Nicht also –
Nicht also, Graf – Sie rühren mich – Ich möchte
Nicht gerne weich sein –

LERMA *(küßt seine Hand mit Empfindung)*.
König meiner Kinder!
O, meine Kinder werden sterben dürfen
Für Sie. Ich darf es nicht. Erinnern Sie sich meiner
In meinen Kindern. – Kehren Sie in Frieden
Nach Spanien zurücke. Seien Sie
Ein Mensch auf König Philipps Thron. Sie haben
Auch Leiden kennenlernen. Unternehmen Sie
Nichts Blutges gegen Ihren Vater! Ja
Nichts Blutiges, mein Prinz! Philipp der Zweite
Zwang Ihren Ältervater, von dem Thron
Zu steigen – Dieser Philipp zittert heute
Vor seinem eignen Sohn! *Daran* gedenken
Sie, Prinz – und so geleite Sie der Himmel!

(Er geht schnell weg. Carlos ist im Begriff, auf einem andern Wege fortzueilen, kehrt aber plötzlich um und wirft sich vor dem Leichnam des Marquis nieder, den er noch einmal in seine Arme schließt. Dann verläßt er schnell das Zimmer)

Vorzimmer des Königs

Achter Auftritt

Herzog von Alba und Herzog von Feria kommen im Gespräch

ALBA. Die Stadt ist ruhig. Wie verließen Sie
Den König?

FERIA. In der fürchterlichsten Laune.
Er hat sich eingeschlossen. Was sich auch

Ereignen würde, keinen Menschen will
Er vor sich lassen. Die Verräterei
Des Marquis hat auf einmal seine ganze
Natur verändert. Wir erkennen ihn
Nicht mehr.

ALBA. Ich muß zu ihm. Ich kann ihn diesmal
Nicht schonen. Eine wichtige Entdeckung,
Die eben jetzt gemacht wird –

FERIA. Eine neue
Entdeckung?

ALBA. Ein Kartäusermönch, der in
Des Prinzen Zimmer heimlich sich gestohlen
Und mit verdächtger Wißbegier den Tod
Des Marquis Posa sich erzählen lassen,
Fällt meinen Wachen auf. Man hält ihn an.
Man untersucht. Die Angst des Todes preßt
Ihm ein Geständnis aus, daß er Papiere
Von großem Werte bei sich trage, die
Ihm der Verstorbne anbefohlen, in
Des Prinzen Hand zu übergeben – wenn
Er sich vor Sonnenuntergang nicht mehr
Ihm zeigen würde.

FERIA. Nun?

ALBA. Die Briefe lauten,
Daß Carlos binnen Mitternacht und Morgen
Madrid verlassen soll.

FERIA. Was?

ALBA. Daß ein Schiff
In Cadix segelfertig liege, ihn
Nach Vlissingen zu bringen – daß die Staaten
Der Niederlande seiner nur erwarten,
Die span'sche Ketten abzuwerfen.

FERIA. Ha!
Was ist das?

ALBA. Andre Briefe melden,
Daß eine Flotte Solimans bereits

Von Rhodus ausgelaufen – den Monarchen
Von Spanien, laut des geschloßnen Bundes,
Im Mittelländschen Meere anzugreifen.

FERIA. Ists möglich?

ALBA. Eben diese Briefe lehren
Die Reisen mich verstehn, die der Malteser
Durch ganz Europa jüngst getan. Es galt
Nichts Kleineres, als alle nordschen Mächte
Für der Flamänder Freiheit zu bewaffnen.

FERIA. Das war er!

ALBA. Diesen Briefen endlich folgt
Ein ausgeführter Plan des ganzen Krieges,
Der von der span'schen Monarchie auf immer
Die Niederlande trennen soll. Nichts, nichts
Ist übersehen, Kraft und Widerstand
Berechnet, alle Quellen, alle Kräfte
Des Landes pünktlich angegeben, alle
Maximen, welche zu befolgen, alle
Bündnisse, die zu schließen. Der Entwurf
Ist teuflisch, aber wahrlich – göttlich.

FERIA. Welch undurchdringlicher Verräter!

ALBA. Noch
Beruft man sich in diesem Brief auf eine
Geheime Unterredung, die der Prinz
Am Abend seiner Flucht mit seiner Mutter
Zustandebringen sollte.

FERIA. Wie? Das wäre
Ja heute.

ALBA. Diese Mitternacht. Auch hab ich
Für diesen Fall Befehle schon gegeben.
Sie sehen, daß es dringt, kein Augenblick
Ist zu verlieren – Öffnen Sie das Zimmer
Des Königs.

FERIA. Nein! Der Eintritt ist verboten.

ALBA. So öffn ich selbst – die wachsende Gefahr
Rechtfertigt diese Kühnheit –

(Wie er gegen die Türe geht, wird sie geöffnet, und der König tritt heraus)

FERIA. Ha! Er selbst!

Neunter Auftritt

König zu den Vorigen

(Alle erschrecken über seinen Anblick, weichen zurück und lassen ihn ehrerbietig mitten durch. Er kommt in einem wachen Traume, wie eines Nachtwandlers. – Sein Anzug und seine Gestalt zeigen noch die Unordnung, worein ihn die gehabte Ohnmacht versetzt hat. Mit langsamen Schritten geht er an den anwesenden Granden vorbei, sieht jeden starr an, ohne einen einzigen wahrzunehmen. Endlich bleibt er gedankenvoll stehen, die Augen zur Erde gesenkt, bis seine Gemütsbewegung nach und nach laut wird)

KÖNIG. Gib diesen Toten mir heraus. Ich muß
Ihn wiederhaben.

DOMINGO *(leise zum Herzog von Alba).*
Reden Sie ihn an.

KÖNIG *(wie oben).* Er dachte klein von mir und starb. Ich muß
Ihn wiederhaben. Er muß anders von
Mir denken.

ALBA *(nähert sich mit Furcht).*
Sire –

KÖNIG. Wer redet hier?
(Er sieht lange im Kreis herum) Hat man
Vergessen, wer ich bin? Warum nicht auf
Den Knien vor mir, Kreatur? Noch bin
Ich König. Unterwerfung will ich sehen.
Setzt alles mich hintan, weil *einer* mich
Verachtet hat?

ALBA. Nichts mehr von ihm, mein König!
Ein neuer Feind, bedeutender als dieser,
Steht auf im Herzen Ihres Reichs. –

FERIA. Prinz Carlos –

KÖNIG. Er hatte einen Freund, der in den Tod
Gegangen ist für ihn – für ihn! Mit mir

Hätt er ein Königreich geteilt! – Wie er
Auf mich heruntersah! So stolz sieht man
Von Thronen nicht herunter. Wars nicht sichtbar,
Wieviel er sich mit *der* Erobrung wußte?
Was er verlor, gestand sein Schmerz. So wird
Um nichts Vergängliches geweint – Daß er noch lebte!
Ich gäb ein Indien dafür. Trostlose Allmacht,
Die nicht einmal in Gräber ihren Arm
Verlängern, eine kleine Übereilung
Mit Menschenleben nicht verbessern kann!
Die Toten stehen nicht mehr auf. Wer darf
Mir sagen, daß ich glücklich bin? Im Grabe
Wohnt einer, der mir Achtung vorenthalten.
Was gehn die Lebenden mich an? Ein Geist,
Ein freier Mann stand auf in diesem ganzen
Jahrhundert – Einer – Er verachtet mich
Und stirbt.

ALBA. So lebten wir umsonst! – Laßt uns
Zu Grabe gehen, Spanier. Auch noch
Im Tode raubt uns dieser Mensch das Herz
Des Königs!

KÖNIG *(Er setzt sich nieder, den Kopf auf den Arm gestützt).*
Wär er *mir* also gestorben!
Ich hab ihn liebgehabt, sehr lieb. Er war
Mir teuer wie ein Sohn. In diesem Jüngling
Ging mir ein neuer, schönrer Morgen auf.
Wer weiß, was ich ihm aufbehalten! Er
War meine erste Liebe. Ganz Europa
Verfluche mich! Europa mag mir fluchen.
Von diesem hab ich Dank verdient.

DOMINGO. Durch welche
Bezauberung –

KÖNIG. Und wem bracht er dies Opfer?
Dem Knaben, meinem Sohne? Nimmermehr.
Ich glaub es nicht. Für einen Knaben stirbt
Ein Posa nicht. Der Freundschaft arme Flamme

Füllt eines Posa Herz nicht aus. Das schlug
Der ganzen Menschheit. Seine Neigung war
Die Welt mit allen kommenden Geschlechtern.
Sie zu vergnügen fand er einen Thron –
Und geht vorüber? Diesen Hochverrat
An seiner Menschheit sollte Posa sich
Vergeben? Nein. Ich kenn ihn besser. Nicht
Den Philipp opfert er dem Carlos, nur
Den alten Mann dem Jüngling, seinem Schüler.
Des Vaters untergehnde Sonne lohnt
Das neue Tagwerk nicht mehr. Das verspart man
Dem nahen Aufgang seines Sohns – O, es ist klar!
Auf meinen Hintritt wird gewartet.

ALBA. Lesen Sie
In diesen Briefen die Bekräftigung.

KÖNIG *(steht auf)*. Er könnte sich verrechnet haben. Noch,
Noch bin ich. Habe Dank, Natur. Ich fühle
In meinen Sehnen Jünglingskraft. Ich will
Ihn zum Gelächter machen. Seine Tugend
Sei eines Träumers Hirngespinst gewesen.
Er sei gestorben als ein Tor. Sein Sturz
Erdrücke seinen Freund und sein Jahrhundert!
Laß sehen, wie man mich entbehrt. Die Welt
Ist noch auf einen Abend mein. Ich will
Ihn nützen, diesen Abend, daß nach mir
Kein Pflanzer mehr in zehen Menschenaltern
Auf dieser Brandstatt ernten soll. Er brachte
Der Menschheit, seinem Götzen, mich zum Opfer;
Die Menschheit büße mir für ihn! – Und jetzt –
Mit seiner Puppe fang ich an.
(Zum Herzog von Alba) Was wars
Mit dem Infanten? Wiederholt es mir. Was lehren
Mich diese Briefe?

ALBA. Diese Briefe, Sire,
Enthalten die Verlassenschaft des Marquis
Von Posa an Prinz Karl.

KÖNIG *(durchläuft die Papiere, wobei er von allen Umstehenden scharf beobachtet wird. Nachdem er eine Zeitlang gelesen, legt er sie weg und geht stillschweigend durch das Zimmer).*

Man rufe mir
Den Inquisitor Kardinal. Ich laß
Ihn bitten, eine Stunde mir zu schenken.
(Einer von den Granden geht hinaus. Der König nimmt die Papiere wieder, liest fort und legt sie abermals weg)
In dieser Nacht also?

TAXIS. Schlag zwei Uhr soll
Die Post vor dem Kartäuserkloster halten.

ALBA. Und Leute, die ich ausgesendet, sahen
Verschiednes Reis'geräte, an dem Wappen
Der Krone kenntlich, nach dem Kloster tragen.

FERIA. Auch sollen große Summen auf den Namen
Der Königin bei maurischen Agenten
Betrieben worden sein, in Brüssel zu
Erheben.

KÖNIG. Wo verließ man den Infanten?

ALBA. Beim Leichnam des Maltesers.

KÖNIG. Ist noch Licht im Zimmer
Der Königin?

ALBA. Dort ist alles still. Auch hat
Sie ihre Kammerfrauen zeitiger,
Als sonsten zu geschehen pflegt, entlassen.
Die Herzogin von Arkos, die zuletzt
Aus ihrem Zimmer ging, verließ sie schon
In tiefem Schlafe.
(Ein Offizier von der Leibwache tritt herein, zieht den Herzog von Feria auf die Seite und spricht leise mit ihm. Dieser wendet sich betreten zum Herzog von Alba, andre drängen sich hinzu, und es entsteht ein Gemurmel)

FERIA, TAXIS, DOMINGO *(zugleich).*
Sonderbar!

KÖNIG. Was gibt es?

FERIA. Eine Nachricht, Sire, die kaum

Zu glauben ist –

DOMINGO. Zween Schweizer, die soeben
Von ihrem Posten kommen, melden – es
Ist lächerlich, es nachzusagen.

KÖNIG. Nun?

ALBA. Daß in dem linken Flügel des Palasts
Der Geist des Kaisers sich erblicken lassen
Und mit beherztem, feierlichem Schritt an ihnen
Vorbeigegangen. Eben diese Nachricht
Bekräftgen alle Wachen, die durch diesen
Pavillon verbreitet stehn, und setzen
Hinzu, daß die Erscheinung in den Zimmern
Der Königin verschwunden.

KÖNIG. Und in welcher
Gestalt erschien er?

OFFIZIER. In dem nämlichen
Gewand, das er zum letztenmal in Justi
Als Hieronymitermönch getragen.

KÖNIG. Als Mönch? Und also haben ihn die Wachen
Im Leben noch gekannt? Denn woher wußten
Sie sonst, daß es der Kaiser war?

OFFIZIER. Daß es
Der Kaiser müsse sein, bewies das Zepter,
Das er in Händen trug.

DOMINGO. Auch will man ihn
Schon öfters, wie die Sage geht, in dieser
Gestalt gesehen haben.

KÖNIG. Angeredet hat
Ihn niemand?

OFFIZIER. Niemand unterstand sich.
Die Wachen sprachen ihr Gebet und ließen
Ihn ehrerbietig mitten durch.

KÖNIG. Und in den Zimmern
Der Königin verlor sich die Erscheinung?

OFFIZIER. Im Vorgemach der Königin.
(Allgemeines Stillschweigen)

KÖNIG *(wendet sich schnell um).* *Wie* sagt ihr?
ALBA. Sire, wir sind stumm.
KÖNIG *(nach einigem Besinnen zu dem Offizier).*
Laßt meine Garden unter
Die Waffen treten und jedweden Zugang
Zu diesem Flügel sperren. Ich bin lüstern,
Ein Wort mit diesem Geist zu reden.
(Der Offizier geht ab. Gleich darauf ein Page)
PAGE. Sire!
Der Inquisitor Kardinal.
KÖNIG *(zu den Anwesenden).*
Verlaßt uns.
(Der Kardinal Großinquisitor, ein Greis von neunzig Jahren und blind, auf einen Stab gestützt und von zwei Dominikanern geführt. Wie er durch ihre Reihen geht, werfen sich alle Granden vor ihm nieder und berühren den Saum seines Kleides. Er erteilt ihnen den Segen. Alle entfernen sich)

Zehnter Auftritt

Der König und der Großinquisitor
(Ein langes Stillschweigen)

GROSSINQUISITOR. Steh
Ich vor dem König?
KÖNIG. Ja.
GROSSINQUISITOR. Ich war mirs nicht mehr
Vermutend.
KÖNIG. Ich erneure einen Auftritt
Vergangner Jahre. Philipp, der Infant,
Holt Rat bei seinem Lehrer.
GROSSINQUISITOR. Rat bedurfte
Mein Zögling Karl, Ihr großer Vater, niemals.
KÖNIG. Um soviel glücklicher war er. Ich habe
Gemordet, Kardinal, und keine Ruhe –
GROSSINQUISITOR. Weswegen haben Sie gemordet?
KÖNIG. Ein

Betrug, der ohne Beispiel ist –
GROSSINQUISITOR. Ich weiß ihn.
KÖNIG. Was wisset Ihr? Durch wen? Seit wann?
GROSSINQUISITOR. Seit Jahren,
Was *Sie* seit Sonnenuntergang.
KÖNIG *(mit Befremdung)*. Ihr habt
Von diesem Menschen schon gewußt?
GROSSINQUISITOR. Sein Leben
Liegt angefangen und beschlossen in
Der Santa Casa heiligen Registern.
KÖNIG. Und er ging frei herum?
GROSSINQUISITOR. Das Seil, an dem
Er flatterte, war lang, doch unzerreißbar.
KÖNIG. Er war schon außer meines Reiches Grenzen.
GROSSINQUISITOR. Wo er sein mochte, war ich auch.
KÖNIG *(geht unwillig auf und nieder)*. Man wußte,
In wessen Hand ich war – Warum versäumte man,
Mich zu erinnern?
GROSSINQUISITOR. Diese Frage geb ich
Zurücke – Warum fragten *Sie* nicht an,
Da Sie in dieses Menschen Arm sich warfen?
Sie kannten ihn! *Ein* Blick entlarvte Ihnen
Den Ketzer. – Was vermochte Sie, dies Opfer
Dem heilgen Amt zu unterschlagen? Spielt
Man *so* mit uns? Wenn sich die Majestät
Zur Hehlerin erniedrigt – hinter unserm Rücken
Mit unsern schlimmsten Feinden sich versteht,
Was wird mit uns? Darf *einer* Gnade finden,
Mit welchem Rechte wurden Hunderttausend
Geopfert?
KÖNIG. Er ist auch geopfert.
GROSSINQUISITOR. Nein!
Er ist ermordet – ruhmlos! freventlich! – Das Blut,
Das unsrer Ehre glorreich fließen sollte,
Hat eines Meuchelmörders Hand verspritzt.
Der Mensch war unser – Was befugte *Sie*,

Des Ordens heilge Güter anzutasten?
Durch uns zu sterben war er da. Ihn schenkte
Der Notdurft dieses Zeitenlaufes Gott,
In seines Geistes feierlicher Schändung
Die prahlende Vernunft zur Schau zu führen.
Das war mein überlegter Plan. Nun liegt
Sie hingestreckt, die Arbeit vieler Jahre!
Wir sind bestohlen, und Sie haben nichts
Als blutge Hände.

KÖNIG. Leidenschaft riß mich
Dahin. Vergib mir.

GROSSINQUISITOR. Leidenschaft? – Antwortet
Mir Philipp, der Infant? Bin ich allein
Zum alten Mann geworden? – Leidenschaft!
(Mit unwilligem Kopfschütteln)
Gib die Gewissen frei in deinen Reichen,
Wenn du in deinen Ketten gehst.

KÖNIG. Ich bin
In diesen Dingen noch ein Neuling. Habe
Geduld mit mir.

GROSSINQUISITOR. Nein! Ich bin nicht mit Ihnen
Zufrieden. – Ihren ganzen vorigen
Regentenlauf zu lästern! Wo war damals
Der Philipp, dessen feste Seele wie
Der Angelstern am Himmel unverändert
Und ewig um sich selber treibt? War eine ganze
Vergangenheit versunken hinter Ihnen?
War in dem Augenblick die Welt nicht mehr
Die nämliche, da Sie die Hand ihm boten?
Gift nicht mehr Gift? War zwischen Gut und Übel
Und Wahr und Falsch die Scheidewand gefallen?
Was ist ein Vorsatz? Was Beständigkeit,
Was Männertreue, wenn in einer lauen
Minute eine sechzigjährge Regel
Wie eines Weibes Laune schmilzt?

KÖNIG. Ich sah in seine Augen – Halte mir

Den Rückfall in die Sterblichkeit zugut.
Die Welt hat einen Zugang weniger
Zu deinem Herzen. Deine Augen sind erloschen.

GROSSINQUISITOR. Was sollte Ihnen dieser Mensch? Was konnte
Er Neues Ihnen vorzuzeigen haben,
Worauf Sie nicht bereitet waren? Kennen
Sie Schwärmersinn und Neuerung so wenig?
Der Weltverbeßrer prahlerische Sprache
Klang Ihrem Ohr so ungewohnt? Wenn das
Gebäude Ihrer Überzeugung schon
Von Worten fällt – mit welcher Stirne, muß
Ich fragen, schrieben Sie das Bluturteil
Der hunderttausend schwachen Seelen, die
Den Holzstoß für nichts Schlimmeres bestiegen?

KÖNIG. Mich lüstete nach einem Menschen. Diese
Domingo –

GROSSINQUISITOR.
Wozu Menschen? Menschen sind
Für Sie nur Zahlen, weiter nichts. Muß ich
Die Elemente der Monarchenkunst
Mit meinem grauen Schüler überhören?
Der Erde Gott verlange zu bedürfen,
Was ihm verweigert werden kann. – Wenn *Sie*
Um Mitgefühle wimmern, haben Sie
Der Welt nicht Ihresgleichen zugestanden?
Und welche Rechte, möcht ich wissen, haben
Sie aufzuweisen über Ihresgleichen?

KÖNIG *(wirft sich in den Sessel)*.
Ich bin ein kleiner Mensch, ich fühls – Du forderst
Von dem Geschöpf, was nur der Schöpfer leistet.

GROSSINQUISITOR. Nein, Sire. Mich hintergeht man nicht. Sie sind
Durchschaut – Uns wollten Sie entfliehen.
Des Ordens schwere Ketten drückten Sie;
Sie wollten frei und einzig sein.
(Er hält inne. Der König schweigt)
Wir sind gerochen – Danken Sie der Kirche,

Die sich begnügt, als Mutter Sie zu strafen.
Die Wahl, die man Sie blindlings treffen lassen,
War Ihre Züchtigung. Sie sind belehrt.
Jetzt kehren Sie zu uns zurück – Stünd ich
Nicht jetzt vor Ihnen – beim lebendgen Gott!
Sie wären morgen so vor mir gestanden.

KÖNIG. Nicht diese Sprache! Mäßige dich, Priester!
Ich duld es nicht. Ich kann in diesem Ton
Nicht mit mir sprechen hören.

GROSSINQUISITOR. Warum rufen Sie
Den Schatten Samuels herauf? – Ich gab
Zwei Könige dem spanschen Thron und hoffte,
Ein festgegründet Werk zu hinterlassen.
Verloren seh ich meines Lebens Frucht,
Don Philipp selbst erschüttert mein Gebäude.
Und jetzo, Sire – Wozu bin ich gerufen?
Was soll ich hier? – Ich bin nicht willens, diesen
Besuch zu wiederholen.

KÖNIG. Eine Arbeit noch,
Die letzte – dann magst du in Frieden scheiden.
Vorbei sei das Vergangne, Friede sei
Geschlossen zwischen uns – Wir sind versöhnt?

GROSSINQUISITOR. Wenn Philipp sich in Demut beugt.

KÖNIG *(nach einer Pause)*. Mein Sohn
Sinnt auf Empörung.

GROSSINQUISITOR. Was beschließen Sie?

KÖNIG. Nichts – oder alles.

GROSSINQUISITOR. Und was heißt hier alles?

KÖNIG. Ich laß ihn fliehen, wenn ich ihn
Nicht sterben lassen kann.

GROSSINQUISITOR. Nun, Sire?

KÖNIG. Kannst du mir einen neuen Glauben gründen,
Der eines Kindes blutgen Mord verteidigt?

GROSSINQUISITOR. Die ewige Gerechtigkeit zu sühnen,
Starb an dem Holze Gottes Sohn.

KÖNIG. Du willst

Durch ganz Europa diese Meinung pflanzen?
GROSSINQUISITOR. So weit, als man das Kreuz verehrt.
KÖNIG. Ich frevle
An der Natur – auch diese mächtge Stimme
Willst du zum Schweigen bringen?
GROSSINQUISITOR. Vor dem Glauben
Gilt keine Stimme der Natur.
KÖNIG. Ich lege
Mein Richteramt in deine Hände – Kann
Ich ganz zurücke treten?
GROSSINQUISITOR. Geben Sie
Ihn mir.
KÖNIG. Es ist mein einzger Sohn – Wem hab ich
Gesammelt?
GROSSINQUISITOR.
Der Verwesung lieber als
Der Freiheit.
KÖNIG *(steht auf)*.
Wir sind einig. Kommt.
GROSSINQUISITOR. Wohin?
KÖNIG. Aus meiner Hand das Opfer zu empfangen.
(Er führt ihn hinweg.)

Zimmer der Königin

Letzter Auftritt

Carlos. Die Königin. Zuletzt der König mit Gefolge

CARLOS *(in einem Mönchsgewand, eine Maske vor dem Gesichte, die er eben jetzt abnimmt, unter dem Arme ein bloßes Schwert. Es ist ganz finster. Er nähert sich einer Türe, welche geöffnet wird. Die Königin tritt heraus im Nachtkleide, mit einem brennenden Licht. Carlos läßt sich vor ihr auf ein Knie nieder)*. Elisabeth!
KÖNIGIN *(mit stiller Wehmut auf seinem Anblick verweilend)*.
So sehen wir uns wieder!

CARLOS. *So* sehen wir uns wieder!
(Stillschweigen)
KÖNIGIN *(sucht sich zu fassen).* Stehn Sie auf! Wir wollen
Einander nicht erweichen, Karl. Nicht durch
Ohnmächtge Tränen will der große Tote
Gefeiert werden. Tränen mögen fließen
Für kleinre Leiden! – Er hat sich geopfert
Für *Sie!* Mit seinem teuern Leben
Hat er das Ihrige erkauft – Und dieses Blut
Wär einem Hirngespinst geflossen? – Carlos!
Ich selber habe gutgesagt für Sie.
Auf meine Bürgschaft schied er freudiger
Von hinnen. Werden Sie zur Lügnerin
Mich machen?
CARLOS *(mit Begeisterung).*
Einen Leichenstein will ich
Ihm setzen, wie noch keinem Könige
Geworden – Über seiner Asche blühe
Ein Paradies!
KÖNIGIN. So hab ich Sie gewollt!
Das war die große Meinung seines Todes!
Mich wählte er zu seines letzten Willens
Vollstreckerin. Ich mahne Sie. Ich werde
Auf die Erfüllung dieses Eides halten.
– Und noch ein anderes Vermächtnis legte
Der Sterbende in meine Hand – Ich gab ihm
Mein Wort – und – warum soll ich es verschweigen?
Er übergab mir seinen Karl – Ich trotze
Dem Schein – ich will vor Menschen nicht mehr zittern,
Will einmal kühn sein wie ein Freund. Mein Herz
Soll reden. Tugend nannt er unsre Liebe?
Ich glaub es ihm und will mein Herz nicht mehr –
CARLOS. Vollenden Sie nicht, Königin – Ich habe
In einem langen, schweren Traum gelegen.
Ich liebte – Jetzt bin ich erwacht. Vergessen
Sei das Vergangne! Hier sind Ihre Briefe

Zurück. Vernichten Sie die meinen. Fürchten
Sie keine Wallung mehr von mir. Es ist
Vorbei. Ein reiner Feuer hat mein Wesen
Geläutert. Meine Leidenschaft wohnt in den Gräbern
Der Toten. Keine sterbliche Begierde
Teilt diesen Busen mehr.
(Nach einem Stillschweigen ihre Hand fassend)
Ich kam, um Abschied
Zu nehmen – Mutter, endlich seh ich ein,
Es gibt ein höher, wünschenswerter Gut,
Als dich besitzen – Eine kurze Nacht
Hat meiner Jahre trägen Lauf beflügelt,
Frühzeitig mich zum Mann gereift. Ich habe
Für dieses Leben keine Arbeit mehr
Als die Erinnerung an ihn! Vorbei
Sind alle meine Ernten –
(Er nähert sich der Königin, welche das Gesicht verhüllt)
Sagen Sie
Mir gar nichts, Mutter?

KÖNIGIN. Kehren Sie sich nicht
An meine Tränen, Karl – Ich kann nicht anders –
Doch glauben Sie mir, ich bewundre Sie.

CARLOS. Sie waren unsers Bundes einzige
Vertraute – Unter *diesem* Namen werden
Sie auf der ganzen Welt das Teuerste
Mir bleiben. Meine Freundschaft kann ich Ihnen
So wenig als noch gestern meine Liebe
Verschenken an ein andres Weib – Doch heilig
Sei mir die königliche Witwe, führt
Die Vorsicht mich auf diesen Thron.
(Der König, begleitet vom Großinquisitor und seinen Granden, erscheint im Hintergrunde, ohne bemerkt zu werden)
Jetzt geh ich
Aus Spanien und sehe meinen Vater
Nicht wieder – Nie in diesem Leben wieder.
Ich schätz ihn nicht mehr. Ausgestorben ist

In meinem Busen die Natur – Sein Sie
Ihm wieder Gattin. Er hat einen Sohn
Verloren. Treten Sie in Ihre Pflichten
Zurück – Ich eile, mein bedrängtes Volk
Zu retten von Tyrannenhand. Madrid
Sieht nur als König oder nie mich wieder.
Und jetzt zum letzten Lebewohl!
(Er küßt sie)

KÖNIGIN. O Karl!
Was machen Sie aus mir? – Ich darf mich nicht
Empor zu dieser Männergröße wagen;
Doch fassen und bewundern kann ich Sie.

CARLOS. Bin ich nicht stark, Elisabeth? Ich halte
In meinen Armen Sie und wanke nicht.
Von dieser Stelle hätten mich noch gestern
Des nahen Todes Schrecken nicht gerissen.
(Er verläßt sie)
Das ist vorbei. Jetzt trotz ich jedem Schicksal
Der Sterblichkeit. Ich hielt Sie in den Armen
Und wankte nicht. – Still! Hörten Sie nicht etwas?
(Eine Uhr schlägt)

KÖNIGIN. Nichts hör ich als die fürchterliche Glocke,
Die uns zur Trennung lautet.

CARLOS. Gute Nacht denn, Mutter.
Aus Gent empfangen Sie den ersten Brief
Von mir, der das Geheimnis unsers Umgangs
Lautmachen soll. Ich gehe, mit Don Philipp
Jetzt einen öffentlichen Gang zu tun.
Von nun an, will ich, sei nichts Heimliches
Mehr unter uns. *Sie* brauchen nicht das Auge
Der Welt zu scheuen. – Dies hier sei mein letzter
Betrug.
(Er will nach der Maske greifen. Der König steht zwischen ihnen)

KÖNIG. Es ist dein letzter!
(Die Königin fällt ohnmächtig nieder)

CARLOS *(eilt auf sie zu und empfängt sie mit den Armen)*.

Ist sie tot?

O Himmel und Erde!

KÖNIG *(kalt und still zum Großinquisitor).*

Kardinal! Ich habe

Das Meinige getan. Tun Sie das Ihre! *(Er geht ab)*